MINHA
AMY

TYLER JAMES

COM SYLVIA PATTERSON

A MINHA AMY

A VIDA QUE PARTILHAMOS

TRADUÇÃO
Roberto Muggiati

AGIR

Título original: *My Amy*

Copyright © 2021 by Tyler James
Copyright © TJ Music Productions Limited 2021

Direitos de edição da obra em língua portuguesa no Brasil adquiridos pela Agir, selo da Editora Nova Fronteira Participações S.A. Todos os direitos reservados. Nenhuma parte desta obra pode ser apropriada e estocada em sistema de banco de dados ou processo similar, em qualquer forma ou meio, seja eletrônico, de fotocópia, gravação etc., sem a permissão do detentor do copirraite.

Editora Nova Fronteira Participações S.A.
Rua Candelária, 60 — 7º andar — Centro — 20091-020
Rio de Janeiro — RJ — Brasil
Tel.: (21) 3882-8200

Os créditos das imagens na página 318 constituem uma extensão desta página de copyright.

Dados Internacionais de Catalogação na Publicação (CIP)
(Câmara Brasileira do Livro, SP, Brasil)

James, Tyler
  Minha Amy : a vida que partilhamos / Tyler James ; tradução Roberto Muggiati. -- 1. ed. -- Rio de Janeiro : Agir, 2021.

  Título original: My Amy
  ISBN 978-65-5837-051-2

  1. Cantoras - Inglaterra - Biografia 2. Winehouse, Amy, 1983-2011 I. Título.

21-67281   CDD-780.092

Índices para catálogo sistemático:

1. Cantoras : Biografia 780.092
Aline Graziele Benitez - Bibliotecária - CRB-1/3129

*Este livro é para as duas
mulheres mais importantes da minha vida,
Amy e minha mãe.*

SUMÁRIO

Capítulo 1
13

Capítulo 2
18

Capítulo 3
23

Capítulo 4
35

Capítulo 5
41

Capítulo 6
49

Capítulo 7
55

Capítulo 8
67

Capítulo 9
73

Capítulo 10
78

Capítulo 11
82

Capítulo 12
88

Capítulo 13
97

Capítulo 14
102

Capítulo 15
111

Capítulo 16
116

Capítulo 17
122

Capítulo 18
127

Capítulo 19
137

Capítulo 20
145

Capítulo 21
157

Capítulo 22
164

Capítulo 23 170	Capítulo 34 266
Capítulo 24 182	Capítulo 35 277
Capítulo 25 191	Capítulo 36 282
Capítulo 26 202	Capítulo 37 289
Capítulo 27 212	Capítulo 38 299
Capítulo 28 219	Capítulo 39 307
Capítulo 29 229	Agradecimentos 319
Capítulo 30 236	
Capítulo 31 245	
Capítulo 32 253	
Capítulo 33 257	

1

Sexta-feira, 22 de julho de 2011, 13 horas. O telefone tocou e o nome dela apareceu.

AMY.

Sua voz falou, como sempre:

— Você está bem, querido?

Eu não estava bem. Porque ela não estava bem. Na noite anterior eu tinha deixado nossa casa em Camden Square, a última das incontáveis casas em que moramos juntos desde os 18 anos de Amy. Éramos os melhores companheiros desde que ela tinha 12 anos e eu, 13, almas gêmeas inseparáveis para sempre. Sair de casa era uma tática nova para mim. Eu tinha tentado de tudo. Depois de anos de trauma, de tentar salvar Amy, eu estava ficando sem ideias. Por isso agora, toda vez que ela tinha uma recaída, eu ia embora, porque não conseguia suportar vê-la bebendo.

— Se está bebendo, não vou voltar.

Às vezes eu *de fato* voltava, mas ela não tomava conhecimento disso. Eu dormia debaixo de um cobertor sobre a esteira na sala de ginástica no andar de baixo para fugir do barulho: ela berrava meu nome, botava música a todo volume, passava aquele filme de zumbis *Planeta Terror* sem parar a noite inteira, quase estourando os alto-falantes.

. Mas a maioria das vezes eu ia para a casa da minha mãe em Essex por dois, três, quatro dias. Então Amy ligava.

— T, por favor, volte para casa.

E fazíamos um acordo.

— Vou voltar. Vamos recomeçar o processo, abstinência, você para de beber amanhã.

E funcionava. *Estava funcionando*. Ela estava melhorando. Passava três semanas sem um drinque, quatros dias de volta à bebida, três semanas sem beber de novo. Ela passava cada dia de sobriedade na sala de ginástica, na esteira, se recuperando. Era uma gangorra, mas ela estava chegando lá. *Quase lá*. Estava até compondo de novo. Não tocava em drogas pesadas havia três anos, apesar do que os tabloides diziam.

Então eu fui embora de Camden Square, de novo, às dez da noite. Sentei, exausto, do lado de fora de um pub e ia chamar um táxi da Addison Lee para me levar até a casa da minha mãe. Mas, naquele momento em particular, senti que não deveria simplesmente ir embora como costumava fazer. Algo daquela vez era diferente; havia alguma percepção que não aparecia na superfície. Em geral eu era calmo com Amy, nunca quis fazer com que se sentisse pra baixo porque aquilo não funcionava com os alcoólatras — no meu tempo, se alguém gritasse comigo quando eu tinha uma recaída, aquilo só me dava mais vontade de beber. Mas dessa vez? *Foda-se*, pensei. Preciso ser diferente: durão.

Abri a porta com minhas chaves, subi até o quarto dela no andar de cima e a encontrei fazendo o que fazia quando tinha uma recaída: ouvindo música muito, *muito* alta com os alto-falantes ligados ao seu laptop. Geralmente era Mos Def; agora era "Ghost Town" dos The Specials ribombando. Fiquei parado na soleira de sua porta aberta; ela estava zanzando, tomando vinho, entrando e saindo do banheiro da suíte, cantando, obviamente sentindo-se normal e de novo de bem com a vida, porque é isso que o álcool faz quando você está morrendo de vontade de beber. Perdi a paciência. Pirei.

— Nada disso é normal, nada disso é bom, nada disso é engraçado, é tudo uma merda!

Eu sabia que ia irritá-la. Nunca chegara a ficar zangado de verdade com Amy. Sempre a apoiava, ajudava, *amava* — mas eu não aguentava mais. Fui até o laptop e abaixei a tela com força, desliguei tudo.

— Que *porra* você está fazendo? — gritou ela. — Eu estava ouvindo minha música!

Sentei-me na extremidade da cama e dessa vez era eu quem gritava.

— Você *não pode* beber, isso não pode acontecer mais! Não podemos mais continuar nesse processo! Recaindo, recaindo, recaindo, quantas vezes entramos e saímos do hospital, os médicos disseram que você não pode beber mais, senão vai *morrer*. Mandaram *cartas* para você dizendo isso. Não temos mais nenhuma opção! Não consegue ver o que está fazendo *comigo*?

Eu era o único amigo que lhe restava, a única pessoa o tempo todo ao seu lado que não era paga para ficar com ela. Todas as outras pessoas em sua vida tinham pulado fora. Por mais que a amassem, não conseguiam lidar com ela. Ninguém mais ia lá todo dia para lhe dar apoio. Eu tinha chegado a um nível que nunca havia alcançado.

— Esqueça *você* por um minuto, já imaginou o que vai acontecer *comigo*, com minha *cabeça*, com minha *vida* se você não estiver mais aqui? Se você morrer? Você me ama, sou seu melhor amigo do mundo todo. Mas você vai acabar comigo. É melhor pegar uma porra de uma *espingarda*.

Ao lado do quarto dela havia uma pequena sala de estar, onde fiquei caminhando de um lado para o outro, remexendo em meus cabelos sobre a nuca.

— Não sei mais o que *fazer* com você! Gastei minhas ideias, você parece não entender a situação!

Ela tentou me convencer de que estava tudo numa boa.

— Mas, T, eu estou no estúdio lá embaixo, estou fazendo música de novo.

Ela estava sempre tentando ser a pessoa que achava que precisava ser: aquele personagem chamado "Amy Winehouse". E a essa altura eu tinha um mantra:

— É melhor estar viva sendo Amy do que morrer tentando ser "Amy Winehouse". *Foda-se* Amy Winehouse, é um personagem, *foda-se* essa persona!

E então ela disse o que sempre dizia:

— T, eu não vou a lugar nenhum.

Tudo que me restava era minha nova tática:

— Se você não parar de beber *agora mesmo*, eu vou embora.

— Está bem — replicou. — Vá se foder então.

TYLER JAMES

— Ora, foda-se *você*.

Era tudo tão rotineiro. Só peguei minha mala e saí. Eu *tinha* de fazer isso. Não podia deixar que ela pensasse que estava tudo bem, ficar aturando aquilo e não fazer nada, como algumas pessoas ao redor dela pareciam fazer normalmente.

No dia seguinte veio o telefonema.

— Você está bem, querido?

Eu sabia que ia ser uma conversa longa, por isso fui caminhando até o final da rua da casa da minha mãe, onde tem um campo fechado cercado por arbustos. Não havia ninguém lá além de mim. Eu podia sentir que ela só tinha tomado uns poucos drinques. Era hora do almoço.

Foi uma conversa esquisita. Ela falou comigo a *meu* respeito. Acho que estava tentando pedir desculpas. Amy sabia quanto eu havia feito por ela. Eu tinha lhe dado minha vida. Ela estava grata e parte dela se sentia culpada. E dizia de novo:

— Não vou a lugar nenhum, T, vou ficar bem.

Mas dessa vez dizia também:

— Ouça o que quero para *você*.

Ela queria que eu voltasse a fazer música e eu não estava interessado. Não sentia nenhum desejo de ser famoso depois de tudo que tinha visto. Ela mesma dizia há anos que qualquer um que queira ser famoso deve ser louco. Costumava dizer sempre: "A fama é como um câncer terminal, eu não a desejo para ninguém."

Amy nunca desejara ser famosa. Queria ser cantora de jazz. Mais do que tudo ela queria uma família, ser esposa e ter filhos. Tudo que Amy sempre quis ter foi uma vida normal.

E ela queria aquilo para mim também. Queria que alguém me amasse. Dizia: "T, quero que você se apaixone." Ela nunca vira aquilo acontecer comigo porque eu andava sempre atrás dela. Eu estava com 29 anos e nunca tivera um relacionamento de verdade — quando teria tido tempo para conhecer alguém? Eu mal tinha outros amigos, porque Amy vinha sempre em primeiro lugar.

— T — disse ela. — Venha para casa.

— Eu não vou voltar para casa *agora*. Volto amanhã.

Não tinha nenhum sentido voltar naquela noite — eu podia sentir que ela ia continuar bebendo. Ela me telefonou de novo muito bêbada bem mais tarde, talvez às onze, falando bobagem, e eu peguei no sono no sofá da minha mãe.

Por volta das duas e meia da manhã Amy ligou de novo. Eu estava exausto e não atendi. Não tinha sentido, ela provavelmente nem se lembraria daquilo. Voltei a dormir.

＊ ＊ ＊

No dia seguinte voltei para casa, em Camden Square. Antes de entrar, fiquei sentado séculos num banco da praça, preparando-me para os dias que viriam a seguir. Liguei para minha amiga Chantelle e só falamos sobre Amy. Eu estava esgotado e ela tentava me ajudar.

— Você precisa começar a cuidar de si mesmo — insistia ela. — Eu amo Amy demais também, mas você não pode continuar fazendo isso.

Mas era o que eu *fazia*. E continuaria fazendo até que Amy conseguisse superar aquilo.

Levantei-me, com as chaves na mão, e andei até os degraus da porta da frente. Essa não tinha sido uma recaída diferente de nenhuma outra, e eu sabia o que viria a seguir: ela acordaria, ia querer ficar sóbria. Eu a levaria ao hospital para desintoxicação e nós recomeçaríamos todo o processo. Amy recuperando-se durante semanas, na esteira, ficando saudável de novo, engraçada de novo, de volta à sua personalidade magnífica. E talvez fosse essa a vez em que ela ficaria sóbria para sempre. Aconteceria com ela o que havia acontecido comigo, aquela era a sua meta, Amy tinha dito aquilo um milhão de vezes: "Se Tyler consegue, eu também consigo." Nossas vidas eram paralelas assim, sempre tinham sido, desde que éramos crianças. Fazíamos tudo juntos, eu e ela. Éramos *sempre* eu e ela. Por isso eu sabia que ela acabaria chegando lá.

Eu *sabia*.

Girei a chave da porta e entrei. Era sábado, 23 de julho de 2011.

2

Canning Town em 1982 — o ano em que nasci, um ano antes de Amy — era um típico bairro de classe operária no Leste de Londres. Todo mundo é durão, e se você é um garoto tem de saber brigar. Eu não era um lutador. Era um leitor. Cresci numa habitação popular com minha mãe e minha irmã mais velha. Ficava em meu quarto no andar de cima lendo Shakespeare, ouvindo música e escrevendo poesia enquanto minha família assistia à novela *EastEnders* no andar de baixo. Sempre fui sensível, diferente. Não queria sair e jogar futebol com os outros meninos. Eu era muito focado na escola, no estudo e no meu ambiente, que era *esquisito*. Meus pais não eram acadêmicos. Eu era um garoto do East End que usava roupas esportivas de procedência duvidosa.

A maioria dos meus colegas de escola acabou na cadeia por vender drogas, roubar carros e se meter em todo tipo de encrenca. Muitos na minha família eram criminosos, donos de pubs no East End, e alguns deles estavam na prisão.

Crescer ali era engraçado também: havia churrascos em família movidos a álcool no nosso "jardim" de concreto de dois metros por nada, brincadeiras intermináveis de sair batendo nas portas e sumindo, e toda véspera de Ano-Novo a rua inteira saía batendo tampas de latas de lixo à meia-noite.

Amy vivia exaltando o meu bairro. Meu avô materno, Albert Reading, um gêmeo, era um gângster de verdade, pistoleiro dos irmãos Kray. Amy tinha um livro sobre meu avô numa estante em nosso primeiro apartamento em Jeffrey's Place, em Camden. Não consigo suportar o sujeito, só o vi duas vezes.

Amy sempre quis ser esposa de gângster, era a sua fantasia. Ela amava os filmes da série *O Poderoso Chefão* e filmes de Scorsese, como *Os Bons Companheiros*. Amava as mulheres de bandidos, que sempre tinham montes de filhos, mesmo que vivessem tomando surras. Parte da fantasia era ser mãe de gângster: na cabeça de Amy, ela queria parir os Kray, ter dois filhos que pudesse repreender. Sou propenso a ter gêmeos geneticamente, eles pulam uma geração na minha família, por isso ela me chamava de "Energia Gêmea" e queria ter filhos comigo. Ríamos disso, imaginando como eu a emprenharia com dois bastardos malcriados, gêmeos que chamaríamos, em homenagem a Marlon Brando, de Marlon e Brandon.

Ela amava tanto a minha família pirada do Leste de Londres que nutria fantasias de se casar *com alguém* da família. Como eu era uma espécie de irmão para ela, Amy pensava então em meu primo Dan — todo mundo costumava dizer que nós parecíamos dois lados do meu avô Albert, e Dan era o rebelde, com alma de gângster. Amy dizia muito para mim: "É provável que eu acabe me casando com seu primo Dan." Ela nunca chegou a conhecê-lo.

Um dos motivos pelo qual eu era tão chegado a Amy é que ela me lembrava muito da minha mãe, Tina: maternal, forte, tradicional — ambas figuras decididas que gostam de cuidar de seus homens. Minha mãe tivera uma relação traumática na adolescência, por isso ela e Amy eram tão chegadas: ela se casou cedo demais, aos 16 anos, com o homem errado, por isso entendia a questão de Blake. Os dois se divorciaram e ela encontrou um homem bom, meu pai biológico, e tiveram minha irmã mais velha. Quatro anos depois eu entrei em cena. Mas minha mãe e meu pai pertenciam a mundos completamente diferentes. Ele era um poeta sensível, criativo, musical, um ator, e minha mãe simplesmente acordou um dia e disse: "Que merda é essa?!" Divorciaram-se quando eu tinha 2 anos.

Só guardo duas lembranças de ver meu pai e minha mãe juntos no mesmo cômodo. Uma delas foi no Natal, quando eu tinha 9 anos, e meu pai apareceu com presentes. E uma década depois, quando fui violentamente surrado — um incidente que mudou minha vida e me levou a morar com Amy permanentemente. Recuperei a consciência numa cama de hospital e minha mãe e meu pai estavam no mesmo quarto e eu achei que era uma alucinação. Mas eles não tinham nenhum ressentimento um do outro e o divórcio não chegou a me afetar. Eu me encontrava com meu pai biológico regularmente, por isso tinha uma figura paterna e, aos 9 anos, ganhei um padrasto, Danny, uma grande figura do Leste de Londres que tinha vários empregos, fazia bicos de pintura e decoração, mas era principalmente negociante de sucata com uma van branca de carga. Então eu ganhei minha irmã caçula.

O esquema familiar talvez tenha feito de mim um cara estranho. Talvez tenha feito eu me achar especial. Talvez tenha me dado confiança para fazer algo diferente da vida. Ou achar que eu podia ser cantor. Eu era o único filho homem e minha mãe sempre me fez sentir especial. Ainda sou o príncipe da mamãe. Mas durante anos cresci com só um dos pais, cercado por mulheres incríveis, minhas tias — até a melhor amiga da minha mãe morou conosco por uns tempos. Aquilo me fez ter muito respeito pelas mulheres e pelas mães.

Quando garoto, não lembro um momento sequer em que não estivesse cantando. É estranho, porque não canto agora, nunca. Minha mãe tem um vídeo meu aos 5 anos cantando "I Should Be So Lucky" e "Wouldn't Change a Thing", de Kylie Minogue, e "Isn't She Lovely", de Stevie Wonder. CDs eram a grande novidade na época e minha família ouvia música de montão, especialmente da Motown — todas as mulheres dançavam com um copo de vodca e coca na mão. Minha mãe curtia Fleetwood Mac, UB40, Kate Bush e quase tudo do soul. Ela e minha avó e as tias amavam Otis Redding, Stevie Wonder e The Supremes. Minha tia Sharon era obcecada por The Supremes: nas festas ela achava que era Diana Ross. Aquele era o som que eu amava.

Não tínhamos pilhas de dinheiro, mas eu nunca ficava sem som. Porque minha família amava música demais e eu também, tive até meu próprio toca-discos por um tempo já aos 6 anos. Eu tinha Michael Jackson em vinil, um monte de singles de sete polegadas e então, aos dez, ganhei um sonzão portátil daqueles de arrasar quarteirão que eu *amava* e comprava montes de CDs para tocar nele: Lauryn Hill, Brandy, Monica. E, como todo garoto daquela idade que queria cantar, eu era obcecado por Mariah Carey. E Whitney Houston. Passei toda a infância no quarto porque queria ficar sozinho com minha própria música, meus livros, meus pensamentos. Quando finalmente cheguei à adolescência, amava *black music*: R&B e soul americanos, Eric Benét e Donell Jones.

Sem brincadeira, eu era um garoto bonito com cabelos louros e olhos verdes, a cara da minha mãe, uma mulher muito atraente. Quando jovem, seus olhos eram estonteantes e as maçãs do rosto, ridiculamente altas. Na infância trabalhei como modelo num outdoor da multivitamina Sanatogen e também para a Toyota. Eu tinha só uns 6 anos quando participei de um especial de Natal da novela *EastEnders* que voltava à época da Segunda Guerra Mundial e a loura da série *Birds of a Feather* fazia o papel da minha mãe. Sofri bullying na escola primária, mas acho que todo mundo da minha área também sofreu. Meus colegas de escola mal sabiam ler e escrever, e eu era como meu pai, criativo e insular. Amy era igual. Nunca se misturava com sua família, não por causa de alguma divergência profunda, mas porque ela era uma nerd. Nós dois éramos.

Aos 8 anos eu já começara a frequentar aulas de teatro aos sábados em Plaistow, no Leste de Londres, apenas querendo cantar e aprender canto. Cursei o secundário também no Leste de Londres, mas só por um ano. E então fui para a Escola de Teatro Sylvia Young. Tudo isso era encorajado pelo meu pai biológico. Eu me encontrava com ele quinzenalmente nos fins de semana, quando íamos a um McDonald's. Ele se sentia constrangido por ter se separado da minha mãe, em particular por saber que eu era basicamente como ele e agora tinha de crescer nesse ambiente duro e hostil. Ele havia atuado em musicais, filmes em Hong Kong — nada grande, mas sempre artístico. Eu sentia falta dele; tínhamos uma ligação forte. Ia visitá-lo no sábado e tocávamos piano. Ele conhecia o mundo das artes e encorajava aquele meu lado, sabia que aquilo era importante. Preocupava-se com a possibilidade de que eu me envolvesse com o crime quando eu chegasse aos 16 anos, caso ele não interviesse.

Éramos muito próximos, mas quando completei 16 anos nossa relação se desfez, como tipicamente acontece nessa idade. Meu pai era maníaco-depressivo, o que hoje chamamos de bipolar. Essa se tornou minha grande preocupação, porque eu sofria muito de depressão na adolescência — receava que eu fosse o próximo. A mesma coisa com relação ao meu alcoolismo. Meu pai nunca bebeu, mas meu avô, o pai do meu pai, que morreu antes de eu nascer, morreu de alcoolismo. Meu bisavô também. Anos depois, quando eu atravessava todos os meus problemas de alcoolismo, a visão do meu pai era: "Está nos seus genes, isso vai ser um problema na sua vida." Felizmente, tenho um pouco da minha mãe também, meu lado lutador do Leste de Londres. Por isso, sempre pensei: "Espera aí — como assim? Estou condenado? Nem fodendo!" Sei que pode ser uma coisa genética, mas não acredito que não haja saída.

* * *

Como minha família era dona de alguns pubs, sempre havia festas. Minha avó fazia frango ao curry para todo mundo no bar e eu ficava por lá. Motown sempre tocando na caixa. Não sabia nada de jazz, só conhecia as coisas mais óbvias, como "Fly Me To The Moon" de Frank Sinatra. Foi Amy quem me apresentou ao jazz — ela era uma verdadeira catedrática do jazz.

Não sei o que leva alguém a amar a música tanto quanto nós amávamos. Acho que simplesmente está em você. Ser um cantor era tudo que eu desejava desde os 4 anos de idade. Eu sabia que queria ser artista, não queria ser um garoto do Leste de Londres com uma vida normal e um emprego das nove às cinco. Assistia ao programa *Top of the Pops* e dizia: "Quero estar nessa parada um dia, quero ser como eles." Eu era obstinado, decidido, sabia exatamente o que queria e estava disposto a batalhar para chegar lá. Todo mundo ouve música, mas nem todo mundo é *obcecado* por música. Qualquer um que consiga assinar um contrato para gravar tem uma relação fora do normal com a música, *é assim que você é*.

Ninguém acaba se matriculando na Escola de Teatro Sylvia Young aos 13 anos por acaso.

3

Fiquei sabendo da Escola de Teatro Sylvia Young nas aulas de teatro aos sábados em Plaistow; se você está envolvido no meio artístico de alguma forma, e eu estava desde a mais tenra idade, vai acabar ouvindo falar da escola Sylvia Young e descobrir que ela é a melhor. Se você leva a sério a ideia de se tornar artista, seja o que for, e eu levava a sério, aquele era *o* caminho. Aos 10 anos eu começara a frequentar as aulas de meio-período da escola Sylvia Young em Marylebone, no centro de Londres, aos sábados. Era incrível, podíamos passar o dia inteiro cantando e interpretando pequenas cenas de teatro. A própria Sylvia estava sempre zanzando por lá e observando os novos talentos. Um sábado ela chegou quando eu estava cantando um solo e perguntou se eu gostaria de frequentar a escola em tempo integral. Gostou de minha voz e sugeriu que eu deveria me inscrever. Não topei imediatamente. Não podíamos pagar tempo integral — a anuidade custava dez mil libras. Minha mãe lutava para conseguir minhas duas libras diárias de mesada para a escola secundária.

O jornal *The Stage* dava uma bolsa anual e vinte mil pessoas concorriam. Fui aceito para um teste. O editor do *Stage* estava lá, bem como Sylvia, com o diretor de teatro e o diretor de canto da escola — aterrorizador. Apresentei um pequeno trecho de teatro moderno de *Kes*, com sotaque do norte, alguma leitura à primeira vista, um trecho de poesia e um número de dança tão horroroso que Sylvia me interrompeu na metade. Eu não sabia executar dança do tipo *teatral* e estava me lixando para *qualquer* tipo de dança. Minha última tarefa foi cantar e, depois do constrangimento da dança, Sylvia me acalmou, sentou-se em sua cadeira, apoiou os cotovelos nos joelhos e anunciou: "Estou muito curiosa para ouvir isso!" Eu cantei "Eternal Flame" do Bangles com minha pequena voz reta, que minha família dizia que era "a voz de um anjo". Me apeguei àquela canção na semana do teste. Estávamos em meados dos anos 1990 e eu não dava a mínima para o Britpop, eles não eram cantores para mim — eu achava a voz de Liam Gallagher horrorosa. Ter cantado aquela música do Bangles me valeu a bolsa de estudos.

Foi duro para meus pais arranjar o dinheiro para meu elegante uniforme escolar, e minha mãe tinha de me dar cinco libras por dia para a passagem até o centro de Londres. Meu pai biológico ficou preocupado por ter me encorajado para a profissão mais insegura que existe e desejou ter me encorajado a me tornar advogado. Ele usou até um truque para descobrir até que ponto eu estava decidido.

— Se escolher o teatro nunca mais falo com você.

— Ótimo!

***

Eu era um bom aluno. Na escola de teatro há pessoas que são só criativas e boas na interpretação e se dão mal em matemática ou inglês. Isso fazia de mim um dos garotos mais brilhantes de lá. Tirei quatro notas A+ e quatro A em minha prova final do secundário. Havia certas provas, como a de ciências, em que eu acertava cem por cento. A escola recebeu cartas dizendo que eu estava entre os cem alunos que mais pontuaram no país naquelas provas. Acabei sendo o primeiro da turma.

Segunda, terça e quarta nós ficávamos na rotina acadêmica. Quinta e sexta eram dias de trabalho vocacional — canto, dança, teatro — e nessas aulas você se juntava com garotos mais velhos ou mais novos, não importava a turma em que estivessem. Tínhamos um professor de canto legal chamado Ray Lamb que dizia "Faça o que tem que fazer". Um dia ele sugeriu gravar "Parabéns pra você" para a avó dele... Ele escolheu dois alunos para cantarem: um deles era eu e a outra uma garota miudinha que eu nunca tinha visto antes. Ela tinha

12, quase 13 anos, mas parecia ter nove, mal passava do metro e meio de altura, com cabelos negros compridos, uma judiazinha do Norte de Londres. Só estávamos na mesma classe vocacional porque éramos incapazes de dançar — pernas para o alto com grandes sorrisos e mãos de jazz não eram a nossa praia. Ela se levantou primeiro. Vestia o que todos nós vestíamos, o uniforme da escola com calças cinza e um grande pulôver com gola em V na cor que chamavam de vermelho pirulito. E então ela começou a cantar.

Eu não conseguia acreditar nos meus ouvidos ou nos meus olhos. Aquela garotinha cantava como uma jazzista veterana de 40 anos que bebia três garrafas de uísque e fumava cinquenta Marlboros Red por dia. Ela provavelmente *já estava* fumando Marlboros Red. Sua voz era algo incrível, como Nina Simone ou Dinah Washington. Não sendo ligado em jazz, a única coisa que eu conhecia era Marilyn Monroe cantando "Happy Birthday Mister President" para JFK. Ela terminou sua versão e sentou-se. Eu me levantei e fiz minha versão de Stevie Wonder.

Quando a aula terminou saímos da sala juntos. Eu extravasei:

— Porra! Quem é você? Sua voz é absolutamente irada!

Ela retrucou.

— Sua voz é absolutamente doida.

Aquelas foram nossas primeiras palavras. Eu a ouvi cantar antes de ouvi-la falar; foi amor à primeira audição. Depois foi amor à primeira vista. Vocês sabem como é às vezes, você conhece alguém e é instantâneo, dá um clique, como se a gente já se conhecesse, como se os dois estivessem programados para se conhecer: *aí* está você, por onde andou? Foi assim que me senti no dia em que conheci Amy. O dia em que conheci minha alma gêmea. A garota que vocês conhecem como Amy Winehouse.

* * *

Nossa amizade brotou instantaneamente, não só turbinada pela música, mas por uma ligação mais profunda: nós dois éramos adolescentes pirados e enxergávamos aquilo um no outro. Éramos deprimidos, ansiosos, inseguros. O maior buraco negro em Amy era seu pai ausente, Mitch. Os pais se separaram quando Amy tinha 9 anos; seu pai traía sua mãe, Janis, com uma mulher que conheceu no trabalho, Jane, e a família inteira sabia daquilo. Amy e seu irmão Alex costumavam chamá-la de "a esposa do papai no trabalho" (ela acabaria se tornando sua segunda mulher). Mas não era só aquilo. A maioria do pessoal nas escolas de teatro gosta de se exibir, de ter câmeras voltadas para o próprio rosto, e Amy não era daquele jeito, nunca foi descontraída, era complicada, solitária e reclusa, como eu. Na hora do almoço, no refeitório — eles o chamavam de Salão Verde, como se você estivesse na BBC —, dava para ver os alunos aprendendo seus passos de dança aqui, outros cantarolando harmonias ali e Amy e eu sentados a uma mesa simplesmente *deprimidos*. Ela me dizia: "Você fica deprimido como eu, não é?"

Eu era um adolescente muito infeliz com uma acne terrível, que chorava até dormir. Sentava-me numa cadeira na hora do almoço e deitava a cabeça no braço sobre a mesa, escondendo-me dos colegas, que tinham entusiasmo exacerbado e sorrisos alinhados. Amy me entendia, assim como eu a entendia. Ficávamos sentados num canto e ela brincava com meus cabelos. No primeiro ano eu tinha madeixas louras que caíam até a ponta do nariz, como Nick Carter dos Backstreet Boys, mas nada estiloso. As franjas eram tão compridas que eu as enfiava atrás das orelhas e Amy pegava um feixe delas e enrolavas nos dedos como pequenos cachos. Ela brincava com minhas pernas também. Amy era obcecada por pernas grandes. Os garotos da escola faziam muita dança e por isso tinham pernas musculosas, e eu, com mais de um e oitenta de altura, era o menino mais alto da classe, maior do que todo o resto. Ela falava em tom de piada, meio que flertando: "Você tem umas belas pernas compridas." Mas minhas pernas não eram as únicas com que ela brincava. Tinha um garoto negro na minha turma chamado Junior, com pernas *muito* grandes, e Amy brincava para valer com elas!

Ela era superdotada, ridiculamente inteligente. Amava palavras, assistia ao programa de adivinhações *Countdown* e acertava todos os enigmas. Ficava sentada sozinha fazendo Sudoku, mais rápido que todo mundo, estava sempre fazendo palavras cruzadas, uma revista após a outra. Mantinha a mente ocupada. Precisava de estímulo ou seus pensamentos sairiam vagando para algum lugar atrevido, como qual o garoto de que estava a fim, ou que tatuagem podia fazer, ou se devia tingir os cabelos de rosa choque. Enquanto eu era estudioso, Amy não estava interessada. Era uma rebelde, que irritava o diretor da escola, o sr. Muir. Ele era escocês e se achava lindo, como o Sean Connery. Amy chegou um dia com um piercing no nariz. Perguntei se tinha feito em Camden.

— Nada disso, fiz eu mesma. Botei uns cubos de gelo em cima.

Eu era alto e ela era tão baixa que eu a enlaçava em meu ombro e a carregava para passear como brincadeira. Amy ficou a fim de mim no começo, mas Amy estava sempre a fim de um monte de garotos. Apaixonava-se pelo ato de se apaixonar. Na escola ela tinha um caderno com a escala de compatibilidade para os meninos da nossa faixa etária, com notas de um a dez. A minha dizia: "Ele é perfeito, gosta de música." Eu tinha uma namorada na escola chamada Claire, por isso ela completou a anotação: "Mas ele está com a Claire!" Daí minha cotação caiu para zero. Ela ainda guardava aquele caderno em casa anos depois. Nós o relíamos, mijando de tanto rir.

Não nego que pensamentos românticos passassem por nossa cabeça. Tentando definir o que éramos, amizade não era a palavra certa. Só posso nos descrever como almas gêmeas: ela me amava e eu a amava. Éramos como irmãos não consanguíneos, mas também era como se eu fosse seu pai e ela, minha mãe. Algo nas minhas entranhas me dizia que eu tinha que cuidar dela, como se eu fosse investido daquela responsabilidade. Simplesmente dávamos sentido um ao outro. Não éramos adolescentes normais, e havia um entendimento de que as relações começavam e terminavam, mas eu era dela e ela era minha e estaríamos juntos para sempre. E foi assim ao longo de toda a vida de Amy.

Sempre me senti diferente de todo mundo e a primeira vez que não me senti assim foi no dia em que conheci Amy. Eu pensei: *Na verdade não sou tão esquisito assim, sou? Estou longe de ser como meus primos, ou como os outros meninos no meu bairro, mas não há nada de errado comigo, porque você é exatamente como eu. E tudo bem ser pirado, porque nós dois temos saúde e temos um ao outro.*

Ela era também muito engraçada, fazia imitações de todo mundo, um esquete cômico judaico de Sylvia e outro de nossa professora de dicção, Jacqui Stoker, tendo um chilique. Ela era uma grande professora, mas se você não pronunciasse o "t" no final de uma palavra ela surtava.

A maioria dos jovens estava ligada em canções de musicais, assim como os professores de canto. Eles eram três, além de Ray Lamb, aquele que escolheu a mim e a Amy para cantar "Parabéns pra Você", e ele era o único que encorajava improvisação e estilo livre. Os outros só se preocupavam com técnica e em cantar "Why, God, Why?" de Miss Saigon e "There's a Castle on a Cloud" de Les Miserables e toda aquela palhaçada. Ele sempre pedia a mim e a Amy que fizéssemos estilo livre. Fizemos um show de cabaré na escola, e alguns ex-alunos foram assistir — Emma Bunton, a *boy band* Damage — e enquanto todo mundo cantava "Earth Song" de Michael Jackson, berrando "E quanto a nós?!", eu embarquei numa improvisação em cima de tudo aquilo, cadenciando, e então Amy deu o show dela, improvisos jazzísticos, harmonias entortadas, zanzando pelo palco em suas calças de jogging e com a camiseta branca da escola, parecendo alguém dos anos 1940. Não havia ninguém como ela.

Fizemos um montão de shows de cabaré juntos. Sempre que havia uma noitada no Hotel Dorchester nos chamavam para montar um grande cabaré. Toda a escola ensaiava e reensaiava e nós dois fazíamos nossos solos informais. Depois nos escondíamos de todo mundo; eu saía e comprava uma caixa de vinte nuggets no McDonald's, que comíamos num canto sozinhos.

Outra coisa que ela amava era a mesa de iluminação da escola. Havia um salão principal no andar de baixo onde os shows eram encenados — não era um teatro, mas o mais parecido que tínhamos, com uma escada numa extremidade. Você subia pelos degraus até a grande mesa nos fundos da qual havia os consoles em que o técnico controlava todas as luzes. Era a mesa de iluminação, o único lugar privado da escola e todos o conheciam como O Lugar. E era lá que você ia quando queria ficar com alguém. Só se apalpando, aquela coisa de adolescente. Amy era das que mais subiam e desciam aqueles degraus!

Aos 15 anos, eu estava mudando. Não conseguia sair da cama e comecei a me atrasar todo dia. Minha mãe entrava no meu quarto à noite e às vezes me encontrava chorando, dizendo que eu simplesmente não queria acordar de manhã. Depressão *das boas*, algo quimicamente errado. Isso deixou minha mãe apavorada e ela compartilhou aquela informação com meu pai biológico, um maníaco-depressivo que vivia tomando antidepressivos e, assim como falou com relação ao alcoolismo na sua família, ele disse: "Ele é meu filho, sua cabeça está começando a viajar, provavelmente precisa de remédios." Ele me levou a um médico, que sugeriu antidepressivos, mas a coisa não rolou e houve toda uma onda em relação àquilo. Minha mãe, ao seu jeito bem East End, não aceitava a ideia: "Que porra é essa? Está querendo entupir o garoto de comprimidos? Ele só tem 15 anos!"

Já Amy foi colocada nos antidepressivos aos 14 anos. Não me cabia dizer, mas não acho que adolescentes de 14 anos deveriam ser colocados nessa. Não sei se os remédios a ajudavam ou não, mas ela desejaria voltar a eles no futuro, então talvez funcionassem. Tudo que sei é que ensinaram a ela numa idade muito tenra que o jeito de endireitar sua cabeça era recorrer a agentes químicos. Em vez de procurar alguém para conversar.

Amy era um ano adiantada porque era muito brilhante, mas se lixava para as coisas acadêmicas. Era inteligente demais e ficava entediada. Eu entendia aquilo. Fiz minha prova final de matemática no secundário dois anos antes, estudando sozinho em casa, onde não era pressionado demais. E então Amy parou de se sair bem. Seu desempenho não estava bom e o sr. Muir achou que ela precisava ir para uma escola comum. Sugeriu a Janis e ao padrasto que ela poderia ser uma intelectual. Pediram que deixasse a escola e eles concordaram. Amy ficou muito triste com aquilo, gostava da escola, gostava da disciplina e ali havia um monte de maluquinhos à sua maneira. Existe um mito de que ela foi expulsa, mas isso nunca aconteceu. Sylvia nunca lhe teria pedido para sair, tudo partiu do sr. Muir, com quem Amy nunca se deu bem. E eu não sei como ela conseguiu, mas Amy nunca frequentou uma escola comum depois do incidente; matriculou-se na Escola BRIT em Croydon — que a mídia chamava de Escola da Fama britânica — e me disse que achou uma merda. Descobri anos depois que Sylvia ficou furiosa com a saída de Amy, que ligou para Janis pedindo que ela repensasse, convencida de que Amy não seria feliz em nenhum outro lugar. E ela estava certa.

***

Depois que Amy saiu da escola Sylvia Young ficamos ainda mais próximos. Era como se aquele afastamento nos levasse a apreciar ainda mais um ao outro.

Passávamos os fins de semana no quarto dela, que ficava no porão da casa de seu padrasto, perto da estação de metrô Totteridge & Whetstone. O quarto era uma garagem convertida, e sua mãe, o padrasto e os irmãos de criação moravam todos no andar de cima. Ela era como Cinderela, a excluída, a personagem rebelde numa família séria e convencional. Eu costumava entrar pela janela do quarto dela, furtivamente, porque seu padrasto era rigoroso e jamais deixaria um rapaz entrar na casa de uma moça às oito da noite, embora fôssemos apenas amigos. Era quase como um pai vitoriano, batia na porta de cinco em cinco minutos, "Abaixe essa música!", enquanto eles assistiam ao programa de debates *Question Time* no andar de cima. A maior parte do tempo ele não sabia que eu estava lá. Uma vez ou outra me pegou e botou para fora. Ele não brigava comigo, brigava com Amy. "Já disse que rapazes não podem entrar nesse quarto! Pra fora!" Nós simplesmente ríamos. Às vezes eu esperava na esquina meia hora e voltava, de novo pela janela. Ouvíamos nossos ídolos, embarcávamos numa *jam* e nos "automedicávamos", como se diz hoje. Fazíamos o que os adolescentes faziam: violão numa mão, uma bebida ou um baseado na outra.

Eu ainda estava na Sylvia Young, ela na BRIT e toda noite depois da aula falávamos ao telefone sobre música, o divórcio dos pais dela, falávamos de tudo. Os telefones celulares eram novos e as ligações eram grátis depois das seis da tarde, então ficávamos colados no telefone das seis à meia-noite. Eu tinha uma insônia terrível e Amy cantava para me ninar toda sexta-feira; era uma maneira de começar o fim de semana. "I'm Only Sleeping" dos Beatles. Ou sua favorita, "So Far Away" de Carole King.

Fiquei amigo de suas outras grandes amigas, também. Amy era a melhor amiga, como uma irmã, de uma garota chamada Juliette Ashby desde que tinham 4 anos. Elas frequentaram a mesma escola primária, Osidge, e aos 10 anos inventaram um pequeno duo de hip-hop, Sweet 'n' Sour — Amy chamava a dupla de versão judia do

Salt-N-Pepa. Havia outra boa amiga daquela escola primária, Lauren Gilbert, que era o bebê do nosso círculo; seu avô era tio-avô de Amy, então era como se fossem primas. Éramos todos muito chegados, sempre juntos o tempo todo, a partir dos 15 anos, ainda mais quando deixei a escola Sylvia Young, aos 16 anos. Juliette era cantora também e éramos vidrados em Eric Benét, Boys II Men e Brandy. Minha mãe sempre descolava uma nota de dez libras para mim no fim de semana e saíamos todos para comer.

Amy tinha uma atitude muito saudável em relação à comida na época. Amava comida chinesa e um restaurante de tapas em Camden ao qual íamos sempre, Jamon Jamon. Dormíamos e fazíamos festas nas casas uns dos outros, e era óbvio, já naquele tempo, como Amy e eu éramos diferentes: as pessoas tomavam dois Bacardi Breezers e capotavam; nós bebíamos vodca direto da garrafa. Era da nossa natureza. E naquela idade era divertido.

Na minha área, toda família tinha uma casa móvel onde passava os fins de semana; a gente nunca ia para fora do país e eu adorava aquilo. A nossa ficava em Clacton-on-Sea. Toda sexta-feira, durante o verão, eu entrava na van de meu padrasto, me deitava debaixo de um cobertor e partíamos para o local onde ficava a casa móvel, um camping organizado à beira-mar com arcadas. A primeira vez que bebi foi dentro daquela casa móvel. Eu tinha 13 anos e uma garrafa de cidra K e me senti absolutamente magnífico. Foi a primeiríssima vez na minha vida em que eu senti "aaah, agora está tudo bem".

Amy começou a beber antes de mim, quando tinha talvez 12 anos, e sempre fumou maconha desde que a conheci. Aos 15, 16 anos, nós bebíamos garrafas de cooler quando dormíamos fora de casa e a depressão ia embora, pelo menos por um tempo. Para Amy, especialmente, agentes químicos eram sempre a solução. Eu dizia a ela que estava realmente deprimido e ela dizia: "Venha à minha casa amanhã e vamos beber umas e outras e queimar um baseado." Ela era sempre assim. Se aquelas coisas faziam a gente se sentir melhor, então por que não encarar?

Uma noite ficamos todos na cama de alguém. Lauren, Juliette e Amy dormiam de conchinha. Como eram todas meio judias, chamavam aquilo de Bumschnigs. Naquela noite, *todos* nós estávamos rolando na Bumschnig — eu, as três garotas e outro garoto. Tínhamos 16, 17 anos e simplesmente apagamos. Na manhã seguinte, quando todo mundo tinha se levantado e voltado para a sala de estar, Amy entrou no quarto e viu uma garota que não estava com a gente na noite anterior debruçada sobre mim com os peitos de fora. Amy soltou os cachorros. "Sua nojenta!"

Ela chutou a menina para fora do quarto e tiveram uma briga pra valer. Ela estava sempre cuidando de mim, como eu cuidava dela. Uns poucos anos depois saíamos para as baladas e eu sofria tanto de insônia que às vezes pegava de repente no sono e Amy dizia: "Vamos, vem dormir no meu colo." Íamos para um canto, numa pequena cabine, e ela me protegia, não deixava ninguém chegar perto e gritava mais alto do que a música: "Não cheguem perto desse garoto, vocês não sabem que ele não dorme nunca?"

Éramos duas personalidades muito distintas. Enquanto ela era rebelde, eu era uma alma perdida, mas num nível mais profundo éramos tão semelhantes, dois introvertidos obcecados pela música. Minha mãe costuma dizer que éramos "duas ervilhas numa vagem", querendo dizer que éramos inseparáveis! Tínhamos até uma conexão judaica: meu pai biológico é judeu e minha mãe não é, por isso eu não sou, mas meu nome verdadeiro é Kenneth Gordon, e Gordon era o nome de solteira da avó de Amy, Cynthia. Foi uma ocasião e tanto quando fui pela primeira vez à casa de Cynthia. Eu tinha 16, 17 anos e estava saindo daquela minha fase feia de acne e Cynthia disse: "Ele se parece com aquele menino DiCaprio!" Eu pensei: *Porra, eu amo essa mulher!*

* * *

Amy amava sua avó, a mãe de Mitch, e Cynthia me amava. Ela preparava jantares judaicos para mim às sextas, carne salgada e *latkes*, algo entre uma batata assada e um chip de batata, uma delícia. Amy chamava a avó de Cynthie. Ela morava numa casinha em Finchley, a dez minutos de Amy. Era miúda como a neta, com cabelos volumosos, não em colmeia, mas eram vastos e glamorosos. Ainda nos vejo, descendo do ônibus em Finchley, Amy e eu, como dois pequenos vagabundos subindo até a casinha no alto da rua, entrando pela cozinha, e lá está aquela mulher cozinhando e toda arrumada.

Com maquiagem completa, cabelos negros, vestido preto com lantejoulas e brilhos, fumando um cigarro. Ela era estonteante, como uma estrela de cinema, como Joan Collins em *Dinastia*. E cheia de classe, sem tentar parecer mais jovem do que era. Uma mulher mais velha linda que se vestia bem, ainda que para cozinhar carne salgada — era realmente uma coisa do outro mundo. Tinha sido cantora de jazz e Amy gostava de me recordar que Cynthia tinha saído com o famoso dono do clube de jazz londrino Ronnie Scott. Foi dela que Amy herdou sua obsessão por pin-ups dos anos 1950. Ela admirava a avó mais do que qualquer outra pessoa.

Amy era mais chegada à avó do que à mãe, que era uma mulher bonita, mas com uma personalidade muito simples e discreta, o oposto total de Amy. Amy podia ligar para Cynthia e dizer: "Vó, fiz sexo ontem à noite e fiquei grávida", sabendo que sua avó a ouviria sem julgar e a ajudaria. Ela não podia fazer aquilo com a mãe, que não era aberta e moderna. Meu primeiro jantar com Cynthia foi também a primeira vez que vi sua tia Mel — também era tão bonita, parecida com a mulher do anúncio da companhia de seguros Scottish Widows — e Mitch, que estava à mesa com seu barrigão e sua personalidade espaçosa — engraçado, como você esperaria de um taxista londrino. Amy e ele tinham um relacionamento brincalhão, coisa normal entre pai e filha. Amy serviu toda a comida e eu e Mitch nos sentimos como reis aquela noite, os únicos meninos ali paparicados e alimentados pelas mulheres.

Amy vinha à minha casa em Canning Town e às vezes ficava lá quando minha mãe ia para nossa casa móvel nos fins de semana. Aos dezesseis eu já havia me emancipado das viagens em família, então eu e Amy ficávamos em casa jogando no computador; ela fumava seu baseado e dávamos festinhas. Ela até chegava a ficar lá quando minha mãe estava em casa, e eu dormia no sofá. A primeira vez que Amy passou a noite lá, minha mãe pediu que cantasse para ela, na sala de estar, enquanto tomava seu café da manhã de costume: um ovo cozido e um cigarro. Pediu a Amy que cantasse "Fly Me To The Moon", a única canção de jazz que conhecia. Amy arrasou e minha mãe começou a gritar "Meu Deus do céu!". Ficaram amigas na hora. Amy falava de tudo para minha mãe e elas conversavam sobre coisas que Amy nunca falava comigo: nos anos vindouros, muito sobre Blake.

Se Amy ficava na minha casa quando minha mãe estava ausente, nós dormíamos na minha cama e ela cantava para me *acordar*. Era a maneira mais adorável de acordar, com ela sentada na beira da minha cama cantando. Geralmente era "So Far Away", de Carole King. Essa se tornou a nossa canção.

4

Nos últimos quinze anos, tornou-se possível, ou até se encorajou, uma pessoa a ficar famosa sem nenhum motivo justo, apenas ser "famosa por ser famosa". Você pode ser famoso por ser um idiota hoje. Quando eu e Amy éramos adolescentes isso nem existia — você tinha de ter algum talento. Amy nunca quis ser famosa, mas queria ter sucesso e ser artista. O mesmo acontecia comigo. De certo modo, nós dois queríamos reconhecimento, mas Amy *definitivamente* não queria ser tão famosa quanto se tornou.

Escolas de teatro normalizam a ideia de fama. Seu colega de escola incapaz de somar dez mais oito chega subitamente à parada do *Top of the Pops*, por isso você não acha que exista algo especial numa pessoa famosa. A escola Sylvia Young provavelmente criou mais estrelas pop do que a maioria na segunda metade da década de 1990 — Emma Bunton das Spice Girls; as irmãs Appleton e Melanie Blatt das All Saints.

Você também cresce rapidamente. Levanta-se todo dia, viaja noventa minutos até o centro de Londres para ter aulas o dia inteiro, acaba às quatro, e depois, das quatro às seis, participa de testes. Isso te deixa disciplinado. Diretores de elenco visitavam nossa escola, pois isso era mais fácil do que irmos um a um até eles. Pessoas que estavam formando uma *boy band* vinham inspecionar nossos garotos de 16 anos. Aos 13, quando me transformei de menininho louro modelo em adolescente feio cheio de acne, aquilo realmente me afetou. Eu odiava posar para fotos, tinha ataques de pânico, deixei os cabelos crescerem uma barbaridade. Então de repente, aos 16 anos, quando minha acne regrediu, estava na cara que eu tinha tudo para entrar numa *boy band*. Sabia cantar e era bonito. Eu estava no mesmo patamar que Lee Ryan, que entrou no Blue, e John Lee, do S Club 7. Recebi um monte de propostas para entrar em *boy bands*. Teria entrado fácil no Blue. Mas eu estava seriamente empenhado na minha música, com uma atitude: *De jeito nenhum vou ser um astro pop de merda numa* boy band. Amy tinha aquela postura também, embora, por trás de toda aquela atitude, nós fôssemos apenas inseguros, sem nenhuma confiança: o tipo de pessoa que jamais pisaria num palco ou cantaria num estúdio sem calibragem alcoólica.

Billie Piper era da nossa turma. Ela fez o anúncio da revista *Smash Hits* em que estourava uma bola de chiclete e acabou assinando com uma gravadora. O que ela queria mesmo era ser atriz e não era de se admirar: devia ser a pior cantora da escola. Todo mundo ficou chocado: "Como foi que Billie descolou um contrato com uma gravadora?!" Ouvi um jornalista dizer que Amy estava se dedicando a esquisitices na escola, fingindo ser uma bruxa, e que tinha enfeitiçado Billie Piper. Uma história incrível, mas não era verdade!

***

Quando deixa a escola Sylvia Young, você ainda continua cadastrado lá, por isso eles atuam como seu agente. Havia um jovem, Nick Shymansky, à procura de um cantor, sua primeira descoberta como caçador de talentos do departamento artístico. Ele trabalhava para a Brilliant PR, que fazia a publicidade das Spice Girls. Nick era basicamente o rapaz que servia o chá e estava tentando fazer carreira no departamento artístico, como seu tio Lucien Grainge, que era (e ainda é) presidente do importante conglomerado de gravadoras Universal Music Group. Sylvia tocou minha fita para ele e ele me pegou na hora. De uma hora para a outra eu tinha um empresário e comecei a frequentar os estúdios e me reunir com produtores. Nick era dois anos mais velho que eu e parecia vinte anos mais velho, como um pai, nunca teve uma aparência jovem. Ele era sensato, responsável, tinha uma *hipoteca*. Nós vivíamos dormindo em sofás e ele possuía um apartamento próprio em Bayswater. Mas nunca chegava a ser chato, ele era tão apaixonado por música. Mesmo que bastasse tomar um drinque para cair bêbado.

Amy, enquanto isso, ainda estava no porão do padrasto queimando fumo sem parar. Implorei que me desse uma fita sua cantando. Eu falava a Nick sobre Amy e ele rolava os olhos, pensando que se era uma cantora de jazz ela deveria ter uma atitude compatível. Eu sabia como ela era talentosa. Amy tinha apenas 16 anos, mas eu sabia que ela precisava ser artista, sabia que ela precisava ter algum rumo, por isso voltei a implorar para ela, meses e *meses*. Finalmente ela fez uma fita e mandou para a casa da minha mãe, cantando jazz standards que tinha gravado com a National Youth Jazz Orchestra, na qual trabalhara alguns meses por recomendação de Sylvia. Toquei a fita para Nick em seu carro e ele ficou empolgado, dizendo que Amy era "uma coisa única, diferente". Ele queria se encontrar com ela, e marquei um encontro perto do escritório da Brilliant, no parque Turnham Green. Ela chegou de metrô, veio ao nosso encontro, ele embarcou no seu discurso: "Quero ser seu empresário, posso realmente incrementar seu som." Eles começaram a conversar e eu os deixei sozinhos. Quando voltei, Nick parecia estranho e Amy se levantou para ir embora e bruscamente pespegou um beijo nele! Nada mais aconteceu, eles seguiram em frente e Nick passou a ser o empresário dela. Ela ainda era tão jovem, acho que seus pais precisaram dar sua permissão. Posso imaginar que Mitch deve ter ficado empolgado com aquilo.

Pensei muitas vezes naquela cadeia de acontecimentos, em como minha insistência com Amy para gravar aquela fita havia levado à sua descoberta. Sem aquela fita o público jamais poderia ter sabido da sua existência. Mas aquilo significava que a fita levou a tudo mais, também.

Simon Fuller, empresário das Spice Girls e que criou o programa *Pop Idol* em 2001 — que inventou praticamente todos os shows de talento da TV contemporâneos —, tinha uma empresa de agenciamento, a 19 Entertainment. Fuller fundiu a 19 com a Brilliant PR e automaticamente começou a supervisionar todo mundo no plantel da Brilliant. Uma porção de pessoas perdeu o emprego, mas Fuller se interessou em manter Nick porque Nick tinha a mim e tinha Amy. Eu assinei contrato com a 19 primeiro, em 2001, Amy assinou em 2002, assim Simon Fuller passou a ser nosso empresário absoluto. Ele era um homem muito poderoso e fiquei empolgado para me encontrar com ele, e nervoso. Era muito simpático e conhecia o seu negócio, era o tipo do empreendedor persuasivo que dizia "Quando você chegar ao seu primeiro nº 1..." e você acreditava nele. Na época *faziam* as coisas acontecerem; não funciona assim agora. Se você tinha um bom empresário, contava com mais chance de chegar a um sucesso imenso. Bastava estar na emissora de rádio certa e no programa de TV *CD:UK* numa manhã de sábado que era quase certo você estourar.

Eu estava bem enfronhado no jazz, através de Amy, e Fuller teve uma ideia: nós dois atuaríamos num filme de jazz passado nos anos 1950. Chegamos até a ensaiar durante quatro dias num pub em Putney, encharcados de Jack Daniels, cantando clássicos do jazz o dia inteiro enquanto os asseclas de Simon Fuller nos filmavam. A ideia simplesmente desapareceu, como acontece com muitas ideias grandiosas.

Amy não era ambiciosa. Teria ficado sentada em seu quarto tocando violão, cantando e fumando maconha pelo resto da vida. Nick passava umas duas horas tentando arrancar Amy da cama para levá-la ao estúdio. Ela amava fumar uma erva. E tinha de ser o que ela chamava de "erva natural", nada sintético e definitivamente nenhuma droga pesada. Eu tinha tentado pílulas uma ou duas vezes, não me fizeram bem, e Amy me dissuadiu.

— Sai dessa! — ralhou comigo. — Nada de químicos, só coisa natural.

— Sim, Amy, mas a primeira coisa que você faz de manhã é rolar um baseado.

— Mas isso é natural.

Aquela era a postura dela na época, ela era rigorosa: não entre em drogas pesadas. *Não, não, não, não!*

Nós dois fazíamos a ronda dos estúdios, compondo e gravando. Me mandaram trabalhar num galpão nos fundos do quintal de alguém em Perivale, na zona residencial de Ealing. Através de Nick, cantei para os produtores Danny D e Tim Blacksmith, que empresariavam o duo de compositores noruegueses Stargate, que depois trabalharam com Beyoncé e Sam Smith. Cantei "Isn't She Lovely" de Stevie Wonder, que eu cantava desde os 5 anos de idade, e três dias depois estava num avião a caminho de um estúdio na Noruega. Era minha primeira experiência de estúdio de verdade, meu primeiro voo para outro país, minhas primeiras canções produzidas por profissionais em vez de fazer *jam sessions* num galpão. Simon Fuller estava tendo novas ideias, dizendo que eu precisava ser um astro pop de verdade. Amy sentia necessidade de mergulhar na rota cool e interessante do jazz, mas eu — e a esta altura estou mudando, tenho 19 anos, sou um garoto branco bonito que canta como um garoto negro —, eu era comercial. Parece hilário para mim hoje: *eu* era a mina de ouro!

* * *

Amy recebeu a oferta de um contrato autoral com Guy Moot na EMI por 240 mil libras. De repente ela ganhou independência financeira, saiu do porão de sua família e alugou um apartamento em Finchley com Juliette. Eu praticamente vivia lá também. Amy tinha 18 anos, eu tinha 19, foi quando começamos a morar juntos. Juliette tinha um namorado, saía muito, mas quando estávamos todos juntos fazíamos jams, cantávamos, tocávamos, bebíamos. Amy queimando erva (nunca aturei erva) — garotos normais desfrutando sua primeira explosão de liberdade.

Amy assinou então seu contrato com a Island Records. Mais 250 mil libras. Ela era terrível em relação a dinheiro e comportava-se como a maioria das pessoas faria àquela idade, como se tivesse ganhado na loteria. Era 2002: a coisa mais sábia a fazer com aquele tipo de dinheiro seria comprar um pequeno apartamento em Shoreditch que hoje valeria dois milhões de libras. Mas você não estava nem aí. Fazia como Amy — comprava um montão de sapatos Louboutin, uma pilha de vestidos, guitarras e livros de música intermináveis, pedia comida chinesa e indiana cara, comprava uma coleção de bonecos de super-heróis, revistas em quadrinhos e toda porcaria que você amasse porque você é um nerd de 19 anos.

Amy adorava uma banheira. O apartamento de Finchley tinha uma banheira grande e espaçosa e ela estava sempre lá dentro, com uma máscara facial e touca para os cabelos, esfoliando a pele. Ela era capaz de gastar oitenta libras na drogaria Boots em minutos. Comprou uma guitarra que ela chamou de Cherry — fez uma canção sobre ela em seu álbum de estreia, *Frank*. Amy não era grande coisa na guitarra, então comprou livros de acordes, e os dois com que mais aprendeu foram *The Beatles' Greatest Hits* e *Carole King Tapestry*. Ela ainda cantava aquelas canções para mim, "I'm Only Sleeping" dos Beatles e "So Far Away" de Carole King, mas agora conseguia se acompanhar adequadamente na guitarra.

Com seu novo contrato de gravação, Amy estava fazendo exatamente o que queria. Enfim tinha se livrado da família e podia ser o que sempre quisera ser: *livre*.

5

Em 2001, a primeira série de *Pop Idol* inaugurou a era de Simon Cowell. As pessoas perguntaram a Simon Fuller na época, quando eu havia acabado de assinar contrato com a 19: "Por que não bota Tyler no programa e faz ele ganhar?" Claro, ele não podia fazer aquilo, mas eu ainda me preocupava com a questão. Eu era ambicioso, mas queria ser um artista de verdade. *Popstars: The Rivals*, que produziu o Hear'Say, tinha alcançado tanto sucesso que eu sabia que esse programa seria um estouro também. Fuller disse, me provocando: "Não, Tyler, isso não afetará o que você está fazendo. Prometo que não deixarei um garoto ganhar. Quero que uma garota seja a vencedora."

O vencedor da primeira série de *Pop Idol* foi Will Young.

Eu tinha um contrato de produção com a 19, por isso, fazia música para ele e desenvolvia trabalhos com outros artistas e ele pagava por tudo. Eu via Fuller toda semana, mas quando *Pop Idol* decolou, simplesmente deixei de ser relevante para ele. Também frequentei o preparatório para a universidade durante um ano, Duff Miller, em South Kensington, do outro lado do Museu de História Natural. Um colégio particular e muito chique, dali a maioria das pessoas vai para Oxford ou Cambridge. Ganhei uma bolsa de estudos deles também por causa dos meus resultados no exame final do secundário e cursei literatura inglesa, estudos teatrais e matemática. Estava decidido a seguir meu próprio caminho, ainda trabalhando com a 19, mas, no segundo ano, eu já estava gravando num estúdio multimilionário na

Noruega com o Stargate. Recebi três notas A em meus simulados e caí fora. Tinha decidido: eu ia ser *artista*.

Ofereceram-me vários contratos autorais que Simon Fuller não aceitou, inclusive um de quinhentas mil libras. "Não aceite, vamos esperar que cheguem a um milhão". Acreditei nele inteiramente. Achei que quando chegasse aos 26 anos poderia me aposentar e viajar pelo mundo. A indústria musical era assim naquela época. Depois do Britpop e da dance music nos anos 1990, nos anos 2000 o pop voltava a ser a força dominante. Daniel Bedingfield escreveu o single de UK garage "Gotta Get Through This" e a Sony lhe deu um contrato autoral de um milhão de libras. Aquilo não era fora do comum.

Eu adorava música pop. Sentia uma admiração real por uma música grudenta, pelo talento para escrever canções pop. Eu ia para o estúdio e tentava compor um hit. Amy não era daquele jeito de modo algum. No estúdio ela escrevia sobre o cara com quem estava fodendo ou a discussão que tivera com a amiga. Estava sempre botando coisas no papel — diários, poesia, peças, rabiscos. Ela adorava *O sexo e a cidade* e compôs canções sobre a série. Escreveu também uma canção intitulada "Tyler in Cashmere", sobre me enfiar num pulôver de caxemira — eu ainda o tenho. A canção falava de como a vida podia ser legal. Essas canções eram seu processo de aprendizado. Nenhuma delas foi gravada, ela estava simplesmente compondo e compondo e compondo.

Éramos obcecados por Lauryn Hill. Salaam Remi coproduziu o álbum dos Fugees *The Score* em 1996 e Gordon Williams, o "Comissário Gordon", foi o engenheiro de som em *The Miseducation of Lauryn Hill* em 1998. Agora, através da Island, Amy estava trabalhando em seu álbum de estreia com Salaam e o Comissário Gordon, voando para a América.

Fuller podia ver que eu era bom compondo canções pop para outras pessoas. Eu era capaz de ver a música em sequências matemáticas e sabia usar o programa de software Pro Tools. Ele também era empresário de Cathy Dennis e começou a me ver como essa espécie de compositor musical, preparando-me para ser sua versão masculina de Cathy Dennis. Eu só tinha uns 20 anos, por isso ele pensou que faria aquilo durante dois anos e depois me tornaria artista. Era uma boa maneira de lançar um artista também, torná-lo conhecido ainda jovem como compositor de canções de outras pessoas.

Em 2002 fui mandado para várias partes do mundo com Nick, Estados Unidos, Europa. Eu era um compositor autônomo trabalhando na Suécia com Merlin, que compunha para Jennifer Lopez; passei uma semana compondo com Robyn quando ela era uma compositora desconhecida, e compus com Rob Fusari, que tinha trabalhado com o Destiny's Child inicial. O *Pop Idol* tinha evoluído agora para *American Idol*. Kelly Clarkson venceu a primeira série e um cara chamado Justin Guarini foi o segundo, e Fuller me deu a tarefa de compor e produzir metade do primeiro álbum de Justin, embora eu o achasse um tremendo ególatra. Ele fazia a turnê do *American Idol* e eu tinha de ir ao seu encontro na cidade em que estivesse. No final, Simon pegou de volta todo o trabalho que eu tinha feito para ele; meu segundo single, "Foolish", saiu desse material. Eu me sentia bem com a minha vida, era um compositor autônomo viajando pelo mundo e Simon Fuller pagava tudo. Fantástico!

Eu e Nick costumávamos ficar em nossos quartos de hotel pelos Estados Unidos tecendo fantasias em relação ao futuro, tudo parecia possível então. Sonhávamos com o dia em que Nick seria um grande empresário e eu seria um artista de enorme sucesso. Hoje ele *concretizou* sua fantasia — Nick sempre soube o que queria fazer. Sempre soube que eu e Amy éramos meio pirados, mesmo antes de começar o caos. Ele dizia: "Vocês dois deviam fazer terapia." Falava de quando eu era mais jovem, quando me conheceu: "Engraçado, cara, sempre achei que você ia se suicidar mais dia, menos dia." Aquela era a piada dele! Ele me via como uma pessoa muito fragilizada. Antes que eu saísse da minha concha através da bebida e da criatividade, eu era inseguro e confuso. Nas minhas primeiras apresentações, berravam comigo: "Abra os olhos!" Eu *não conseguia* abrir os olhos, não queria ver as pessoas. Amy era igual. Gostávamos de cantar, Amy gostava de dedilhar seu violão, mas não queríamos fazer aquilo na frente de outras pessoas. Então começamos a beber e isso resolveu o problema.

***

No ano seguinte, eu e Amy estávamos trabalhando nos Estados Unidos e Nick veio ao nosso encontro. Eu trabalhava com poucas pessoas, entre elas a garota que foi terceiro lugar na primeira edição de *American Idol*, Nikki McKibbin, e Amy trabalhava com o Comissário Gordon em Nova Jersey e com Salaam Remi em Miami nas músicas que se tornariam o álbum *Frank*. Nick coordenava o trabalho para estarmos todos no mesmo lugar ao mesmo tempo. A base de Salaam era Miami e era lá que eu trabalhava com Nikki, e assim ficamos semanas em Miami, hospedados no Raleigh, aquele hotel *art déco* ridiculamente glamoroso. Amy o escolheu porque aparece numa grande cena de *A Gaiola das Loucas*, com Robin Williams, um filme sobre drag queens, e ela era obcecada por drag queens, adorava a cultura gay. A praia ficava do lado do hotel. Passávamos o dia inteiro no estúdio e à noite saíamos para as boates. A vida noturna de Miami era tão rica, nós éramos jovens, com a cabeça cheia de R&B e hip-hop, e tínhamos um carro conversível da empresa que nos levava aonde quiséssemos.

Ficamos obcecados com o filme *Mudança de Hábito 2*, em que Lauryn se tornou estrela. O garotinho do filme que canta as notas agudas, Ryan Toby, fazia parte do grupo City High e eu trabalhava com ele também — agora ele era compositor e produtor e compunha muito da música de Will Smith quando estava no auge. Ryan tinha uma mansão na praia e, depois de um dia no estúdio, íamos de conversível até a casa dele. Amy fumava maconha, saíamos para jantar, depois uma boate, bebíamos umas e outras e então voltávamos ao estúdio e começávamos a gravar no meio da noite. Ou voltávamos ao hotel, onde Amy sacava seu livro de guitarra e letras, ela enrolava um baseado e caíamos todos numa *jam session*.

Uma noite, eu e Amy compusemos um dueto na praia e o intitulamos de "Best for Me". Já havíamos composto profissionalmente uma vez antes, no estúdio em Londres, duas canções que acabaram no meu álbum de estreia, uma chamada "Procrastination", que era sobre não querer estar no estúdio, e a outra, "Long Day", que era sobre... ter passado um longo dia no estúdio! Trabalhávamos bem juntos. Eu era todo melodia no começo, enquanto Amy era toda poesia. Mas a praia tornava todo aquele momento tão especial, com as ondas do oceano quebrando às quatro da manhã, eu bebendo, Amy queimando fumo

— não fazíamos aquilo todos os dias, geralmente estávamos num calabouço no Leste de Londres. Voltamos ao estúdio, gravamos, e eu estava tão chapado que nem conseguia fazer os meus vocais. Ela me deu um esporro: "Que merda, T, fazemos isso amanhã!" Saí às seis da manhã e desmaiei no conversível com a capota arriada. Era tudo tão maravilhoso, ser jovem, criativo e livre daquele jeito. Assistíamos ao nascer do sol na praia toda madrugada, eu, Amy e Nick, indo para a cama depois da alvorada. Tudo parecia perfeito.

Um cara com quem trabalhávamos na época me levou a um hotel certa vez para conhecer seus amigos. Estavam todos cheirando coca no meio do dia, fiquei atônito. Ofereceram-me um pouco e eu recusei, nunca tinha cheirado cocaína e nunca achei que provaria. Especialmente no meio da tarde! Dois anos e meio depois, aquela seria a minha vida. *Perfeitamente normal.*

Havia noitadas estúpidas. Fizeram um filme de *American Idol*, *De Justin para Kelly*, típico empreendimento de Simon Fuller, tentando espremer cada gota de dinheiro do programa, uma comédia romântica musical que ganhou quatro Framboesas de Ouro como Pior Filme. Mas fomos todos ver a filmagem da última cena, conhecemos Kelly Clarkson e fomos à festa do encerramento da rodagem. Havia uma garota loura lá que trabalhava com Simon Fuller, ela queria conhecer a equipe inglesa e Nick ficou caído por ela. A festa tinha um bar aberto e eu e Amy ficamos empolgados: "É tudo de graça, vamos deitar e rolar!" Nick tinha de ser o sensato na história, o empresário, mas como ele estava a fim da garota, decidimos arruiná-lo, embaraçá-lo, sabendo que se tomasse dois drinques ele apagaria.

Nós o entupimos de álcool, o que foi realmente um erro, ele ficou tão irresponsável. Eu e Amy tivemos literalmente de carregá-lo, cada um o apoiando com um braço, todo troncho, porque Amy era muito mais baixa que eu, arrastando seus pés pelo corredor. Nós o deitamos em sua cama e o fantasiamos com o lenço de cabeça, um cardigã de lã cor-de-rosa e um grande par de óculos escuros, todos de Amy. E tiramos fotos, como prova. Ele passou mal o dia seguinte inteiro, não conseguia sequer *falar*, vomitou, o serviço completo, e eu e Amy achamos aquilo hilário.

Éramos abusados, também. Uma noite em Nova Jersey, decidimos todos dar um telefonema para Clive Davis, um medalhão da indústria musical, que era o presidente do grupo RCA na época. Eu tinha composto uma canção com Rob Fusari no ano anterior nos Estados Unidos, "She Doesn't Even Know I'm Alive", que soava como um hit de Christina Aguilera, e todos achamos a música incrível, até Simon Fuller. Nick decidiu ligar para Clive Davis, fingir que era Simon Fuller e convencê-lo a ouvir a música. Ele conseguiu o número e começou com a conversa: "Fui empresário das Spice Girls, estou com um jovem branco que canta como um garoto negro." A recepcionista disse "OK, vou passá-lo para Clive..." e Nick entrou em pânico: "Meu Deus, eu preciso parecer profissional." E então, para dar um toque de autenticidade, pôs o telefone na espera e pediu: "Amy, você vai ser minha recepcionista." Ela topou na hora, pegou o telefone e disse numa voz sofisticada: "Oi, meu nome é Sandra, vou passá-lo para Simon Fuller agora..." Ele concordou em ouvir a fita quando a enviássemos e achamos que Clive Davis ligaria para mim no dia seguinte e me daria dois milhões de libras. Nunca tivemos o seu retorno!

Simon Fuller ficou muito puto com a gente, especialmente com Nick: "Nunca faça isso, nunca finja e queira se passar por mim!" Eu tinha 20 anos e pensava: "Estou ficando velho, não sou mais um adolescente, *preciso* fazer as coisas acontecerem." Nick e eu éramos muito ambiciosos — e Amy simplesmente não era.

* * *

Tudo acontece tão rápido naquele mundo. Você não tem tempo para raciocinar sobre como a realidade é diferente, como era apenas um ano antes. Em 2003, Amy e eu estávamos passeando de carro por Miami num conversível, a capota arriada, os dois com contratos, trabalhando com aquele pessoal cheio de talento, ganhando nosso próprio dinheiro. Amy saía para comprar sapatos e vestidos todo dia; frequentávamos as melhores delicatéssens e restaurantes, bares e festas. Dois anos antes eu morava numa habitação popular no Leste de Londres. Amy, como eu, começava a perder contato com suas outras amigas. Você passa a viver num mundo diferente porque simplesmente não vê mais ninguém da sua vida anterior. Está a milhares de quilômetros de distância, em boates, bebendo, fazendo compras e o dia inteiro no estúdio.

Em Miami, eu vi Amy encontrar a si mesma. Sempre a achei madura para sua idade. No dia em que a conheci, ela parecia uma alma velha aprisionada num corpo de criança, aprisionada no porão de uma casa estranha com um padrasto severo, olhando ao seu redor como uma adolescente e pensando: "Que merda é essa?" O que Amy queria e necessitava era independência. Agora, finalmente, ela era independente. Tinha dinheiro, confiança e uma aparência incrível também. Tinha peitos grandes, uma bunda, estava em forma e era sexy, comprando vestidos que mostravam tudo. Na sua *atitude* ela era sexy. Um dos maiores vídeos do mundo desde o final dos anos 1990 era "Genie in a Bottle" de Christina Aguilera, que tinha o corpo de um garoto adolescente, nada feminino e sexy, e agora um monte de estrelas pop eram magras como gravetos. Quando Amy caminhava pelas ruas de Miami, balançando as sacolas de compras com seus vestidos e saltos altos, os homens não conseguiam tirar os olhos dela.

Em Nova Jersey, onde ela gravava com o Comissário Gordon, assistimos ao Grammy juntos no hotel em que estávamos hospedados. Os três sentados na beira da cama, Amy no meio, bem em frente da TV. Norah Jones ganhou um montão de prêmios naquele ano e me levou a uma discussão com Nick sobre o súbito declínio no Grammy em geral e especificamente em relação a Alicia Keys, que tinha conquistado cinco Grammys no ano anterior. Eu achava Alicia Keys boa, mas não tanto quanto as pessoas diziam. Eu e Nick não divergíamos em muita coisa, mas, quando o fazíamos, discutíamos para valer: éramos ambos apaixonados e teimosos. Dessa vez, antes que nos déssemos conta, estávamos chamando um ao outro de babaca, de pé de cada lado da cama, botando o dedo na cara um do outro. Joguei o telefone do hotel nele e avançamos um sobre o outro. A essa altura, a minúscula Amy se pôs de pé sobre a cama, assim ficava na mesma altura que nós, com os braços estendidos bem no meio gritando "Parem com isso, meninos!", como uma boa mãe judia. Ela *amava* aquele papel, tomando conta de homens malcomportados.

Quando íamos a delicatéssens depois do estúdio às cinco da manhã, Amy fazia questão de garantir que cada garoto recebesse sua refeição e seus frasquinhos de sal e pimenta — eu, Nick, Salaam às vezes. Ela sempre bancava a mãezona, como aprendera em sua casa. De manhã no hotel, quando Nick e eu descíamos para o café da manhã, Amy já estava colocando nossa comida numa bandeja. Em restaurantes, com a equipe do estúdio e às vezes o pai de Salaam, ela era a única garota no meio de um monte de rapazes e garantia que tudo estivesse em ordem.

Uma vez estávamos num restaurante em que preparam a comida na sua frente e eu era realmente enjoado em relação a esse tipo de coisa porque serviam frutos do mar. Sempre tive uma fobia braba a peixe e não consigo controlar minha reação a ele. Já fui a restaurantes em que alguém colocou uma cabeça de lagosta no meu prato e eu virei a mesa. Amy, sendo Amy, decidiu contar isso a Salaam. Salaam é um cara maravilhoso, parece um urso de pelúcia vivo e é também um gozador. Salaam pegou um caranguejo — Amy lhe deu a ideia —, pôs no meu ombro e começou a brincar com o caranguejo na minha cara. Eu surtei, quebrei tudo na mesa à minha frente e pirei aos gritos. Amy *se mijou toda*. Saí do restaurante para o estacionamento e tive de sentar num muro, meu corpo tremia todo. Amy saiu, tentando conter o riso, e sentou-se ao meu lado.

— T, por favor, me desculpeeee, tá...?

Ainda vinha dar uma de mãe pra cima de mim, logo ela que era a culpada de tudo aquilo!

Aquela viagem a Miami foi uma das ocasiões em que mais nos divertimos. Eu a vi transformando-se na pessoa que sempre quis ser. Na pessoa que *realmente* era.

6

Mitch começou a reaparecer na vida de Amy, muito. Ela sempre quis morar em Camden porque achava o lugar mais bacana do planeta. Agora estava comprando sua primeira casa em Camden, um apartamento de um quarto no último andar de um pequeno prédio numa travessa chamada Jeffrey's Place, na divisa de Kentish Town, a parte mais barra-pesada de Camden. Era oficialmente um apartamento de dois quartos, mas o segundo quarto era do tamanho de um papel de enrolar fumo — sem nenhuma cama. Na verdade era um caixote cheio de araras de roupa. Comprar imóveis não era coisa para Amy — ela teria preferido alugar —, mas Mitch acabou se envolvendo, o que fazia sentido. Amy agora tinha dinheiro.

Não víamos muito sua mãe, Janis; talvez num show ou outro com o marido. Ela recebeu o diagnóstico de esclerose múltipla em 2003 e sabíamos, desde então, que às vezes a mãe de Amy não andava muito bem. Ninguém a julgava por isso, é óbvio, e tudo que eu sabia era que ela se mostrava muito aérea nas poucas ocasiões em que a vi. Provavelmente a doença afetou sua relação com Amy, mas menos do que o fato de que as duas eram tipos de pessoas completamente diferentes.

Amy amava Jeffrey's Place, tudo no apartamento refletia sua personalidade. Na sala de estar ela pendurou sobre o console da lareira retratos em molduras de tamanhos diferentes: capas famosas da *Vogue*, entre elas uma de Marilyn Monroe, algumas fotos de família e ilustrações de moda. Sua coleção de vídeos VHS incluía o primeiro vídeo single, "Justify My Love", de Madonna (tão bom que foi banido pela MTV em 1991), e o filme de 1956 de Marilyn Monroe *Nunca Fui Santa*. Ela amava Marilyn e tinha um daqueles espelhos retangulares com o rosto de Marilyn em alto-relevo.

Suas estantes sempre estavam cheias, de Hunter S. Thompson, Bukowski e Dostoiévski a Jackie Collins, Dr. Seuss e *The Book of Jewish Food*, de Claudia Roden — o livro que a ensinou a fazer sopa de galinha judaica. Havia uma mala de fotos de família e outra mala prata cheia de CDs e vinis antigos, incluindo trilhas sonoras como *Dr. Jivago*, pilhas de jazz (seu irmão Alex a apresentou a Thelonious Monk, que ela amava), Frank Sinatra, Sarah Vaughan e *Remember Marilyn*, lançado em 1972, a primeira compilação em vinil da música de Marilyn Monroe. Seus bonecos de super-heróis também estavam à mostra nas estantes, assim como sua querida coleção de bonecos de lutadores da WWF.

Amy era obcecada por geladeiras Smeg e na cozinha havia uma coberta de adesivos de pin-ups dos anos 1950, muito antes de suas tatuagens de pin-ups. Havia livros de quebra-cabeças preenchidos pela metade e espalhados por todo o apartamento, e ela ainda assistia ao game show *Countdown*. Quando o programava entrava no ar, ela pulava do sofá para cantar o tema de abertura — du-ru, du-ru, du-ru, dudle-u-du, dum! — e fazer uma dança idiota, sacudindo o bumbum. Eu passava muito tempo lá, geralmente dormindo no sofá, que é a coisa que os insones fazem.

Todo dia ela ia comprar flores frescas num quiosque de flores em Camden e fazia compras. Quase sempre me trazia cuecas boxers Calvin Klein e todo dia fazia bronzeamento artificial. Havia um espaço de bronzeamento artificial em Parkway e ela ficou amiga da garota que tomava conta. Amy era naturalmente muito pálida, mas sempre parecia bronzeada como um grão de café, por todo o corpo. Ela me contou que literalmente se virava de todos os ângulos e expunha cada dobra para que a luz UV atingisse "cada parte do corpo". Eu me perguntava como seria aquilo e ela tirou uma foto para me mostrar. Tinha aberto bem as bochechas das nádegas — não que eu pudesse ver o buraco do ânus, ela não era tão tosca assim! — para que a luz penetrasse ali. A foto era toda violeta e ela vestia apenas seus óculos de proteção, sorrindo. Às vezes ela voltava de lá *horas* depois, sabendo que tinha exagerado, e dizia: "Estou parecendo uma Barbie que não deu certo!"

Amy era realmente uma figura e era exatamente isso o que faltava na foto original para a capa de *Frank*. Amy e Nick ficaram muito insatisfeitos, o fotógrafo simplesmente não a captou. Tentou fazê-la parecer bonita e na moda, ficou um tédio, sem personalidade — aquela não era a garota que tinha composto "Fuck Me Pumps" em Miami. Ele tinha feito fotos dela numa lavanderia, o que era óbvio demais. Eu e Amy sempre íamos à lavanderia em Camden. Poderíamos facilmente ter comprado uma máquina de lavar, mas íamos à lavanderia de três em três dias. Amy amava ficar sentada lá fumando e lendo o *Sun*, sempre foi o jornal preferido dela. Às vezes ela lia o *Star* para rir um pouco. E aquela sessão de fotos foi uma coisa sem graça, podia ser qualquer garota em Londres.

Eu tinha um conhecido chamado Charlie que entendia de fotografia; ele morava em Shoreditch e perguntei a ele se nos faria um favor — só tirar algumas fotos. Então fomos a Shoreditch — eu, Amy, Nick e uma amiga minha, Catriona, que conheci na faculdade, uma garota escocesa legal com um lado meio áspero, outra figura. Estávamos atravessando a rua e havia um homem com dois cachorros e Amy sabia como eu amava cachorros.

— Veja, Tyler, dois schnauzers!

Ela perguntou se podia segurar os cachorros como para me agradar, Charlie tirou a foto e aquela foi a imagem na capa de *Frank*.

Amy ainda tinha uma atitude saudável em relação à comida. Nascida numa família judia e sendo uma garota tradicional, comida era uma coisa importante. Agora, nos meses que antecederam o lançamento de *Frank*, ela começou a dizer: "Estou fazendo uma dieta." Na época era tão ridículo que chegava a ser engraçado. A dieta do caldo de carne e do Haribo. Ela mesma inventou. Se sentia vontade de algo apetitoso, você tomava um cubo de caldo de carne dissolvido num copo de água quente, sabor carne bovina ou frango. Se tinha vontade de algo doce, comia uma bala de goma Haribo. Ela amava doces, adorava Haribo e levava séculos para acabar com um pacote de balas. Mas ela desabava, cedia e comia uma pizza.

Esse foi o início dos distúrbios alimentares de Amy, uma luta interminável com a anorexia e a bulimia. Se começou antes, na adolescência, foi algo que eu nunca percebi, o que não significa que não tenha acontecido. Mas agora estava instalado de modo significativo, o que coincidia com o fato de ela de repente estar vendo fotos de si o tempo todo.

Hoje é diferente, naturalmente: os jovens apontam seus celulares para a própria cara o dia inteiro, tirando ou criando fotos idealizadas de si mesmos e mandando para o mundo, pedindo para ser olhados. Mas nós dois fomos subitamente jogados naquele mundo de sessões de fotos e vídeos, e você se sente complexado da noite para o dia: *hipercomplexado*. Você cria uma obsessão doentia com o seu eu físico que nunca sentiu antes. Em Jeffrey's Place, Amy estava sempre em turnês de divulgação, viajando por todo o país. Era atendida por sua brigada do glamour — cabeleireiros e maquiadores enviados pela gravadora Island — e emergia parecendo uma pessoa completamente diferente. Sua pele era naturalmente ruim quando *Frank* foi lançado e de repente a pele ficava perfeita. Foi a mesma situação para mim quando comecei a lançar minha música poucos meses depois. Eu me olhava no espelho com maquiagem e achava que minha pele antes devia estar terrível. Voltávamos os dois depois de um dia de trabalho de divulgação, tirávamos a maquiagem e ficávamos totalmente deprimidos com nossa aparência de merda. Com nossa aparência *real*. Essas coisas afetam a gente.

O ano de 2003 foi quando me contrataram, como Amy, para a Island Records. Nick me levou até Darcus Reese, o diretor do departamento artístico que tinha contratado Amy. Parecia uma nova conquista para mim, porque não era orquestrada por Simon Fuller, que agora era um empresário para os shows de talento da TV.

Em outubro de 2003 *Frank* foi lançado, um mês depois que Amy completou 20 anos, e a mídia a chamou de "curvilínea". Ela interpretava aquilo como "gorda". Hoje chamamos isso de "*fat-shaming*". Eu não enxergava a bulimia na época. Você não pode ser bulímico e não comer. O que eu via era basicamente anorexia, a dieta de caldo de carne e Haribo. Eu entendia, queria ser magro também. Tínhamos uma frase: "Comer é enganar." Eu não era anoréxico, mas não comia muito, o que não era incomum quando você tem 21 anos e sai por aí bebendo e indo a festas. Vi Amy perdendo peso, porém não me preocupei. Quando *Frank* saiu ela não estava magra como um palito e não haveria motivo para preocupação se ela dissesse que queria perder uns três quilinhos, embora não precisasse, pois Amy estava perfeita do jeito que estava. Eu dizia a ela:

— Você tem peito e bunda, você é sexy.

Mas ela não me ouvia.

— Posso dizer o mesmo de você, então por que gosta de ficar magro? — respondia ela.

Frank recebeu aclamação da crítica e foi indicado para o Mercury Music Prize. Amy não era um nome conhecido ainda, mas a mídia ficou interessada nela desde o início. Era engraçada, gostava de beber e fumar, falava palavrões e era talentosa. Às vezes ela achava as entrevistas incrivelmente chatas quando os jornalistas faziam sempre as mesmas perguntas. Amy voltava para Jeffrey's Place, geralmente eu estava lá, e ela me contava o que pensava no meio daquela chatice: "O que eles diriam se eu enfiasse um lápis no olho agora?"

Ia haver um show exclusivo para o pessoal da indústria fonográfica uma noite no Cobden Club no Oeste de Londres e comprei um vestido da Pringle para ela usar. Era uma espécie de suéter largão de homem que se usaria logo depois de fazer sexo. Ela era o tipo de garota junto à qual você nunca conseguia achar sua camisa ou seu pulôver porque ela o estava usando. O vestido era rosa, azul-bebê e preto, com um decote em V, não muito aberto, e bem curto. Ela ficou estonteante e não havia nenhuma magreza em seu corpo naquela noite. Por mais insegura que fosse, eu sabia que ela se sentia sexy. Tive certeza de que Amy curtiu tudo daquela noite: era um evento mais íntimo, ela havia tomado um drinque, não era famosa, apenas estava desfrutando a sensação de ser ela mesma.

Na época fazíamos umas noites de microfone aberto num clube do Soho perto de Piccadilly Circus, ao lado do Chinawhite's, um lugar que Amy detestava, sempre cheio das "celebridades" do dia. Nosso clube tinha uma noite de domingo para fãs de R&B e numa dessas noites, durante meu show, nós cantamos o dueto que tínhamos composto em Miami, "Best for Me". Amy foi minha guitarrista naquela noite também — eu era o cantor principal e Amy estava à minha frente com sua guitarra! Foi uma maravilha, mas eu estava nervoso. Amy tinha quatro meses a mais de experiência em shows ao vivo do que eu e seu conselho foi: "Tome um trago e vá fundo sem pensar em nada." Pelo menos eu já conseguia abrir os olhos no palco àquela altura. Sempre que saíamos daquele clube, Amy olhava para a multidão na calçada do lado de fora do Chinawhite e dizia: "Babacas."

A festa de Natal da 19 Entertainment foi em 19 de dezembro de 2003 — Simon Fuller era obcecado pelo número 19. Foi no clube de R&B em Piccadilly Circus. Eu tinha cheirado cocaína uma vez antes numa festa e não tinha achado grande coisa. Pensei: "Estou crescendo."

Parei um momento para olhar aquilo tudo. Eu estava na festa de Natal da minha superagência, um evento bancado com dinheiro a rodo, com fontes de chocolate e todo tipo de extravagância. David e Victoria Beckham estavam lá. Simon Fuller disse para mim "Esta é Emma", e era Emma Bunton — o lugar estava cheio de pessoas da TV. Eu ri e pensei: "Aqui estou, contratado por uma grande gravadora, sou um artista prioritário, vou fazer meu primeiro álbum, ano que vem provavelmente vou emplacar um single no número um das paradas e agora estou indo ao banheiro para cheirar cocaína... que *porra de vida incrível!*"

E foi então que me fodi pra valer.

7

No dia seguinte da festa de Natal da 19, tive a pior ressaca da vida e só levantei às quatro da tarde. A única solução era beber com meus amigos em Shoreditch. Eu agora morava em Bow na casa da minha meia-irmã, Nicola, filha de um casamento anterior do meu pai. Eu tinha morado na mesma habitação popular a vida inteira, mas minha mãe, meu padrasto e minha irmã caçula haviam se mudado para o campo, o que eu jamais ia fazer. Sempre tinha me dado bem com Nicola, ela me tratava como adulto e em Bow era a primeira vez que eu voava para fora do ninho. Tinha recebido o adiantamento do meu contrato de gravação, de duzentas mil libras, então agora era independente e podia pagar aluguel, comprar boas roupas e finalmente cuidar sozinho de mim mesmo.

Caminhando até o ponto de ônibus, eu já tinha notado aquele bando de garotos, uns dez, e sabia que eles também haviam me notado. Era óbvio que eu tinha algum dinheiro: bem-vestido com um pulôver marrom da Pringle, boa aparência, *echarpe*. Não tinha a cara de um garoto que toparia uma briga. Eu havia sido assaltado antes em Canning Town, levaram meu celular, então pensei: "Podem pegar este, vou comprar outro." Mas essa turma, eu soube na hora, *vai foder com a minha vida*.

Tomei uma decisão: assim que virasse à esquerda para o ponto de ônibus, se estivesse vazio eu ia correr. Se estivesse cheio eu ficaria em segurança; era a hora do rush, obviamente me deixariam em paz. Virei à esquerda, havia uns oito adultos no ponto, beleza. Sentei-me no pequeno banco de plástico vermelho. Eles continuaram se aproximando. E simplesmente passaram pelo grupo de pessoas. Não pediram meu telefone, meu dinheiro, nada. Não fui assaltado, fui *atacado*. Os adultos simplesmente desapareceram.

Me surraram com tudo. Me jogaram no chão e começaram a dar pontapés por todo o meu corpo. Tentei me proteger, tenso, a adrenalina correndo solta, quatro garotos me chutando de cada lado, no rosto, nas costas, era como se estivessem tentando me matar. Uma semana depois, naquele mesmo ponto de ônibus, um garoto foi morto, devia ter sido obra daquela gangue. Pensei: "A qualquer segundo agora, vou experimentar a sensação de uma faca atravessando meu corpo." Então desistiram, eu fugi, comecei a correr de volta para a casa da minha irmã — correndo, correndo, as pessoas me olhando horrorizadas, todo coberto de sangue. Soquei a porta, minha irmã abriu e gritou "Meu Deus do céu!" Fui direto para o banheiro e vomitei a alma, o choque de tudo aquilo. Então pensei: "Tenho de filmar um vídeo no mês que vem." Tinha noção do meu rosto massacrado, vi o rosto todo inchado enquanto vomitava. Olhei para minha irmã. "Quebraram meu nariz, não foi?" Ela assentiu com a cabeça. E me levou de carro direto para o hospital, passando pelo ponto de ônibus onde minha echarpe estava no chão manchada de sangue. Eu sabia que não podia morar mais ali.

Me puseram numa cadeira de rodas porque eu não conseguia ficar de pé. Fizeram um exame completo: duas costelas quebradas, fratura na coluna, maçã do rosto quebrada, maxilar quebrado, nariz quebrado. A polícia chegou, me fez um monte de perguntas e eu não disse nada — o velho hábito de Canning Town de nunca falar à polícia. Eu não queria incomodar minha mãe, achei que ela teria um colapso nervoso. Então o hospital disse: "Você está com uma hemorragia interna." Eu pensei: "Que merda... vou morrer, eu quero ver a minha mãe." Nicola telefonou para ela, que apareceu minutos depois. Entrou, viu que eu estava todo roxo e caiu em lágrimas.

— Eu podia estar colocando o meu menino num caixão amanhã de manhã.

***

Então meu pai biológico apareceu. Era tão surreal — a primeira vez que o via no mesmo cômodo que minha mãe desde os 9 anos de idade. Eu o vira muitas vezes desde então, mas nunca os dois juntos. Meu pai biológico e minha mãe biológica, as duas pessoas que tinham me criado, tão diferentes um do outro quanto água e vinho, estavam na mesma sala bem à minha frente. Pensei: "Não sei como isso vai evoluir, graças a Deus tem uma agulha enfiada no meu braço e uma bolsa pendurada cheia de morfina!"

Tios apareceram: quem foi? Eu não dava a mínima para uma retaliação, nada poderia reverter o que tinha acontecido. Tudo que eu sabia é que tinha fodido com a minha vida.

Fiquei no hospital cinco dias. Queriam que eu refizesse meu nariz lá e eu me recusei; pagaria para que fosse feito por um especialista, eu podia pagar. Parece ridículo, mas eu estava pensando na minha carreira. Eu mesmo me dei alta e simplesmente *saí*, fui para a casa da minha mãe, e foi aí que comecei a tomar analgésicos. Tinham receitado meus analgésicos, mas como deixei o hospital por conta própria não me deram nenhum medicamento. Minha avó sempre tinha montes de coproxamol, tinha uma receita renovável para um antigo ferimento no tornozelo da época da guerra, mas só tomava os comprimidos "na medida do necessário", por isso havia pilhas deles.

O coproxamol acabaria banido por causar sérios efeitos colaterais, como inflamação do pâncreas. Achei o remédio uma maravilha. Foi quando minha dependência de analgésicos começou. Nos anos seguintes eu assaltaria os kits de primeiros socorros da minha família. Todo mundo tinha analgésicos, cocodamol, tramadol. Minha mãe tem uma casa na Espanha e lá eles são muito tolerantes — você pode comprar comprimidos de trinta miligramas de codeína sem receita e bem barato —, por isso ela costumava estocar comprimidos efervescentes de codeína. Ela não sabia que eu os vinha tomando por anos a fio.

Os comprimidos aliviavam definitivamente a dor nas minhas costas, mas o que eles faziam à minha cabeça era um milhão de vezes melhor. Eu me sentia relaxado e não estava acostumado a me sentir relaxado. "Pílulas mágicas", pensei. Eu tinha todas aquelas inseguranças ao crescer, de não ser como os meninos durões, de preferir ouvir música e ler poemas, e aquilo me deixou medroso durante anos. E agora a agressão me havia abalado no cerne. Minha confiança entrou em colapso. Me senti vulnerável. E, como fora surrado antes, mas não com essa violência, comecei a pensar: "Por que as pessoas estão sempre implicando comigo?" Eu me senti assim durante *anos*. Ainda sinto até hoje. Com o tempo a dor física foi embora, mas a dor emocional me levou a consumir aquelas pílulas mágicas como se fossem confetes de chocolate por muito tempo. Não conseguia mais parar, até que acabei indo para uma clínica de reabilitação.

Eu já sabia que era viciado — sempre tinha sido viciado. O McDonald's foi meu primeiro vício e Amy achou aquilo hilário. Quando saíamos para beber, eu de repente me ausentava por quarenta minutos. Os amigos não se preocupavam. "Deixa pra lá. Ele foi ao McDonald's." Quando quer comida do McDonald's, você quer comida *do McDonald's*, aquele gosto específico e viciante. Quando eu era pequeno, meu pai biológico me levava ao McDonald's, e eu e Amy costumávamos falar sobre o apego psicológico. Aquilo me lembrava que eu era amado pelo meu pai. Se eu sentia um desejo muito forte, chamava um carro da Addison Lee fretado pela companhia, o serviço de táxi usado por todo mundo da indústria fonográfica, ia até o drive-thru mais próximo e comprava de montão: duas porções grandes de fritas, um sanduíche de frango, um Big Mac, seis nuggets, dois cheeseburgers. O gosto da maionese quando eu estava bêbado, eu o adorava. Eu andava bebendo tanto que geralmente vomitava tudo quando chegava em casa. Então era perfeito, eu acordava e me sentia bem.

No começo de 2004, houve uma festa de entrega dos Brit Awards no West End. Eu estava lá com Nick, Amy e nosso amigo rapper John Lacey, conhecido como JtWR (John the White Rapper); estávamos todos chapados. Eu precisava de um McDonald's e então me esgueirei até Leicester Square. John caminhou comigo, e eu não sou assim normalmente, mas estava bagunceiro, falando com pessoas na rua, agitado e feliz, um bêbado simpático. Cheguei ao McDonald's... e estava *fechado*. Perdi por pouco. Fiquei puto, comecei a sacudir as portas, um babaca completo, berrando: "*Por favor*, vocês me conseguem um cheeseburger?!" Eu podia imaginar o pessoal lá dentro, fazendo a faxina e pensando "Não vai dar, mano, estou trabalhando há doze horas por três libras a hora, vai se foder".

Havia latas de lixo com rodinhas do lado de fora, que comecei a chutar e emborcar, uma cena ridícula. Senti o braço de um policial no meu ombro. Flagrado obviamente bêbado e provocando desordem. Ele disse:

— Você precisa nos acompanhar.

Havia pessoas por ali observando e eu estava me mijando de rir, dizendo:

— Isso é hilário, os senhores não entendem. Eu sou um menino tão bonzinho, sou um nerd!

Me botaram na traseira de um camburão, me socaram, me chutaram, e eu estava tão bêbado que continuava rindo. Tudo que pude ouvir foi John telefonando para Amy e pirando:

— Estão levando Tyler pra cadeia!

E então gritando para mim:

— Não se preocupe, vamos pagar a fiança e tirar você de lá!

Chegamos à delegacia, onde me colocaram numa cela. Tinha um daqueles bancos dobráveis presos à parede e eu simplesmente desmaiei. Me deixaram sair na manhã seguinte e só então me dei conta de que estava em Victoria, com milhões de chamadas perdidas no meu telefone confiscado. Eu devia estar ainda meio chapado e disse ao policial:

— Você pode me conseguir um táxi?

Ele disse:

— Vai se foder e cai fora daqui!

Assinei algo que era obviamente uma multa e respondi:

— Vou passar isso para o meu contador.

Me surpreende que não tenham caído em cima de mim de porrada. Eu não era realmente o mesmo garoto da classe operária do Leste de Londres!

Amy, *sim*, conseguiu um carro para mim. Cheguei em casa, fui para a cama e ela me contou o que tinha acontecido.

— Fomos lá! Tentamos tirar você pagando fiança. Ofereci dinheiro a eles, apertando o botão do interfone no meio da noite: "Vocês estão com o Tyler aí, vamos pagar a fiança para ele sair!"

Amy falou sobre aquilo durante anos. "A única vez que esse garoto foi detido foi tentando entrar num McDonald's." Tudo aquilo parece tão inocente agora. Foi uma das encrencas mais insignificantes em que meu vício me meteria.

* * *

No dia em que o gesso foi tirado depois que refizeram meu nariz, Nick Shymansky me aconselhou que a melhor coisa a fazer seria seguir em frente.
— Ainda quer partir em turnê com Amy amanhã?
Eu definitivamente queria. Tínhamos alinhavada uma turnê de cinco shows no Reino Unido, nossa primeira turnê juntos, eu como o show de abertura com um set acústico de 25 minutos das canções que iam sair no meu álbum de estreia. Tinha conversado muito com Amy enquanto eu me recuperava na casa da minha mãe. Ela estava realmente preocupada, embora eu minimizasse a gravidade da situação, mas ela me conhecia melhor do que eu mesmo e sabia como aquilo tudo havia me afetado.

A Island arranjou um gerente de turnê para nós, Sean, um ex-fuzileiro naval. Disseram a ele: "Nunca deixe Tyler sozinho, certifique-se até de levá-lo para o quarto." Eu estava constantemente nervoso, ansioso, amedrontado, mesmo com os analgésicos. Aquilo me levou a beber de manhã. Não muito, uma dose de Jack Daniels. Mas *toda manhã*. Aí começaram meus problemas com a bebida, acoplados a uma dependência de codeína. Amy acompanhou tudo de perto. Chegou a me dizer: "T, você vai acabar virando alcoólatra." Ela não falou totalmente sério, mas também não estava brincando.

Amy tinha muita sensibilidade para essas coisas e também sabia o que estava acontecendo. Mencionou que eu fumava demais, quando também era culpa *dela* que eu não tivesse largado o fumo! Uma das piores coisas que Amy fez comigo, e ela era capaz de algumas maldades tremendas, foi depois que eu tirei o gesso do nariz. Eu tinha de manter o gesso por dez dias e naqueles dez dias eu não fumei, eu *não podia* fumar. E havia anos eu vinha fumando como uma chaminé. No primeiro dia da turnê, falei para Amy no carro: "Não fumo há dez dias e não estou morrendo de vontade, acho que vou parar de fumar." Eu era tão jovem, aquela era a chance perfeita. Ela olhou para mim e disse "Cala a boca, dá um tempo", pôs um cigarro na boca, acendeu e passou para mim. E eu não parei de fumar desde então! Amy nunca fumava cigarros como eu, só baseado, apenas botava um pouco de tabaco na erva. Ela fumava cerca de sete cigarros Vogue por dia e se preocupava genuinamente com a quantidade de cigarros que eu fumava. Por isso, toda vez que ela me repreendia a partir daí, eu jogava na cara dela: "A culpa é sua!"

Depois da turnê voltamos a Jeffrey's Place e ela teve uma ideia:

— Por que você não fica aqui numa boa? Vou cuidar de você, estamos sempre na mesma onda, fazendo turnê, indo ao estúdio. É só ficar comigo. Fique o tempo que quiser.

Eu me mudei para lá. Nunca mais deixei a casa de Amy. Nunca *decidimos* viver juntos, a coisa partiu daquela situação extrema e nos aproximou ainda mais. Ela podia ver que eu estava mal. Jack Daniels de manhã quando não estava mais em turnê; analgésicos o dia inteiro quando não tinha mais nenhuma dor física. E viver juntos era fácil, a gente só ia levando. Ela estava sempre tentando me fazer rir. Eu tinha sido um adolescente vegetariano e ela sabia que eu era enjoado. Quando fazia a sopa de galinha um dia, ela chegou com uma colher enquanto eu estava deitado no sofá:

— T, olhe só isso!

Era o olho da galinha na colher!

Se eu não tivesse assinado um contrato de gravação, partido em turnê com um ex-fuzileiro naval como guarda-costas, eu poderia ter tido mais tempo para lidar com o ataque brutal que sofri, mas não foi o caso. Fiz a terapia agora: aquilo tinha acontecido quase no momento em que voei para fora do ninho familiar e foi por isso que me afetou tão profundamente. Fiquei com medo de viver sozinho e acho que isso me tornou emocionalmente dependente. Também faz parte da minha natureza. Sempre me senti tão amado e protegido pela minha mãe e a ida dela para o campo me afetou. Dentro de uma semana ou duas eu tinha ido morar com a minha irmã. Foi quando aconteceu a agressão. Eu e Amy já havíamos criado nosso elo, mas seu convite — "Venha morar comigo, fique o tempo que quiser" — elevou o nível das coisas. Ela me sufocava de cuidados, tornou-se uma figura materna substituta. E, como eu disse, Amy lembrava tanto minha mãe.

Durante a turnê correram muitas fofocas, as pessoas queriam saber se éramos namorados. Na escola, nós tivemos esse tipo de relação por uns tempos, mas depois ficou muito claro que não era o que queríamos e a coisa parou por aí. Nunca foi e nunca ia *ser*. Dávamos uns amassos — naquela idade, entre amigos, rolava sempre aquele tipo de coisa. Amy gostava muito de ir à boate Heaven, amava seus amigos gays, e me levou lá com Nick uma noite. Ela tinha tomado uma pílula — eu não — e me atacou e quase acabou com meu rosto de tanto beijo. Mas nada de natureza sexual rolou entre mim e Amy. Havia manchetes e comentários sobre nós, porque Amy encorajava isso, só para se divertir. Havia apenas um quarto em Jeffrey's Place e às vezes eu dormia no sofá, às vezes na cama com Amy; era como se ela fosse minha irmã. Éramos dois insones e toda noite costumávamos ouvir juntos um álbum de jazz de Soweto Kinch para tentar pegar no sono. As intrincadas melodias de jazz ocupavam a mente, o que era muito melhor do que ficar olhando para o teto à espera do sono. A música era nossa religião, era como rezar antes de ir para a cama.

Às vezes eu acordava de manhã, ainda meio adormecido, e encontrava Amy fazendo algum trabalho de divulgação pelo telefone. Um dia lhe perguntaram o que estava fazendo e ela disse: "Estou só deitada na cama com meu namorado Tyler, acabamos de tomar o café da manhã." Amy inventou aquilo — era engraçado, era uma bobagem, e eu confirmei a história, mas era tudo brincadeira. Quando comecei a aparecer na revista *Smash Hits*, dando entrevistas e submetendo-me a sessões de fotos, eu estava em turnê com Natasha Bedingfield. Publicaram que Natasha Bedingfield estava a fim de mim e Natasha Bedingfield ficou apavorada que Amy fosse lhe dar umas porradas!

Na indústria fonográfica tudo gira em torno de quem está com quem, por isso achamos que daquele jeito era mais fácil. Estamos juntos, ponto final. Qualquer coisa escrita ou falada a respeito de sexo entre mim e Amy era totalmente fabricada: aquela merda toda jamais teria saído da minha boca. Amy tinha uma banda legal acompanhando-a na turnê e ela estava saindo com um amigo de um dos músicos, o cara mais legal e bacana, e eu sempre me pergunto o que teria acontecido se eles tivessem ficado juntos. Ele ficava meio cabreiro quando me via porque achava que estava trepando com a minha namorada. Era tudo bem esquisito.

Tudo veio à luz uma noite em particular. Eu estava na cama no quarto de hotel de Amy e acordei com os dois se beijando no sofá. Não liguei para aquilo, mas quando me viu levantar da cama ele deu um pulo de susto. Atordoado! Amy se mijava nas calças de tanto rir e disse: "Claro que você sabe que T não é meu namorado, né? Não sou tão má assim!"

Naquela primeira turnê de cinco shows, os espaços onde tocamos eram de bom tamanho, a maioria O2 Arenas da Carling Academy ao redor do país: Birmingham, Manchester, encerrando no Empire de Shepherd's Bush, em Londres, para milhares de pessoas. Em Birmingham, depois da passagem de som e depois de alguns drinques, eu, Amy e Bem, o trompetista da banda, vimos uma loja da Toys R Us e Amy teve uma ideia. Comprou um montão de instrumentos de brinquedo — saxofones que soltavam bolhas de sabão, trompetes com pequenos botões laterais que faziam todo tipo de ruídos — e os colocou no palco no lugar dos instrumentos de verdade. O resto do naipe de metais não tinha a menor ideia do que estava acontecendo. Então o baterista começou a tocar, seguido pelo contrabaixo, Ben começou a apertar os botões do trompete de brinquedo e o saxofonista entrou na brincadeira, soprando bolhas de sabão. Foi só por um minuto, mas o público achou muito engraçado e nós também, apenas nós, sem estarmos pirados, rindo um bocado.

Nós dois tínhamos muitos compromissos com a imprensa e no começo Amy adotou a mesma atitude de sempre, ela achava aquilo *um saco*. Sempre que precisávamos sair para dar entrevistas ela dizia: "Preciso encarar toda essa merda agora." Tínhamos também apresentações em universidades na hora do almoço, antes de fazer divulgação de verdade, e era tão chato; tínhamos de falar com o garoto que cuidava da revista da universidade.

Todas as nossas primeiras turnês juntos foram hilárias. Sean nos acordava às oito da manhã, Amy e eu pegávamos os travesseiros da cama do hotel e os carregávamos para a van do transporte e voltávamos a dormir. Um carro em movimento era um dos poucos lugares em que eu *conseguia* dormir. Certas manhãs a gente nem se dava ao trabalho de trocar de roupa e continuava de pijama ou moletom. Amy uma vez saiu da cama diretamente para a van ainda enrolada no edredom. Fazíamos turnês radiofônicas ao mesmo tempo que saíamos na turnê de verdade. Enrolados em nossos cobertores na van, parávamos diante de uma estação de rádio, Amy tirava o moletom e botava um jeans. Estávamos dormindo e três segundos depois cantávamos ao vivo na rádio. Terminado o show, direto para a van, tirando o jeans e botando o moletom e de volta ao sono. Sean nos chamava de Colchões Humanos.

Era uma beleza, tudo que tínhamos a fazer era viajar, chegar lá às duas da tarde, dar algumas entrevistas para a rádio, ressaca do show da véspera, tomar uma cerveja pra acalmar os nervos, ir para a apresentação na universidade, dar mais entrevistas na rádio e refazer tudo que tínhamos feito, fechando um círculo. Nos bastidores, no camarim, ouvíamos Minnie Ripperton e Musiq Soulchild, bebíamos uísque e cantávamos para aquecer. Hoje você tem um problema de garganta e toma mel com limão, aquilo era com a gente. Amy ficava sentada curvando os cílios, passando seu delineador e ajeitando os cabelos com arcos enquanto eu passava cera na cabeleira. Quando um de nós entrava em cena, o outro ficava sempre na lateral observando e sorrindo. "Fuck Me Pumps" tem o verso *"I'd love a rich man six foot two or taller"* (eu amaria um homem rico de um metro e oitenta e oito ou mais alto). Ela cantava: *"I'd love a rich man six foot two or Tyler."* Todo mundo cantava assim, uma piada recorrente em toda a banda. Éramos apenas os melhores amigos do mundo.

***

O verão de 2004 foi a primeira vez que Amy se apresentou no Festival de Glastonbury. Eu só me apresentaria lá no ano seguinte, mas em 2004 fui de qualquer maneira, um virgem de Glastonbury, com minha irmã e minha amiga Catriona. Eu estava munido de passes para o camarote VIP e minha irmã tinha um companheiro que nos levaria de carro. Ela me disse que ele era louco, que dirigia a 180 quilômetros por hora e então me deu uma garrafa de uísque para acalmar nossos nervos. Eu e Catriona tínhamos acabado com o litro de uísque quando chegamos. Estacionamos e minha irmã brincou dizendo que parecíamos duas estrelas pop no banco traseiro, meio embriagados debaixo daqueles cobertores.

Mal comecei a caminhar, escorreguei e caí de bunda. Era um Glastonbury encharcado e lamacento e fiquei coberto de lama, em todas minhas roupas finas, sem galochas. Olhei para Cat, estava empolgadíssimo e já meio bêbado e declarei: "Foda-se, já estamos aqui!" Botei a mão na lama e esfreguei em todo o rosto. Sentia que a festa tinha começado, eu era um monstro de lama, magnífico.

Nos cinco minutos seguintes eu me perdi de todo mundo. Três horas depois eu tinha nos bolsos um estoque de cristais de MDMA que alguém aleatório me deu para "cuidar". Alguém de quem eu tinha me perdido. Eu não fazia ideia de que tinham me dado MDMA e foi a primeira vez que eu fiquei totalmente fora de mim, zanzando por Glastonbury, lambendo os dedos. Aquele foi meu suprimento por três dias. Não surpreende que tudo estivesse desfocado. Ofereci meus bolsos a desconhecidos, que enfiaram seus dedos já lambidos ali, duas garotas do norte colocaram uma pílula na minha boca. Eu pirei, o que era ridículo, porque já estava viajando com MDMA, mas eu não era de me drogar. Estava sozinho, pensei. *Merda, acabei de tomar essa pílula, ela pode me matar, não conheço essas garotas, nunca devia ter feito isso sozinho, preciso de ajuda!*

Eu sabia que encontraria alguém conhecido no camarote VIP e, sei lá como, achei o caminho; não tinha, sei lá como, perdido meu cartão. Nick "Grimmy" Grimshaw, o apresentador de rádio e TV, estava lá e era meu amigo na época — a indústria fonográfica é um pequeno círculo. De certo modo, na névoa, divisei Paul McCartney desfilando em cores estranhas nos telões. Eu nunca tinha experimentado drogas daquela maneira antes. Acabei ficando na barraca de Grimmy e ele tomou conta de mim, uma das pessoas mais engraçadas que conheci na vida.

Já terminando o fim de semana, lembrei que eu deveria ver o show de Amy, me encontrar com ela depois e então voltaríamos para casa juntos. A essa altura eu tinha perdido Grimmy e tudo mais — celular, carteira, dinheiro. Estava à deriva, perdido. Tudo que eu sabia era que Amy se apresentaria numa determinada hora e se eu conseguisse chegar lá estaria salvo. Ainda estava completamente coberto de lama, encontrei o pequeno palco onde Amy estava cantando e fui me enfiando por entre as pessoas para chegar à frente. Chovia horrores, guarda-chuvas por toda parte. Ela estava no palco com uma blusa de tricô rosa e saia jeans, e eu parecia que tinha sido jogado de um latão de lixo. (No dia anterior eu tinha *de fato* acordado dentro de um latão de lixo.) O show era transmitido ao vivo pela BBC, ela parou de cantar por um segundo e eu a ouvi dizer:

— Tyler, é você aí?

Eu não estava acenando, mas estava bem na frente. Pensei: beleza, ela sabe que estou aqui, estou salvo! Fui até os bastidores e Amy me olhou nos olhos, rindo:

— Veja só o seu estado, você está louco pra caralho!

Eu estava rindo, também. Sean, o ex-fuzileiro gerente de turnê, se recusou a me deixar entrar no carro naquelas condições. Começou a tirar minhas roupas, menos a cueca, a única parte sem lama — estou com cristais de MDMA até a raiz dos cabelos e Amy está gravando toda a cena em vídeo. Colocaram sacos de lixo pretos no banco de trás da van, eu entrei, capotei no colo de Amy e caí no sono. Acordei em casa.

Não houve outra época na minha vida tão doida e tão despreocupada. Foi épico. Foi engraçado. Mais do que tudo, não havia problema algum. Tudo era tão normal e divertido, agindo como todo mundo que já foi a Glastonbury aos 22 anos de idade e ficou muito louco. Tive o melhor fim de semana da minha vida.

Aquele foi o primeiro verão depois do lançamento de *Frank*, quando eu e Amy éramos apenas garotos fazendo farra, e muitas vezes pensei sobre aquela época. Como o nível de fama que ela atingiu com *Frank* era perfeito para ela. Era conhecida, aclamada criticamente, podia tocar sua vida e um ou outro chegava para declarar quanto amava sua música. Se apenas pudéssemos voltar no tempo e ficar congelados ali. Mas não foi assim que aconteceu. Porque no fundo ela era brilhante demais.

8

Você não conhece realmente a natureza da indústria musical até o momento em que está dentro dela. Se você é artista, passa muitos meses, até anos, sem ter nenhum tempo para si mesmo, seus amigos, sua família. Eu ficava num estúdio até as quatro da manhã, entrava num carro, voltava para casa meia hora depois. Amy estava se levantando, partindo para a Alemanha, ou sei lá para onde. Ela não era comercial, não estava emplacando singles número um, mas fez *muita* divulgação para *Frank*, muito mais do que fez para *Back to Black*. A cabeça de Amy precisava ficar ocupada e a indústria fonográfica é muito boa em ocupar a sua cabeça por você. Por algum tempo, até ela parar. Você parte de estar em turnê todo dia, na companhia constante de sua banda, conhecendo uma centena de pessoas diferentes todo dia — você é superestimulado, toda noite tem uma festa, está fazendo o que ama, o dia inteiro ouve pessoas lhe dizerem quanto você é brilhante, como é talentoso —, para de repente não ter nada para fazer. O ciclo terminou — álbum, divulgação, turnê, tudo acabado — e esperam que você volte ao seu apartamento em Camden, fique à toa e seja normal.

Logo depois que o ciclo de *Frank* terminou, Amy começou a perder o chão. Não era feliz. Estava *muito entediada*. Ela sempre fora uma maluca beleza numa boa; agora estava com um sério TOC. Então se tornou notívaga. Amy nunca foi de acordar cedo, só levantava depois das onze, mas agora estava *plenamente* notívaga. Ficava acordada a noite toda fazendo faxina de agasalho Adidas, ouvindo música com suas luvas de limpeza e seus sprays desinfetantes, espanadores e esfregões. Era incessante, ela não podia sequer deixar uma xícara no aparador.

Ela não era burra, sentiu sua mudança de comportamento e tentou fazer algo a respeito. Ligou para sua mãe e eu a ouvi pedir sem rodeios: "Mãe, preciso voltar a tomar aqueles comprimidos", referindo-se aos antidepressivos que tomava na adolescência. Amy desligou, disse que o telefonema para a mãe não adiantara muito e deixou por aquilo mesmo. Nunca voltou aos antidepressivos. Mas ainda pensava, como sempre, que a resposta estava nos agentes químicos.

Assim, toda noite a garrafa de Dooley's começou a aparecer. Com seu gosto pelos doces, ela amava Dooley's, um licor cremoso de caramelo feito com caramelo belga, creme holandês e vodca. É como o Bailey's Irish Cream, tão delicioso que as pessoas sequer pensam que estão bebendo. Amy tinha copos de shot de super-heróis; o dela era da Mulher-Maravilha, e o meu do He-Man. Eu voltava do estúdio, ia para a sala de estar, com as estantes cheias de livros, vídeos e bonecos de luta livre, um pequeno sofá e uma mesinha lateral e a garrafa de Dooley's saía debaixo da mesa, *nunca* deixava de estar ali. Ela reconhecia que precisava de ajuda, não encontrou nenhuma, então partiu para o que todo mundo faz por conta do tédio e da cabeça ruim: se automedicou.

Amy estava mudando. Pela primeira vez, ela acordava às onze da manhã e dizia: "Vamos ao pub." Beber de dia. Aquela nunca, *mesmo*, havia sido a dela. A pessoa que tinha sido antes, que acordava e saía para comprar flores frescas na barraca da feira, comprar o *Sun* na banca e escrever sua lista de compromissos do dia — compras, bronzeamento, lavanderia — agora acordava tarde todo dia e dizia: "T, vamos até o pub e jogar sinuca." Eu estava ficando irritado de tanto ouvir ela dizer aquilo. Eu era capaz de beber Jack Daniels o dia inteiro e não ficar caindo de bêbado. Podia fazer aquilo por dois dias, mas no terceiro dia ia querer fazer outra coisa.

Antes, sempre íamos beber em lugares diferentes — Shoreditch, Primrose Hill, até clubes "normais" do West End, mas agora ela não voltava mais lá. Tinha se apaixonado pelo Good Mixer. Era um pub para quem bebia de verdade, com uma mesa de sinuca, onde ela não precisava estar bem-vestida. Ia lá de jeans e sapatilhas de balé sem maquiagem. Amy era incrível no taco, arrancava o couro de pinguços veteranos que ficavam sempre chocados com aquela garota minúscula e desbocada que os *destruía*. Ela bebia o dia inteiro e não comia muito. Não bebia canecas de cerveja, nem eu, ela tomava uma dose de Sambuca negra a cada vinte minutos. Juliette e Lauren ainda estavam no pedaço, mas beber num pub cheirando a mijo com cheiradores de coca nos banheiros e desdentados viciados em heroína e crack não era a praia delas.

Nick estava tão preocupado quanto eu. Ele se preocupava muito mais com Amy como pessoa do que com a carreira dela, o que foi, em última análise, o motivo pelo qual ela o despachou. Ouvíamos histórias sobre ela voltar para casa cambaleando. Uma noite ela caiu e bateu com a cabeça nos degraus de Jeffrey's Place. Eu não estava lá, mas Juliette e Lauren estavam e Amy acabou na emergência de um hospital. As duas diziam: "Essa merda não pode continuar assim."

Bebendo de dia, você começa a andar com uma turma diferente. Vadiar em pleno dia não era incomum para as pessoas no nosso mundo fora do convencional. Se tivesse 22 anos e alguém dissesse "Toma algumas centenas de milhares de libras, você tem um ano de folga, que tal pensar num novo álbum?", o que você, ou qualquer um, faria? Amy, sendo normal, não querendo ser famosa — não ficava protegida por cordões de veludo VIPs como as garotas do Atomic Kitten —, se levantava, botava sua camisa polo Fred Perry, sua jaqueta Pink Ladies de *Grease — Nos Tempos da Brilhantina* (ela adorava esse filme) e ia ao seu pub normal da esquina. Ela descobriu que, quando se bebe regularmente ao longo do dia e fica só um pouco embriagado, tudo assume um foco suave e fica legal. É aí que o alcoolismo começa. E, se você bebe durante o dia, começa a conhecer pessoas viciadas em drogas pesadas.

Foi assim que Amy conheceu Blake.

* * *

Amy conheceu Blake Fielder-Civil no pub Old Blue Last em Shoreditch numa noite em que eu não estava lá. Era apenas um cara pelo qual ela se interessou no começo, mas personalidades viciantes também podem se viciar por pessoas e não demorou para que ela ficasse não simplesmente interessada, mas *obcecada* por ele. E *ele é* um viciado. Antes, Amy era metódica com suas listas, botando tudo no papel, o que a levou a virar compositora, agora ela estava se tornando desorganizada e confusa. E Blake era o caos.

Eu não sabia nada sobre Blake, mas Amy me contava. Ele era complicado, drogado. Contou a Amy que teve uma infância difícil em alguns aspectos. Amy dizia: "Ele não se saiu mal, considerando sua história." Ela o admirava, o modo como tinha batalhado, um golpista sobrevivendo do jeito que podia. Era também charmoso, bonito, descabelado, cheirava coca nos banheiros, tinha um caráter duvidoso e era um sujeito durão que sabia brigar. Jogava sinuca, era insinuante, sempre falando com uma garota atrás da outra: "Tudo bem, querida? Quer uma bebida? Deixa que eu cuido de você..."

Começamos a frequentar o Old Blue Last porque Blake geralmente estava lá. Amy ficava sentada olhando para ele, salivando. Vi aquele olhar em incontáveis ocasiões: ela sentia *admiração* por ele. Para uma mulher jovem que estava começando a gostar de encrenca, ele era o homem ideal. Amy também estava em busca de algo, seu modelo do homem adequado, e Blake representava muitas das qualidades que ela almejava. O tipo de homem que cobriria de porrada um cara que dissesse algo impróprio à mulher dele no pub. Blake era assim. Ela estava apaixonada; ele começou como o sujeito de quem ela falava tanto e de repente estava ali, tão rápido, como acontece com o amor jovem.

Antes de Blake, Amy só teve uma relação importante, no final da adolescência, com um cara chamado Chris. Eu nunca o conheci, mas a música "Stronger Than Me", do álbum *Frank*, é sobre ele — uma canção que dizia "Você devia ser mais forte que eu, porque é homem". Eu sabia o que ela estava pensando: "Por favor, seja durão, por favor, seja homem, assuma o comando e me diga quando eu sair da linha" — era o que ela sempre quis. Amy tinha aquela coisa de sempre dar ouvidos ao seu homem, como se pertencesse aos anos 1950. Naquela época, as maiores estrelas pop do mundo estavam cantando sobre independência e ganhando seu próprio dinheiro. "Independent Women, Pt. 1" do Destiny's Child, o TLC cantando "I don't want no scrubs" ("Não quero esfregões"). Amy detestava tudo aquilo. As únicas canções de amor que lhe interessavam eram as que diziam "Eu me jogarei debaixo de um ônibus por você".

Quando conheceu Blake, Amy ainda tinha um lado muito feminino. Ela fazia o cabelo no salão, vestia-se imaculadamente, zelava para que ele sempre fizesse as refeições. À medida que o tempo passou, viraram dois meninos. Ela adotou os maneirismos dele e também seu estilo de vida. Nunca ouvi Amy usar gíria *cockney* rimada, mas Blake falava assim constantemente e ela pegou aquele hábito. Eles tinham algo de Bonnie e Clyde; o lado gângster, marginal, *bad boy* dele, e ela glamorizava tudo aquilo. Imediatamente se tornaram um só, começaram a se vestir igual. Amy comprou roupas para ele e, estando na indústria fonográfica, ganhava um montão de roupas de graça. Ela adorava produzir um cara, e havia um estilo em Camden na época, com as camisas polo Fred Perry, os chapéus *trilby*, o look da banda Libertines. Ela adotou os maneirismos viris de Blake também: quando estava meio bagunceira e agitada, arregaçava as mangas, agarrava os colhões que não estavam ali, como se fosse encarar você numa briga. Ela me lembrava o Scooby-Loo, o filhotinho do desenho *Scooby-Doo*, pequenino mas abusado e desbocado.

Em Jeffrey's Place, Amy amava ficar horas na banheira, como um ritual. Não sei por que, mas não havia fechadura no banheiro. Eu ficava sentado três horas no assento do vaso enquanto Amy estava na banheira, falando da vida — aquilo era uma parte importante de nosso tempo social. Amy pondo mais água quente, bolhas por todo lado. Eu lavava seus cabelos na banheira. "Poderia passar esse condicionador nos meus cabelos?" Amy era uma pessoa muito nua. Não digo que deixasse tudo de fora! Mas ela descia as escadas só de calcinhas e aquilo não significava nada para nós dois. Agora eu sempre via Amy e Blake no banho. Passava pelo banheiro e eles estavam se enregelando na banheira. Indo fumar no banheiro, eu vi o pau de Blake um milhão de vezes.

Não estava preocupado com os hábitos de Blake, só sabia que ele era um sobrevivente. Ainda estava com outra garota quando começou a sair com Amy e aquilo não era segredo. Aos 15 anos ele já cuidava de si mesmo, já frequentava lugares suspeitos e já usava drogas. Sobreviventes desse tipo usam as pessoas quando não têm dinheiro nem comida, mas não de uma maneira consciente. Era seu instinto natural. Se ele vendia drogas, roubava, dava golpes, não falava sobre isso. Amy dizia: "Não importa que esteja com outra garota, nunca vamos ter uma relação séria mesmo, porque ele é muito pirado." Ela botava a coisa de lado, mas aquilo a machucava. Ela apenas fingia.

Eu não comprei a história. Pensei: não, você está totalmente apaixonada por ele. Mas o maior problema entre eles, e ela escreveu sobre isso em "Back to Black", era "You love blow and I love puff" ("Você adora cheirar e eu adoro fumar"). Quando eu estava sentado no assento do vaso e Amy na banheira, ela dizia: "Nunca vai dar certo, nunca podemos estar realmente juntos *de verdade* porque ele é viciado em heroína." Ela ainda era sensata até certo ponto. Sabia que era um caso perdido, mas é possível se viciar num romance perdido. Ela não acreditava em relações saudáveis, disse isso um milhão de vezes. "Se for saudável, não é amor." Ela achava que o verdadeiro amor só podia ser caos, drama e loucura.

Amy *morreria* por alguém.

9

Não vi Blake fumando heroína no começo. Ele ficava sempre na cocaína. Usava coca quando assistia a *EastEnders*. Ele assistia à novela avidamente, usava coca como se fosse um cigarro e ficava lá de olho na saga dos irmãos Mitchell. Amy não o acompanhava na coca, já estava bebendo horrores e fumava erva desde que usava fraldas. Não era um bicho-papão para ela. Morava em Camden, onde você é exposto à cocaína o tempo todo, e ela não era tão flexível. Ainda mantinha a postura do natural *versus* químico em relação às drogas, ainda encenava seu ritual matutino — uma xícara de chá e enrolar um baseado.

Blake ainda estava com outra garota e Amy saía com outro cara, também, nosso amigo George, que era negro. George era muito bonito, importante no departamento artístico, um cara muito simpático, mas não era coisa séria, ela apenas curtia ele. Amy se interessava mais por homens negros do que por brancos. Apaixonar-se por Blake foi o maior choque, porque ele era branco. A canção "Me and Mr. Jones" é sobre George (com um toque de Nas, o rapper americano, que ela amava, mas não sabia ainda e que nasceu no mesmo dia que Amy). Também sobre George é "You Know I'm No Good". A letra da canção, "upstairs in bed with my ex-boy", é uma história real. Eu fiquei na sala de estar nos primeiros dias de Blake, e Amy estava no andar de cima fazendo sexo com George. Ela desceu as escadas e me falou que Blake estava a caminho e pediu que eu ficasse ali com ele por algum tempo vendo TV. Minha resposta foi:

— Você está brincando, Ame? Está querendo me botar numa situação dessas?!

— É só ligar a televisão! — respondeu ela.

Blake chegou. Eu mal o conhecia na época e pensei: *Isso é muito arriscado*. Eu não sabia que ele também estava saindo com outra garota. Ele não era bobo, dava para ouvi-los no andar de cima. Estávamos vendo *EastEnders*, Blake cheirando coca e eu furtivamente aumentando o volume.

— E aí, você curte *EastEnders*, né, Blake? — E pensando: *Jesus Cristo, quanto tempo vai durar isso?!* Amy voltou e começou a falar alto com Blake, e eu vi George se esgueirando pela porta. Foi hilário e muito constrangedor.

Às vezes eu acordava e não era só Blake que estava lá, mas seus amigos também. Eu ia fazer torradas de manhã e encontrava papel laminado da heroína sobre a bancada da cozinha. Amy não usava heroína na época, mas não se importava, ela não julgava ninguém. Jeffrey's Place era o local onde as festas aconteciam. Quando os pubs fechavam, um monte de gente aleatória aparecia, um bando de marginais. Tinha gente no andar de baixo cheirando coca até as seis da manhã. Não havia muitas pessoas daquela idade que possuíssem seu próprio apartamento, então o de Amy se tornou *o lugar*.

A essa altura eu estava gravando vídeos e fazendo uma campanha de divulgação intensa. Havia dois Nicks na 19 Entertainment, Nick Shymansky e Nick Godwyn, e os dois cuidavam de mim. Queriam que eu fizesse divulgação em revistas bacanas e sofisticadas. Notaram que eu andava sempre abatido e queriam que eu ficasse com uma cara saudável. Disseram: "Você não devia mais morar com Amy." Nick Godwyn fez com que eu me mudasse para o apartamento pequeno e elegante dele em Kensington, que eu detestava. Uma noite eu estava mamado e derramei uma garrafa de licor Baileys em seu imaculado tapete. Eu o vi limpando o tapete pelo reflexo do espelho do banheiro onde eu estava vomitando no vaso. Me senti péssimo. Contei aquilo para Amy e ela se mijou de rir.

A Island Records tinha sido o selo certo para Amy, mas não era para mim. Darcus me dizia o tempo todo: "Está preparado? Para se tornar famoso?" O que eu achava *sinistro*. As coisas começaram a dar errado. Meu primeiro single, "What Do I Do?" deveria ser lançado no verão de 2004; a Capitol Radio previa um hit de verão, uma canção pop reggae pontual. Algo aconteceu na logística da coisa e eles foram adiando e adiando, até novembro, quando eu me confrontaria com os grandes nomes no Natal, incluindo Eminem. Eu insistia: "Não podemos deixar para o ano que vem? Estou à espera disso desde os 5 anos de idade, quando cantava músicas de Kylie Minogue, posso esperar mais quatro meses!" Não me deram ouvidos. Disseram que tinham tudo programado e que a coisa ia seguir em frente.

A Island Records vinha se dando bem. Keane estava arrasando e eles tinham também a Sugarbabes, então estavam meio cheios de si na época. Tinham muita coisa em andamento e eu não era uma de suas prioridades. O single chegou ao número 25, sem tocar no rádio, o que era razoável, mas eu me senti muito boicotado. Para o segundo single, "Foolish", eles vieram com força total investindo num vídeo muito caro. Havia um palco com um microfone de pé no meio, uma grande banda vestindo terno cinza, sete supermodelos seminuas e quando eu me sentava para tocar piano uma delas ficava com a virilha na minha cara. Eu fiquei uma pilha de nervos. Amy estava lá. Eu a encorajava a me acompanhar para ela não ficar sozinha no Mixer quando Blake não estava com ela. Fiz questão de que houvesse uma mesa de sinuca lá para atraí-la. E ela me encorajou... a beber! Amy disse: "Tome um trago, vai fazer bem a você" e aquilo ajudou. Quatro drinques depois, eu estava no palco rodando o microfone na mão, e aquele não era *eu*, eu era tímido, inseguro. Esta é a beleza do álcool.

Embarquei em shows itinerantes de verão para cima e para baixo pelo país e Amy se levantava de manhã, deprimida, entrava no carro e viajava comigo. Ainda era notívaga e dormia no carro enfiada no meu agasalho. Demos uma parada no País de Gales uma vez e Kelly Clarkson estava por lá, se apresentando antes de mim. Tínhamos conhecido Kelly antes, em Miami, na festa do encerramento das filmagens, embora Amy achasse que *American Idol* era lixo. Ela veio me dar um alô e perguntou por Amy, então fui até o carro.

— Ame, Kelly está aqui.

— Kelly quem?

— Kelly Clarkson, que conhecemos em Miami. Ela quer dar um alô.

Amy enfiou de novo a cabeça no capuz.

— T, estou cagando pra ela.

"Foolish" saiu em março de 2005 e chegou ao número dezesseis na parada, o que foi legal, mas decepcionante por causa das expectativas. Tinha sido o número um no programa de TV *The Box* durante dois meses, votado pelo público. Cheguei ao *Top of the Pops* pela primeira vez. Não fiquei empolgado, mas tentei curtir: desde os 5 anos de idade eu sempre dizia "Quero ir ao *Top of the Pops*", e quantas pessoas conseguem realizar isso? 50 Cent também estava se apresentando, veio durante o ensaio e disse:

— Você tem uma voz irada, eu precisava vir aqui. Quem é você?

— Ele era um cara maneiro e isso foi tudo que aquele dia representou para mim.

Para o terceiro single, insistiram que eu fizesse um cover, e é aí que você sabe que está ferrado. Era "Your Woman" do White Town, um número um de 1997. Nunca fez sentido para mim que eu tivesse de cantar "I can never be your woman". Não havia sentido algum para mim naquilo, então simplesmente fiz o que pude. A música chegou ao número 60. Eu sabia o que me aguardava.

A Island Records me dispensou. Perdi meu contrato. Meu álbum, *The Unlikely Lad*, nunca saiu em CD; lançaram só em versão digital (muito antes de surgir o streaming). O que me aconteceu era típico da época. A Island gastou um bom dinheiro no segundo single quando o primeiro não havia engrenado. Estragaram minha melhor canção e o cover foi um desastre. Eu ainda era visto como um carinha talentoso, então pensaram: "Vamos liberá-lo e esquecer os custos. Nick pode levá-lo para outro pessoal."

Eu estava no pub em Shoreditch com Amy quando recebi uma ligação do gerente da turnê. O trabalho ainda estava agendado e então o show continuaria por enquanto. Ele disse:

— Amanhã de manhã às oito pego você no seu apartamento... a propósito, lamento pela notícia.

— Que notícia? — foi minha resposta.

Eles contam para todo mundo antes de falar com você. Desliguei o telefone, Amy estava na mesa de sinuca. Fui até ela.

— Fui dispensado.

Ela ficou furiosa.

— Darcus é um idiota filho da puta! Não vamos nem pensar nisso, que se foda. Me dê seu telefone.

Ela ligou para alguém:

— Estou precisando de cinco gramas de coca.

Aqueles foram meus primeiros dias de coca e não foi nada do outro mundo. A cocaína me mantinha acordado para beber. E então eu sempre parava. Aquela foi a maneira que Amy encontrou de me dar um abraço.

Eu sabia que aquilo ia acontecer, mas, ainda assim, me arrasou. Eu me sentia perdido. *Perdido*. Não era apenas perder o emprego, era perder seu sonho e perder tudo que você era. Eu tinha esperado por aquilo desde os 3 anos de idade, quando comecei a cantar. Um garoto que cresceu numa habitação popular no Leste de Londres, que era diferente de todo mundo, que ganhou uma bolsa de estudos para a escola Sylvia Young, que começou a compor nos estúdios aos 15 anos e aos 18 era empresariado por um dos maiores agentes do mundo. É um conto de fadas. A revista *Face* tinha me chamado de "a resposta britânica a Justin Timberlake". Parecia que tudo que eu tinha feito desde o dia em que nasci conduzia àquele momento e agora o momento me havia sido arrancado.

Eu ainda tinha Nick. Ele ficou devastado, mas lidou com o ocorrido como lidava com tudo, com uma visão genuína e positiva, para que você não perdesse o chão e partisse para as drogas. Falou que eu ainda tinha muito tempo pela frente. As pessoas me disseram que eu estaria de volta em dois anos, mas dois anos naquela idade é uma eternidade. Senti o mesmo que Amy sentiu. Eu estava deprimido, entediado, tinha dinheiro e podia sair todo dia e toda noite. Tinha sido um ótimo menino, nunca realmente me entregara ao caos das festas. Os momentos de diversão que eu havia perdido no massacre das turnês e do trabalho de divulgação, nunca vendo meus amigos. Eu descia do avião em Londres às vezes e beijava o chão. Só tinha ido a Glastonbury duas vezes, a segunda para participar de um show. Por isso, era chegada a hora de ser transgressor e de beber e usar drogas. Pensei: "Foda-se o mundo, estou fora!"

Mas, antes que pudesse escapar, eu ainda tinha um compromisso com a Island. Eles foram ao fundo do poço, se deram conta de que as garotinhas gostavam de mim e me escalaram numa turnê com a banda McFly.

Foi quando eu soube *definitivamente* que tudo tinha acabado.

10

Eu tinha de fazer a turnê com o McFly ou seria processado. *Odiei* fazer aquilo. O último show foi em Dublin. "Why Do I Do" havia sido o número dois na Irlanda por meses, todo mundo estava cantando. Então eu bebia até apagar a maior parte do tempo, exceto pelas horas em que tinha de estar sóbrio o suficiente para subir ao palco.

Minha irmã estava morando na Tailândia na época. Amy sabia como andava minha cabeça e um dia, falando ao telefone, sugeriu:

— T, por que não vai pra porra da Tailândia? Fique com sua irmã. Vá encher a cara por quatro semanas.

Grande ideia. Havia uma festa de despedida em Dublin, mas eu não pretendia ir; ouvi até dizer que o empresário do McFly estava interessado em me contratar. Já tinha aturado demais. Peguei um carro, voei até Londres, fui a uma festa num armazém no Soho, tomei um monte de ketamina e, às seis da manhã, sei lá como, comprei uma passagem e me vi sentado num avião rumo à Tailândia, aonde cheguei ainda sob os efeitos da ketamina. Um dos piores voos da minha vida.

Passei pelo *duty free*, comprei duas garrafas de Jack Daniels e "Foolish" estava passando no telão do aeroporto. A mulher que me vendeu a bebida ficou sem graça ao ver o vídeo. Ela disse: "Gosto muito da sua música", uma amostra do que teria sido emplacar um hit de verdade — agridoce. Eu só queria sair daquela porra. Não tinha conseguido um voo para Phuket, onde minha irmã morava, e, ainda meio chapado, comprei uma passagem para Bancoc. Pousei lá um trapo, o efeito da ketamina passando, de ressaca, e liguei para Amy.

— Estou em Bancoc.
— Que tal?
— Estou preso no aeroporto, só tem voo para Phuket daqui a oito horas. Vou ter de ficar sentado aqui o dia inteiro, estou morrendo, vou ter um ataque de pânico, você precisa ficar no telefone comigo.

Encontrei um bar no aeroporto, com um ar de pequena floresta e uma área externa. Estava com O Pavor e precisava fumar. Disseram que ainda não estavam abertos.

— Por favor! Preciso de uma bebida.

Me deram garrafas de cerveja. Fiquei ali fumando cigarros e bebendo cerveja ao telefone com Amy até quase desmaiar no terminal. Acordei com as costas doendo muito. Aquela dor me perseguia, desde a agressão.

Passei três semanas e meia na Tailândia, fui a festas da lua cheia, eram tudo que eu queria que fossem. Era possível comprar cem Valiums por cinquenta pence. Liguei para Amy de uma pequena cabana à beira de uma praia, assisti a um nascer do sol estonteante. Tinha tomado uma tranquilizante vitamina de cogumelo mágico para me acalmar depois de um montão de anfetaminas e havia barquinhos tailandeses dançando na água. Uma beleza. Eu tinha perdido o meu contrato, enlouquecido, e, por mais divertido que fosse tudo isso, contei a Amy como me sentia.

— Estou perdido, Ame.
— T, não se preocupe, você está num lugar espiritual, descarregando toda a porcaria do seu sistema. Fique o tempo que quiser e volte para casa.

Enquanto estava na Tailândia, meu banco me telefonou: precisamos alertá-lo do risco de fraude. Eu estivera no caixa automático, não tinha ideia do dinheiro que havia na minha conta, então nem pensei naquilo. A mulher do banco perguntou onde eu estava.

— Na Tailândia.
— Sim, podemos ver isso. Mas o senhor está também em Camden.

— Estou?

Havia várias transações de cinquenta libras num restaurante chinês de Kentish Town. Pensei: quantos patos laqueados dá para comprar com essa grana? Telefonei para Amy.

— Ame, meu banco diz que está havendo fraude, muitas transações de cinquenta libras num restaurantes chinês.

— Ah, sim, sou eu, querido. Tenho comprado comida chinesa e eles vendem coca, para Blake.

— Está certo. É melhor eu ligar para a mulher do banco, mas não vou contar nada disso a ela!

Amy tinha o número do meu cartão, eu não me importava, ela podia pegar o que quisesse de mim. Era possível fazer saques de cinquenta libras nos pubs às noites de sexta-feira, aquilo era coisa pequena, mas aquele dinheiro era para cocaína e o chinês era um ponto de venda. Amy não estava mais nadando em dinheiro. Emprestei dinheiro a ela na época, cerca de dez mil libras. Enquanto eu estava fora, Blake passava toda noite em Jeffrey's Place para cheirar cocaína, embora Amy já tivesse torrado todo o seu dinheiro. Ela era gastadeira. Chamava táxis para trazer um *kebab* para Blake.

* * *

Amy e Blake se separaram. Tinha durado menos de um ano. Blake a despachou, ela foi chutada por ele, embora a coisa tenha meio que esfriado. Ele saía com a outra namorada e, de qualquer maneira, ela andava trepando com George. Foi sempre um caso tumultuado. Mas agora ela andava bebendo ainda mais, para esquecer Blake.

Nick estava mais preocupado do que nunca. "Ela precisa ir para a reabilitação. Vou levar a Amy para o campo e dizer a ela que está com um problema." Então a levou de carro ao campo, onde ela não podia fugir, e disse para ela:

— Você está bebendo demais. Acho que está deprimida e precisa se internar numa clínica.

Aquilo era ridículo para ela.

— Nick, que merda você está falando? Ando meio deprê, estou saindo, jogando sinuca, tomando umas e outras, talvez exageradamente... como você faz!

Eu me preocupava, mas não achava que ela precisasse ir para a *reabilitação*. Pessoas malucas em Hollywood faziam isso. Mas Nick a levou a uma clínica de reabilitação e conseguiu fazer com que ela conversasse vinte minutos com um conselheiro. Para Amy foi uma coisa ridícula. Ela fez aquilo só para acalmar Nick. O conselheiro falou que ela estava deprimida e Amy respondeu: "Não brinca, Sherlock." Depois me disse: "Não vou aceitar que algum merdinha que estudou psicologia venha me dizer como eu me sinto." Ela sabia tudo sobre aquele tipo de autoanálise e não achava que tinha qualquer problema. Nem eu, na época.

Agora Nick começava a achar que não podia mais ser empresário dela naquelas condições. Falava-se já de um segundo álbum, mas ele achava que aquilo não podia acontecer — não naquele momento em que ela só queria beber e esquecer.

O gosto musical de Amy estava mudando porque a cena de Camden estava mudando. O Good Mixer e o Hawley Arms tinham jukeboxes e não tocavam pop moderno. Era tudo retrô, como o "Monkey Man" original de 1969 de Toots and the Maytals, antes que o cover dos Specials o tornasse famoso (foi Blake quem trouxe os Specials para a vida dela). E ela descobriu os *girl groups* dos anos 1960. Ela amava o dramalhão, o romance, especialmente das Shangri-Las e especificamente "I Can Never Go Home Anymore". Essa canção refletia o que Amy sentia por Blake. Se ela estava mal, aquela canção estava *sempre* tocando em sua casa.

E isso mudou tudo.

11

Em meados dos anos 2000, a cena musical em Londres *era* Camden Town. Era a época das bandas, uma nova era de bandas de guitarras que os Libertines iniciaram. Todo Joe Bloggs estava tentando formar uma banda e todo cara em todo bar tinha um violão e um chapéu *trilby*. Em cada pub e em cada casa de show havia alguém encarando uma apresentação. Quase todo mundo era jovem, a fim de se divertir, e consumia drogas. Foi a hora certa para a abertura de Koko, o velho Camden Palace, em 2004.

Era uma cena dominada pelos marmanjos das bandas, mas também por um tipo de personagem que cabia como uma luva em Amy. Ela era cantora de jazz solo, mas tinha também algo de marmanjo. Basicamente, o lance era ser lunático por rock 'n' roll em tempo integral. Você sempre via Kate Moss, Pete Doherty e Fran Cutler, que era relações públicas deles — ela sempre andava na minha cola caso eu estivesse com Amy, era o trabalho dela, suponho.

O Good Mixer tinha sido o pub central de Camden na época do Britpop nos anos 1990, mas o Hawley Arms era o pub central da nossa geração. Ficava a poucos minutos a pé da nossa casa nas imediações da Kentish Town Road e a dois minutos do antigo estúdio da MTV, por isso havia sempre personalidades e pessoas das bandas por lá. Eu costumava ver Noel Fielding dos Mighty Boosh, Johnny Borrell do Razorlight, os Kaiser Chiefs, Arctic Monkeys, Sadie Frost, Peaches Geldof. Certas noites, antes de ser tão famosa, Amy pulava para o outro lado do balcão e servia *pints* de cerveja para se divertir. Uma brincadeira normal daquele tipo que ela adorava. Ela teria absolutamente *amado* ser a mulher que dirige um agitado botequim frequentado por operários.

Nosso círculo era realmente jovem. Andávamos com Grimmy e os outros apresentadores do T4, o programa "jovem" da Channel 4, e também com Kelly Osbourne e Tom Wright, filho do DJ da Radio 2, Steve Wright, que se tornou meu amigo, um amigo para se divertir e para conversar a noite toda sobre o sentido da vida. Ele era incrivelmente inteligente, espirituoso e uma garantia de diversão. Amy o adorava. Ela o chamava de Tom Wrong, brincando com as palavras [W]right (certo) e Wrong (errado). Se eu não estava em casa e tinha desaparecido, ela me ligava e perguntava: "Por onde anda? Com Tom? Então vejo você daqui a alguns dias!" E acabava juntando-se a nós no final da noite.

Todo mundo conhecia todo mundo e a gente andava em bandos, de dez, onze, de um lugar para o outro, como o Stables e depois algum pub da madrugada onde alguém de repente sacava o violão e se punha a improvisar. Foi quando Amy conheceu "Valerie", a canção dos Zutons da qual faria um cover em 2006, que ela ouviu no meio do caos. Acabávamos no Good Mixer às cinco da manhã com Donny Tourette da banda Towers of London; ele sempre insistia para que eu e Amy cantássemos "Creep" do Radiohead. Os vocalistas das bandas eram todos do tipo que gritavam — Wuuuuuuu-urgh! — e Pete Doherty sempre dizia de mim e Amy: "Esses são cantores de verdade!"

Pete era e ainda é um dos sujeitos mais doces, gentis e inteligentes, bem como um incorrigível viciado em heroína. É como um poeta de trezentos anos atrás. Era o que Amy amava nele, ela sempre foi ligada em poesia. Se a gente estava num quarto de hotel às três da manhã, Pete subitamente se sentava com um papel e começava a escrever, em silêncio, e Amy era assim o dia inteiro. Ela gostava da postura dos Libertines, e também de sua música, a liberdade que eles representavam — uma atitude de revolucionário que Pete costumava descrever como "dar tiros de pistola para o ar!". Toda aquela cena influenciou a maneira de Amy se apresentar como personagem, como "Amy Winehouse".

Ela ainda trabalhava, também, quando precisava. Fizemos uma maratona de pubs um dia — era 2004, depois de *Frank*, e estávamos no Mixer. Ela deveria fazer um cover para o último filme da série Bridget Jones na época, *Bridget Jones: No Limite da Razão*. Era um pedido da Island Records, um cover de "Will You Still Love Me Tomorrow", de Carole King, que ela sabia de trás para a frente. Amy não estava interessada. "Estou a fim é de jogar sinuca!" Tive de encorajá-la:

— Vamos, Amy, precisamos fazer isso! — A Island até organizou tudo para que ela gravasse em Primrose Hill, que ficava ali na esquina.

Fomos até o estúdio — eu, Amy e Cat. Amy entrou no aquário, podíamos vê-la. Antes de entrar, implorei a ela que fizesse seu falsete. Eu conhecia a capacidade vocal de Amy e ela nunca a exibia, não pra valer, cantores de verdade nunca fazem isso. Implorei a ela, por favor, Amy, faça algum falsete. Ela disse:

— Por que deveria fazer um falsete? Eu nunca faço.

Eu a ouvi interpretar o cover à perfeição, afinal, é Carole King, um de seus standards. Estava sentado num grande sofá de couro preto, cada nota soava perfeita, era um dia de sol maravilhoso e ela estava cantando o tema como o cantava quando tinha 16 anos.

Ela chegou num trecho específico da canção e olhei para ela como que dizendo "Vamos lá, sua puta, faça!" Ela olhou para mim através do vidro e cantou "and will my heart... be broken!" Ela fez a porra do falsete. Eu tinha ouvido a música um milhão de vezes e ela nunca a havia gravado. Fez tudo num só take, saiu da cabine e sorriu para mim como que dizendo: *E aí, ficou satisfeito?*

* * *

Cada dia era uma festa. Nunca ficávamos em casa, sempre indo para shows, sempre acabando no assoalho de alguém às quatro da manhã. Às vezes a festa era em Jeffrey's Place. Fizemos alguns amigos para toda a vida. No início, quando morávamos juntos extraoficialmente, antes que Amy tivesse sequer composto *Frank*, muito tempo antes de ser "Amy Winehouse", conheci uma garota numa festinha e ficamos amigos na hora. Seu nome era Chantelle e Amy ficou sua amiga também — na verdade foi a última amiga que Amy fez antes de se tornar famosa. A maioria das amizades de Amy depois disso nasceu em festas e bebedeiras, mas a amizade de Chantelle com Amy nunca foi desse tipo; Chantelle era uma garota festeira muito atenciosa e tinha um grande coração. Era estudante na época e acabou se tornando uma grande escritora.

Amy conheceu sua estilista através da cena de Camden também. Naomi estudava na London College of Fashion. Seu namorado era um malandro, ela estava numa situação ruim, então Amy ajudou-a a se livrar dele e contratou-a como sua estilista pessoal, o que ela se tornou a partir de então, escolhendo todos os vestidos de Amy.

Amy e Kelly Osbourne se tornaram boas companheiras. Kelly estava em busca de alguma normalidade na sua vida, tinha acabado de fazer o programa de TV *The Osbournes* e estava de volta a Londres, fugindo do mundo de Los Angeles que a empurrara para as drogas no final da adolescência. Kelly agora era toda sobriedade, mesmo que bebidas e drogas fossem uma parte central de tudo ao seu redor em Camden. Ela estava saindo com Tom Wright e foi assim que nos conhecemos. Ela e Amy tinham uma forte conexão típica de garotas, coisa que obviamente eu nunca tivera com Amy. Rapazes não podem proporcionar isso, por mais sensíveis que sejam. Adorei que ela tivesse aquela amizade. Especialmente desde que Juliette e Lauren, que tinham sido como irmãs para ela desde o início da adolescência, agora estavam pegando no seu pé o tempo todo por causa da bebida. Elas só faziam isso porque estavam preocupadas, é claro, mas Amy não dava ouvidos.

Muitos de nós éramos viciados em *alguma coisa*. Eu ainda tomava minha dose de Jack Daniels de manhã e ingeria analgésicos pesados constantemente. Também cheirava cocaína e bebia em excesso. Eu estava me bloqueando, não tinha um propósito real na vida, mas aquilo era divertido. Tom Wright dirigia alguns clubes em Camden e nós percorríamos todos, eu comprando cocaína para mim no cartão. Íamos a festas em casas e se eu pegava no sono — e o sono chegava a certa altura se você estava acordado havia dois dias — Tom colocava um dedo numa das minhas narinas, me fazia aspirar cocaína pela outra e era assim que eu acordava. Tom achava isso hilário. Eu adorava aquilo — nunca tinha rodado por aí como um vagabundo descontraído antes.

Achar droga era fácil. Dava para comprar em alguns pubs. Eles tinham salas privadas no andar de cima, para a turminha VIP, pelo menos. O Hawley Arms tinha desses quartos: alguém do grupo telefonava e todo mundo ia esperar a chegada do fornecedor. Ou isso ou então você estava na casa de alguém, todo mundo juntava um dinheiro e alguém aparecia. Entrávamos no Mixer em bando — Amy, Pete, Kate —, caminhávamos direto para as escadas que levavam à sala privada e o pessoal do andar de baixo nos olhava como se fôssemos da realeza de Camden, ridículo. Tom organizava uma apresentação em algum pub e eu e Amy bancávamos os seguranças na porta e levávamos aquilo a sério, como se fosse um emprego. Nós dois adorávamos cumprir uma tarefa.

A cocaína era algo em que eu poderia embarcar durante dois, três dias, mas nunca tomaria conta da minha vida. O problema era álcool. A cocaína era apenas o catalisador do álcool. Você não pode beber a quantidade que eu bebia sem cair no sono. Duas garrafas de vodca por dia. Algumas pessoas ficam raivosas com o álcool, eu ficava apenas mais confiante, menos ansioso. O álcool deixava tudo melhor, *me* tornava melhor. E, é claro, se você está cheirando cocaína, não vai pegar no sono. Então eu fazia tudo para acabar pegando no sono, eu podia beber uma garrafa de uísque inteira. Você aprende o truque — uma grande talagada de Night Nurse, o remédio insanamente forte para gripe e resfriado, uma dose de codeína, o que pintar. Minha bebida favorita era um copo de uísque com gelo e dois comprimidos efervescentes de codeína na hora de dormir. Eu ingeria pílulas para dormir toda noite. E então, muito rapidamente, a cena da droga começou a mudar.

Era de conhecimento público que Pete Doherty era viciado em heroína e agora a heroína começou a se propagar por Camden. Para mim é a droga que você deve justamente evitar: não é sociável, é *Trainspotting*, você vai acabar morrendo. Sabemos como é viciante; você dá uma experimentada numa noite de sábado, na quarta-feira já está roubando dinheiro da bolsa de sua avó.

As pessoas estavam brincando. A coisa estava *simplesmente lá*, entrando na normalidade. Muitas vezes eu arrastava um dos meus amigos para fora do banheiro quando os pegava com um papel laminado, fumando, e dizia para eles abertamente: "Que merda você está fazendo, está virando um viciado em heroína!?" E isso estava mudando a opinião de Amy. Poucos anos depois de doutrinar "não entre nos agentes químicos, só nos produtos naturais", ela se convenceu de que a heroína era legal. Não que ela usasse heroína, ainda. Mas outras pessoas usavam, pessoas das quais ela gostava e que admirava. Pessoas que usavam heroína e ainda assim funcionavam.

Amy não estava sempre farreando, longe disso. Estava também compondo novas canções. Principalmente no meio da noite. No chão da cozinha.

12

Eu tinha ouvido Amy compor um monte de canções. Ela botava seus sentimentos no papel primeiro. Não havia nenhuma canção que começasse com a melodia ou os acordes, as palavras sempre vinham primeiro. Para um compositor isso é muito incomum. Eu me admirava com aquilo, aquela página de poesia sem acordes. Ela ainda era notívaga e sentava-se no chão da cozinha, com uma garrafa de Dooley's ou Jack Daniels, seu violão do lado, uma folha de papel e uma caneta.

Na cama no andar de cima, eu podia ouvi-la claramente. Conheci aquelas canções antes que soassem como aquelas canções. A primeira coisa que ouvi foi aquela que se tornaria "Back to Black", a canção. Eu conhecia o refrão havia semanas; as palavras para os versos foram escritas, mas ainda não existia nenhuma forma musical. Inicialmente ela usara os mesmos acordes ao longo de todo o refrão: "We only say goodbye with words... You go back to her and I... go... back... to... black..." (Só dissemos adeus com palavras... Volte para ela e eu... volto...para... a... escuridão..."). A melodia casava, mas os acordes não combinavam e por isso não a sustentavam, estava faltando alguma coisa. Eu odiava aqueles acordes originais do refrão e disse a Amy que ela devia mudá-los. Ela mudou, o que me faz soar como um presunçoso, mas é verdade.

Ela compôs a maioria das canções de *Back to Black* ao longo da primavera de 2006, ao longo de meses ansiando por Blake, indo para a rua bêbada, voltando para casa e compondo noite adentro. Eu acordava de manhã e ela me perguntava: "O que acha disto?" Eram fragmentos de versos, canções ainda não formadas, com títulos soltos que depois mudavam. Canções que se tornariam "Wake Up Alone", "You Know I'm No Good", "Love Is a Losing Game", que originalmente se chamava "Gutter" ("Sarjeta"), e "Me and Mr. Jones", sobre George. O verso "What kind of fuckery is this?" ("Que tipo de fodelança é essa?") eu a ouvi dizer um milhão de vezes — era exatamente assim que ela falava.

Amy escreveu a maioria das letras num caderno especial, um diário retrô da Mulher-Gato, suas páginas estampadas com o rosto mascarado da Mulher-Gato. A página de abertura era onde você escrevia o seu nome: "Este diário pertence a..." Ela escreveu Amy Jade, seu nome e o nome do meio, como você faria se tivesse 12 anos. Ela rabiscava no meio das letras, fileiras de corações e rascunhos de rostos de pin-ups, ao lado de sua caligrafia imaculada. Não era um caos, ficava bonito. As letras eram rudes, engraçadas e tão maduras e, no entanto, os rabiscos eram ingênuos e fofos. Acho que as pessoas esquecem: quando escreveu *Back to Black* Amy tinha apenas 22 anos.

Para mim *Back to Black* não é divertido como *Frank*. É um álbum de dor de cotovelo. Quando se sentava no chão da cozinha ela estava deprimida. Amy não fazia as coisas pela metade, não estava sentada com sua garrafa como se estivesse no estúdio escrevendo letras — ela estava sim aos prantos. Estava quase desmaiando quando eu a levantava e colocava em sua cama. Era perturbador. Ela sempre dizia, a respeito de compor: "Você pega uma caneta e rasga seu braço com ela e deixa o sangue escorrer pelas páginas."

Ela *estava* cortando seus braços àquela altura. Uma noite no Koko, me pediu que a acompanhasse ao banheiro. Amy usava um colete debaixo da blusa e a tirou. Sem dizer nada, ou fazer um escarcéu, mostrou-me os cortes em seus braços, algo que ela queria que eu soubesse. Fiquei preocupado, é claro, mas eu já tinha visto automutilação antes. Não falei nada, ela não teria gostado que eu falasse, mas agora ela sabia que eu sabia. E sabia que eu ficaria de olho a partir de então.

Achei suas novas canções talvez deprimentes *demais*. Não só eu não sabia o que *Back to Black* se tornaria, eu também não tinha ideia de como o álbum soaria. Eu sequer sabia se aquelas canções virariam um álbum algum dia. Também ouvi, através de Nick, que a Island estava pensando em dispensá-la. Da perspectiva de uma gravadora, eles queriam um segundo álbum e ele estava custando a aparecer. Sabiam que ela andava bebendo muito. Não significa que não a considerassem uma artista viável, mas quando ela compunha aquelas canções eles não ouviam. Ela estava dentro de casa com seu violão, não no estúdio.

A gravação em si foi muito rápida: duas semanas em Miami com Salaam Remi, duas semanas em Nova York com Mark Ronson. Amy adorava a canção "Ooh Wee", de 2003, que Mark Ronson tinha feito com Ghostface Killah and Nate Dogg, mas ela também tinha uma queda por Mark e na verdade foi por isso que quis que ele produzisse o álbum. Achei que eles iam acabar juntos — ele era um nerd bem sexy —, mas se tornaram bons amigos. Mark era o equivalente musical de Amy, os dois se sentavam para falar de música por quatro, cinco horas de uma vez. Quando foi para os Estados Unidos, ela estava de bem com a vida de novo, empolgada por trabalhar com Mark pela primeira vez, empolgada por voltar a ser criativa — a única parte de ser "Amy Winehouse" que ela apreciava. Estava focada, havia saído do buraco, porque tinha um prazo final.

Foi Nick quem tocou para mim algumas das faixas acabadas de *Back to Black* em seu carro. Amy nunca teria tocado seu novo álbum para ninguém. Havia uma canção originalmente intitulada "They Tried to Make Me Go to Rehab", que ela compusera sobre Nick levando-a de carro até o campo e sua tentativa de interná-la numa clínica de reabilitação. Típico de Amy, ela fizera algo hilário daquela história: "Tentaram me internar numa clínica, eu disse *não*, não, não…" A música foi composta em Nova York com Mark e isso era estranho para mim porque não cheguei a acompanhar seu processo criativo. Já a ouvi acabada, como todo mundo. Fiquei chocado. "Isso é uma tremenda música pop!" Não falei para ela quanto eu gostei porque aquilo a teria levado a odiá-la, então disse que seria um hit imenso. Amy deu de ombros.

— Compus em dez minutos, não é a minha favorita.

***

O roteiro que inspirou a canção "Rehab" não era típico para um empresário. Nick estava tentando ajudar Amy mais por amizade, e seu gesto criou toda uma tensão entre eles. Amy sabia que estava bebendo demais. Estava na rua o tempo todo, em festinhas e em apresentações, e sua carreira estava decolando, por isso quando ele disse que estava preocupado ela não quis saber.

Em 2006, o contrato dela com o empresário chegou ao prazo de renovação: depois de três anos, os dois lados decidiam se queriam ou não renovar. Foi outro momento de tensão. Amy estava começando a não gostar de ser, no papel, empresariada por Simon Fuller. Ela odiava tudo que ele representava: pop comercial lustroso, idiotas em shows de talentos. Então ela não aguentava mais a 19 Entertainment. Mas, ainda assim, mesmo com a tensão entre eles, Amy queria que Nick a empresariasse por conta própria, não através da 19. Nick, sendo sensato, não ia deixar a 19.

Quando assinei com a Island, nós dois tínhamos um agente, Raye Cosbert, da MJM Productions. Eu não sabia muita coisa sobre ele, não era uma relação pessoal. Mas quando alguém decola, se você é o agente, então passa a aparecer muito mais. Ele não a atraía em especial, mas, comparado ao resto, não estava constantemente em cima dela para botar uma ordem em sua vida.

Nick e Amy tiveram uma discussão no carro de Nicky.

— Não posso trabalhar com você assim. Você está bebendo demais — disse Nicky.

E a resposta dela foi uma ameaça:

— Quer saber de uma coisa? Vou chamar aquele cara, o Raye.

Ela não sabia nem o sobrenome dele. Era uma coisa frívola e completamente aleatória. O nome Raye surgiu do nada. Foi só uma atitude meio "foda-se" dela. Nick disse que Amy estava blefando e deu o telefone para ela.

— Está bem. Aqui está o meu celular, ligue para ele.

Amy ligou para Raye e pediu que fosse seu empresário. *Back to Black* já estava composto, tudo estava no lugar. Raye tornou-se empresário de Amy por causa de uma discussão boba entre dois jovens que eram teimosos pra cacete. Raye era um homem negro bem grande com dreadlocks, e Amy toda a sua vida tivera afinidade com pessoas negras e com a cultura negra, sobretudo com a *black music*

— obviamente jazz, soul e hip-hop, isso fez diferença. Mais importante, Amy achou que Raye não faria objeção ao seu estilo de vida. Ela achou que, contanto que cumprisse o trabalho, ela podia fazer o que quisesse e ele não interferiria.

Raye de repente estava *lá*. As coisas ficaram muito diferentes. Não havia a proximidade que ela compartilhava com Nick, não havia nenhuma história, nenhuma relação construída ao longo dos anos. Ele estava quase todo dia com ela, mas sempre na qualidade de empresário, não de amigo, que era o que ela queria. Como seu empresário, imagino que ele receberia vinte por cento dos royalties sobre *Back to Black*, a porcentagem padrão da indústria. Muitas vezes ouvi Amy falar "Estou dando vinte por cento para ele". Isso é um grande incentivo. Não que ele antecipasse o sucesso do álbum ou que tivesse corrido atrás do emprego. Mas Raye sabia que o álbum já fora composto, todo o trabalho estava feito. Também receberia vinte por cento do adiantamento dela para o álbum seguinte. Eu podia imaginá-lo pensando: "Se eu a deixar partir e perder esta oportunidade incrível para minha carreira e minha vida, ela vai simplesmente acabar passando o trabalho para outra pessoa." Então é melhor que seja eu. Muita gente no lugar dele teria feito a mesma coisa.

* * *

Mitch também veio ao apartamento para uma conversa, mas não era sobre bebida.

— Ame, você devia ir ver minha mãe logo, ela não tem mais muito tempo de vida.

Amy foi ver Cynthia e pouco depois ela morreu de câncer do pulmão, uma razão para Amy me criticar por fumar tanto. Amy nunca falou realmente sobre a morte de sua avó, nada, o que significa que aquilo realmente a afetou. Sequer falou dela quando aconteceu. Nem chegou a *me* contar que Cynthia tinha morrido. Foi Mitch quem me contou. Eu sabia instintivamente que não devia falar sobre o assunto também. Ela mandou fazer a famosa tatuagem, da pin-up dos anos 1950 de short curtinho, o nome Cynthia ao redor da figura, no ombro direito, um tributo à avó que ela amava tanto e que, segundo ela, parecia Sophia Loren no auge. Mas ela não falava mais nem isso. Amy sempre falava e falava e falava e falava, mas *nunca* falou sobre a morte da avó.

2006 foi também o ano em que minha mãe e meu padrasto Danny se casaram. Eles já estavam juntos havia doze anos àquela altura. Minha mãe não dava muita importância ao casamento, já tinha se casado duas vezes antes, mas Danny ficou entusiasmado. "Vamos lá, vamos comemorar!"

Amy ficou muito feliz com o casamento. Ela idealizava a relação da minha mãe com meu padrasto — ele era o homem dela, ela era a mulher dele, um duo indissolúvel, ela sempre admirou aquilo. O coração de Amy se derreteu quando eu disse que ia dar a mão da minha mãe e conduzi-la até o altar. Eu fazia um monte de brincadeiras com Danny. "Pode ser que eu não autorize esse casamento." Quando a data do casamento se aproximou, Amy estava na pior, bebendo muito, depois que Blake se foi, antes do lançamento de *Back to Black*, com a morte ainda recente de Cynthia. O casamento era um grande acontecimento para ela, não queria causar constrangimento para si mesma nem para ninguém mais. Mas era um casamento do Leste de Londres e um monte de gente deu um show bem maior do que Amy. Foi *turbulento*.

Aconteceu num hotel em Chingford, nós todos nos hospedamos lá na véspera. Danny viajou até o local em sua van de transportar sucata e nós penduramos o vestido de casamento da minha mãe numa bolsa-cabide com zíper na traseira da van, uma bagunça. Minha mãe ficou mortificada:

— Por que pendurou meu vestido na traseira de sua van?! — Não era nem para ele ver o vestido.

Havia duzentas pessoas na cerimônia. Eu fiz o discurso; Amy estava sentada do meu lado e eu a fiz chorar. Agradeci a Danny por me criar. "Sou grato a você por ter me tratado como um filho verdadeiro. E minha mãe é meu mundo." A mãe de Danny chorou, todo mundo chorou. Amy adorou aquele dia, ela podia ser ela mesma com a minha família, o tipo de gente que nunca a julgaria e que diria: "Estamos todos aqui e todos nós amamos você." Houve dança ao som da Motown: eu, Amy, minha mãe, todos juntos na pista dançando ao som das Supremes, uma comemoração à altura. Minha amiga do colégio, Catriona, estava lá também. Às quatro da manhã eu estava sentado no gramado com meus primos, Amy e Catriona. Amy estava destruída, incapaz de formular palavras — era engraçado, mas ela precisava ir para a cama. Eu a encorajei: "Querida, o sol já está chegando!"

Na manhã seguinte os telefones dispararam. Amy não havia mencionado que tinha uma sessão de fotos no dia seguinte. Atendi o telefone e era Shane, o relações públicas de Amy na Island Records.

— Tyler, você está com Amy? Sei que foi o casamento da sua mãe, mas ela tem uma sessão de fotos, cara. Estou no local, todo mundo está aqui. Por favor, *por favor*, me diga, você estão na Inglaterra?

— Estamos em Essex!

— Legal, vamos mandar um carro.

Durante anos depois disso, Amy seria interrogada sobre a imagem da capa de *Back to Black*, aquelas fotos em que ela aparece toda amarrotada e desamparada olhando para o infinito. Ela sempre ria.

— Era como todo mundo estava na manhã seguinte do casamento da mãe de Tyler.

* * *

"Rehab" era o primeiro single e a Island precisava de um vídeo. Amy não queria fazer um clipe, ela detestava fazer vídeos. Fora sair por aí e tocar, depois que as canções eram compostas e gravadas, era ponto final. Ela encontrou alguns diretores diferentes e não se deu bem com eles e eles não conseguiam dirigi-la. Então eu tive uma ideia. Quando toda a minha história com a Island estava indo para o ralo, eu tinha conhecido o diretor de vídeos Phil Griffin. Era bailarino, estudara coreografia e tinha feito muitos vídeos pop — seu primeiro foi com Billie Piper estourando a bola de chiclete. Havia trabalhado com o Westlife e fez meu último vídeo para o cover de "Your Woman", que eu não queria fazer. Antes da filmagem, eu disse a ele:

— Com todo o respeito, estou pouco me fodendo.

Phil riu para mim e respondeu:

— Vamos lá, é só uma filmagem.

Ele foi franco e verdadeiro e saímos para beber. Persuadi Amy a conhecê-lo. Os dois se deram bem e todos nós deitamos e rolamos no clube Jazz After Dark, no Soho.

Nick ainda era meu empresário. Ele soube que Phil tinha a tarefa de filmar "Rehab" e telefonou.

— O que vocês fizeram? A gravadora diz que é ele quem faz os vídeos da Westlife?!

Phil vendeu sua ideia a Amy, dizendo:

— Vou botar você numa casa de loucos e você pode cantar na cama.

Ele acabaria fazendo todos os vídeos de Amy. Do pop evoluiu para trabalhar com Paul McCartney, Rihanna e Prince.

"Rehab" chegou ao número sete nas paradas do Reino Unido e se tornou um tremendo hit. Amy ainda não era ambiciosa, mas se importava com a aceitação da sua música, se importava se as pessoas gostavam, se importava em saber que não tinha se "vendido". Tinha visto pessoas como Natasha Bedingfield se dando bem com canções pop certinhas quando ela estava compondo canções brilhantes e sagazes como "Fuck Me Pumps" que não chegaram a lugar algum nas paradas. Via também uma canção do Nas não decolar, e aquilo a deixava puta, o estado deplorável do mundo da música. Mas "Rehab" foi um autêntico hit crossover. A Girls Aloud fez um cover de "Rehab" no Live Lounge da Radio 1, que era em si uma declaração *crossover* em si.

Amy estava numa boa. Saudável, feliz, glamorosa e cheia de vida. Depois de todo aquele tempo no Good Mixer, que havia levado a Blake e à depressão e, finalmente, a *Back to Black*, estava mais sábia, mais confiante, mais aprumada, com novos gostos musicais, especialmente os *girl groups* dos anos 1960. Voltara a ser criativa, estivera em Miami e Nova York, tinha provado a si mesma que era resiliente, tinha seguido em frente e composto um álbum incrível.

Pela primeira vez mostrava realmente todas as tatuagens que tinha feito nos últimos dezoito meses: a ferradura, "Cynthia", a dedicada a Blake sobre o seu coração. O penteado colmeia tinha chegado. Era por enquanto apenas um pequeno chumaço de cabelos falsos grampeado na sua cabeleira e enrolado em seus cabelos. Um monte de colmeias se seguiria, de vários tamanhos; tenho uma até hoje. Era não só uma declaração do estilo retrô, mas seu escudo e eu entendi aquilo. Nós dois tínhamos aquele tipo de escudo, uma camuflagem porque não gostávamos do nosso rosto: em vez de se preocupar consigo mesmo, você se preocupa com os cabelos. Ouvi Amy dizer:

— Se a cabeleira não for grande, não vai funcionar.

* * *

Alex Clare foi o cara que substituiu Blake. Ele era diferente de Blake, mas ainda com um jeito meio machão: camiseta branca suja, fumando Marlboros Red sem parar, sempre tocando violão. Tinha uma ótima voz e acho que o fato de ser artista também era uma questão para ele, pensando se poderia pegar carona no sucesso de Amy. Seu trabalho regular era o de chef. Ele tinha pavor de ver Amy sair para qualquer lugar e não a perdia de vista. Sentia-se intimidado pela minha relação com ela.

Depois de "Rehab" ficar entre os dez maiores sucessos, a Island Records começou a gastar dinheiro. O segundo vídeo de *Back to Black*, "You Know I'm No Good", foi uma peça de alta produção filmada por Phil Griffin num terreno no Leste de Londres com quatro pequenos sets representando Jeffrey's Place; a essa altura, Phil era amigo de Amy e conhecia bem o apartamento.

Alex foi convidado para a filmagem de "You Know I'm No Good" e devia aparecer na parte da tarde. Naquela manhã tudo estava correndo bem, todo mundo feliz. Amy chegou para mim.

— Adivinhe quem está chegando em um minuto!

— Quem?

— Blake.

— Você está de brincadeira.

— Não, Blake está vindo aí.

13

Blake deu as caras na filmagem do vídeo de "You Know I'm No Good". Eu não detestava o cara, não tinha nada contra ele. Sabia tanto a seu respeito que quase sentia pena dele. Não havia nenhum sinal da Amy que odiava gravações de vídeos naquele dia. Ela se sentia feliz por estar ali e aquilo tinha definitivamente algo a ver com ele, embora ela estivesse com Alex na época. Quando me disse que Blake estava a caminho, ela sabia que aquilo era errado. Estava sorrindo. Essa era a Amy maliciosa, um lado dela que eu amava. Eu conseguia entender. Foi Blake quem a chutou. Então, de repente, Amy está no topo, todo mundo está falando dela, ela é *o cara*. Está tudo lá na letra de "Back to Black": "He went back to his old *safe bet*." ("Ele voltou para sua velha *aposta segura*.") Que chato! Nada como o que eles sentiam juntos, que era tumultuado, doente e *amor de verdade*. Podiam até já estar em contato há semanas. Eu não quis me intrometer.

Ela havia acabado de emplacar um single entre os dez maiores sucessos e estava gravando um vídeo de orçamento alto. Blake nunca tinha visto aquele lado de Amy. Quando se conheceram, ela era aquela garota que zanzava por Shoreditch e jogava sinuca no Mixer. Imagine. "Olá, cara que não se interessou e me mandou passear. Estamos na gravação do meu vídeo e eu escrevi essa canção sobre *você*, na verdade, parceiro. Todas as minhas canções são sobre você! E veja aí, esta galera de trinta pessoas está aqui só por *minha* causa. Sim, e a propósito, estou de camisola, com os cabelos feitos e toneladas de maquiagem." Não culpo Amy: ela se sentia bem, sentia-se sexy e queria que o homem que a magoou visse aquilo.

Blake ficou deslocado naquela noite. Phil Griffin não sabia quem ele era. Amy tinha dito para mim: "Você cuida do Blake? Ele não conhece ninguém." Ele ficou atônito.

— Mas que porra, Tyler, esta coisa é séria, você acredita nisso? E ela escreveu todas aquelas músicas sobre mim! Eu devia cobrar royalties...

Era brincadeira, mas havia uma parte dele que levava aquilo a sério. Eu sabia que Amy não tinha intenções sérias em relação a Alex, por isso perguntei a ela o que estava rolando com Blake. Ela disse:

— Nada, somos apenas amigos.

Pensei: "não minta para si mesma e não minta para mim". Qualquer um podia ver o tesão entre eles. Eu estava pensando: "Arranjem um quarto!" Ela insistiu:

— Não é bem isso, Alex ainda vem esta tarde. — Com outro sorriso aberto no rosto. Nenhum dos dois sabia sobre o outro, naturalmente. Blake foi embora, Alex apareceu à tarde e houve instruções muito estritas de Phil para todo mundo no set: não contem que aquele garoto Blake esteve *aqui*. Era tudo muito farsesco e muito engraçado.

Quando a filmagem terminou, Phil nos deixou em casa. Ele estava feliz, Amy estava feliz, eu estava feliz. Eu sabia que tivera um papel importante na decolagem da carreira de Amy e era um momento especial para mim também, me orgulhava do que ela havia realizado. Especialmente quando, apenas poucos meses antes, tudo que Amy fazia era me arrastar para o Mixer assim que eu abria os olhos.

Estávamos fazendo piadas e rindo juntos, Amy me aconchegou em seus braços e aquilo deixou Alex puto da vida. Começou uma discussão. Phil partiu para cima dele. "Cara, vou fazer você saltar do carro. Não sei quem pensa que é, mas esses dois são meus amigos há anos. Não vão se lembrar de você daqui a um mês e provavelmente vão se casar e ter filhos." Alex disse algo estúpido como "Tyler não ia nem saber como fazer isso". Amy se enraiveceu e ficou do meu lado. Os dias dele estavam contados.

Alex foi com Amy à entrega dos Brit Awards em fevereiro de 2007, quando ela ganhou o prêmio de Melhor Artista Britânica Solo. *Back to Black* foi indicado como Melhor Álbum Britânico também, mas deram o prêmio para os Arctic Monkeys por *Whatever People Say I Am, That's What I'm Not*. Eu tinha um compromisso de trabalho na Europa e peguei um voo de volta a tempo de estar com Amy no pós-show. Alguns de nós estávamos hospedados em dois quartos do Covent Garden Hotel e todos vimos Alex discutindo com Amy. Ele era simplesmente imaturo, havia um monte de gente assim ao redor dela, querendo guardá-la só para si. Eu não conseguia lidar com Alex e levei Amy para um canto.

— Ame, você sabe que acabou de ganhar um Brit? Que se foda esse pentelho enchendo teu saco sem motivo algum. Você acabou de ganhar um Brit, diga a ele para calar a boca que você agradece.

Meu gesto de levá-la para um canto o incomodou ainda mais.

— Aonde está levando ela?

— Cara, ela ganhou um Brit! Quero conversar com minha amiga e curtir o momento, por que não vai se foder?

Aquilo arruinou a noite para mim e Amy percebeu.

Dois dias depois, Amy estava em Paris fazendo a divulgação de *Back to Black* e Alex viajara para lá com ela. Eu e Chantelle estávamos num bar em Londres quando ela ligou.

— Venham para cá!

Olhei para Chantelle.

— Porra, vamos pegar o Eurostar!

Embarcamos em tempo para jantar em Paris aquela noite. Amy se interessava pelo Buddha-Bar, tinham dito a ela que a comida era incrível. Era também muito cara. Foi o começo de Amy se tornar "alguém", o começo de um mundo em que, subitamente, sua melhor amiga tem muito mais dinheiro do que você. Eu tinha muito dinheiro meu, mas jamais iria para lá por escolha própria.

— Não podemos ir a um lugar normal, Ame? Sei que você tem dinheiro, mas eu não me posso me dar ao luxo de pagar quatrocentas libras por uma refeição!

Fomos para lá, de qualquer maneira. Amy insistiu que ninguém teria de pagar nada. Alex ficou puto *de novo*, dessa vez porque Amy estava pagando o jantar para os amigos, especialmente para mim. Raye estava lá e, quando a conta chegou à mesa, ele virou-se para o gerente da turnê e disse em voz baixa:

— Isso vai definitivamente para a conta de Amy na empresa. — Amy estava do outro lado da mesa. É prática comum na indústria musical fazer o artista pagar as despesas, mas era a primeira vez que eu o via enxergar Amy de uma maneira que eu não enxergava, como a pessoa que paga as contas.

Raye virou-se para mim:

— Talvez você devesse dar uma gorjeta?

Que idiota, pensei. Ele não pediu a Alex, ou a Chantelle. Quando é amigo de alguém muito famoso, você é julgado por isso, como se fosse um aproveitador. Foi a primeira vez que me dei conta de que, da noite para o dia, todo mundo quer enrabar a minha amiga. Principalmente porque as pessoas são intimidadas e impressionadas pela fama. Senti muito rapidamente que não me queriam por ali, que eu poderia atrapalhar. Só queriam que a garota trabalhasse sem parar. As coisas estavam indo tão bem. Havia uma agenda de compromissos. Eram negócios. Nada disso existia durante *Frank*, quando era divertido, inocente e real e parecia que todo mundo estava lá para dar apoio a ela e a sua música.

Raye estragou aquele jantar no Buddha-Bar para mim, fazendo-me sentir que eu tinha ido lá atrás da boca-livre. Eu estava lá com toda aquela gente que estava fazendo de mim — alguém da mesa que conhecia Amy de verdade e com quem ela realmente se importava — uma espécie de bicão. Amy jamais faria aquilo comigo. Ela não tinha mudado, não tinha se tornado alguém com o rei na barriga. Era real, era exatamente a mesma. Sim, estava feliz por ter um belo quarto de hotel, mas estava cagando para aquilo, só queria um lugar para deitar sua cabeça. Como costumam dizer: não é você que muda, mas todos aqueles ao seu redor.

Aprendi rapidamente a não levar aquilo para o lado pessoal. Muitas vezes ouvi pessoas perguntarem a Amy: "Tyler é o seu assistente pessoal?" Às vezes, no futuro, eu estaria em casa numa das muitas casas que compartilhamos, em meu próprio quarto, e alguém aleatório entrava e me perguntava:

— Quem é você, porra?

— Quem é *você*, porra, e porque está no meu quarto?!

Eles não me conheciam porque não conheciam *ela*. Essas coisas aconteciam um sem-número de vezes e me acostumei com elas: você cria uma couraça e a coisa se torna engraçada.

No dia seguinte ao jantar no Buddha-Bar em Paris, eu e Chantelle íamos pegar o trem noturno para a Itália, para curtir uma folga. Eu ainda estava concentrado em viver toda a diversão que tinha perdido. Amy queria vir conosco, mas não podia.

— Preciso ficar com esses merdinhas pra porra da divulgação.

Embarcamos no trem para Veneza, e havia duas garotas chinesas na nossa cabine. Tinham perdido seu iPod e acharam que nós havíamos roubado, o que não era verdade, e assim fomos acabar na polícia às seis da manhã. Ficamos lá explicando que éramos inocentes, fedendo a bebida, com aquelas duas mochileirinhas inocentes que não entendiam uma palavra que dizíamos, e a impressão era de que nós as tínhamos depenado. Obviamente, não acharam seu iPod conosco e tiveram de nos soltar.

Alugamos um pequeno apartamento. Deitados na cama, de ressaca, ligamos a TV e lá estava Amy na MTV italiana dando uma entrevista, sua voz dublada em italiano. Ela estava parada lá e tudo que ouvíamos era "pasta, pasta, pasta". Foi um daqueles momentos "uau" — nossa amiga está ficando famosa *por toda parte*, está realmente chegando lá. Não demorou e *Back to Black* atingiu o número um em dezenove países.

14

Eu sabia que Blake estava de volta na vida de Amy porque ele simplesmente estava *lá*. Ela nunca teria dito "Eu e Blake estamos juntos de novo". Eu podia ver que estavam de volta à banheira, fumando um cigarro! Depois da filmagem do vídeo de "You Know I'm No Good", ele estava sempre por perto. Amy estava *abotoada* no seu colo, sempre o enlaçando em seus braços. Muito raramente não estavam *agarrados* um ao outro. Os dois eram românticos, jovens e apaixonados. Ele era um drogado, mas empático e carinhoso, eram semelhantes naquele aspecto também.

No início de 2007, quando *Back to Black* era número um no Reino Unido, eu ainda morava em Jeffrey's Place, mas me ausentava muito, dormindo em sofás alheios ou na casa da minha mãe. Estava um farrapo, bebendo demais, um caos. Quando eu ficava lá, Amy e Blake cuidavam de mim. Entendiam de viciados: éramos todos pessoas piradas. Blake me tratava como se eu fosse irmão de Amy. Eu me sentava no sofá no meio dos dois, chorando, bebendo, falando.

O apartamento começava a parecer um entulho. Amy estava bebendo demais. Os amigos de Blake andavam sempre por lá, com seus papelotes laminados de heroína e parafernália de crack. Houve um incêndio. Amy deixou todas as velas queimando no consolo da lareira e foi dormir uma noite em que Blake não estava lá. Eu ainda estava acordado, na cozinha, quando tudo entrou em chamas, todas suas capas de revista emolduradas na parede. Fiquei desesperado, jogando panelas cheias d'água, e consegui apagar o fogo. Havia cacos de vidro, papel queimado e bolotas de cera de vela por todo o assoalho da sala de estar. Mais quinze minutos e estaríamos todos carbonizados. Corri para o andar de cima e sacudi Amy até que acordasse.

— Teve um incêndio!
— Você apagou?
— Sim, mas quase morremos!
— T, estou *dormindo*.

* * *

Raye aparecia muito por lá. Como os empresários fazem, trazia papelada para ela assinar. Uma vez deixou um exemplar antigo da revista *Music Week*, que Amy nunca teria lido. Peguei e lá estava um artigo dizendo que ela havia vendido quatro milhões de álbuns. Passou pela minha cabeça pela primeira vez: *Amy vai ter um montão de dinheiro*. Em outra ocasião, quando Blake estava lá — dois meses depois do incêndio na lareira com manchas de fumaça ainda sobre as paredes — Raye trouxe fotos de apartamentos para alugar, muito chiques, para Amy ver. Amy ficou atordoada. Custavam entre oitocentas e mil e cem libras por semana.

— Está de porre, Raye? Posso pagar isso?
— Sim, você pode, Ame.

Ela não tinha a menor noção do próprio dinheiro. Raye e Mitch já estavam no controle de seus negócios. Amy não procurou novos lugares para morar. Não queria se mudar; sugeriram que ela se mudasse, dando a entender que era uma pessoa melhor de vida agora. O único que não pareceu surpreso de que Amy pudesse pagar aqueles aluguéis foi Blake. Se os dois se casassem, ele seria um homem muito rico. Como podia não pensar naquilo? Qualquer um se sentiria assim se sua parceira de repente ficasse cheia da grana. Não acho que ele fosse apenas um gigolô ávido por dinheiro, mas era um sobrevivente, alguém que teve de se virar a vida inteira para ir levando. Então convinha a ele que a garota com quem gostava de ficar, que venerava o chão que ele pisava, agora fosse tão rica que eles podiam cuidar um do outro e ter tudo que quisessem e de que precisassem. Havia o lado sombrio disso, claro: Blake era um drogado. Por isso ele também pensou: "E nunca mais vou precisar me preocupar em arranjar dinheiro para a heroína e o crack."

* * *

Em maio de 2007, *Back to Black* entrou nas listas da Billboard americana e ficou lá até março do ano seguinte, quando atingiu o pico de número dois. Isso é um feito colossal para um artista do Reino Unido. Não que Amy pensasse muito naquilo, se é que chegava a pensar. Ela deu uma entrevista à revista *Billboard* quando chegou ao número dois e o jornalista saiu palestrando sobre questões chatas de negócios, sobre mercado e dados demográficos. Ela foi educada e se disse grata pela oportunidade.

— Mas, para ser sincera — disse ela —, não sou o tipo de pessoa que vai pensar nos dados. Sou apenas uma carta do baralho.

Aquela era Amy o tempo todo.

Naquele mês de maio ela ficou nos Estados Unidos fazendo divulgação, com Blake. A essa altura ele tinha o controle completo sobre a vida dela. Afastou-a de todos os amigos. E alguns tinham ficado desiludidos com o estilo de vida dela ao lado dele. Fazia semanas que eu não via Amy. Parte daquilo era exatamente o que acontece quando alguém se apaixona. Agora havia tensão entre mim e Blake. A mensagem era clara: não quero você por perto, agora tenho Amy toda só para mim, posso fazer dela o que quiser, não se aproxime nem estrague tudo para mim. Aquilo era consequência das drogas.

Eu estava em Sydney, num relacionamento com uma garrafa de vodca, quando Amy telefonou.

— Tyler, adivinha só? Eu e Blake acabamos de nos casar!

Ela estava em Miami. Eu não sabia que Amy estava sequer *pensando* em se casar. Ela me ligou minutos depois que se casaram, acho que porque se sentia culpada. As pessoas no casamento de Amy e Blake eram os amigos de Blake. Dois deles foram testemunhas. E Raye. Não havia mais ninguém, nem seu pai ou sua mãe. Não me surpreendeu que tivessem casado — Bonnie e Clyde contra o mundo —, mas pensei que ela poderia ter feito ao menos uma *festinha*. Achei que pelo menos eu estaria lá! Mas foi um gesto no calor do momento, os dois altíssimos viajando nas drogas e no álcool. Seria romântico e corajoso e *que se foda*. Como Britney Spears em Vegas. Eu apenas disse "mazel tov".

Blake era o mundo dela. Ele a mantinha no mundo dele e *só* no mundo dele. Estava viajando por toda parte com ela, voando na primeira classe, um viciado com todas as drogas pagas. Amy não ligava para dinheiro, por isso não teria pensado num acordo pré-nupcial ou coisa parecida. Se chegou a passar pela cabeça dela naquele dia que, caso os dois se divorciassem, ele teria direito a metade do dinheiro dela, ou se ela morresse ele teria direito a *tudo*, Amy simplesmente deixou pra lá. Blake era seu homem, portanto merecia. Amy já cuidava dele, e ele sabia que ela lhe daria o sangue das próprias veias se ele pedisse.

Quanto ao casamento em si, imagino que Raye telefonou para Mitch e disse "Amy quer se casar" e alguns papéis foram mandados com urgência. É apenas minha suposição, mas deve ter havido *algo*, porque Blake nunca recebeu nada do dinheiro de Amy.

Mitch estava agora muito envolvido na carreira de Amy. Era basicamente o segundo empresário, junto com Raye, e os dois administravam a carreira de Amy entre si. Mitch gostava de estar no controle, mas a protegia também. Ele gostava de dinheiro e nada teria acontecido sem a sua concordância. Se ela tivesse morrido antes de se divorciar e Blake tivesse direito a sua fortuna, não seria correto ninguém, em sã consciência, dar a Blake os milhões de Amy depois de tudo que ele a fez sofrer.

* * *

Nunca pensei que Amy fosse capaz de consumir heroína ou crack, porque drogas pesadas não eram a sua praia, como ela sempre costumava dizer. Blake era um viciado, mas Amy era cabeça-dura. Blake não usava heroína e crack 24 horas por dia, também. Foi algo de que me dei conta em Jeffrey's Place ao ver as sobras do papel laminado que embrulhava a heroína e os cachimbos de crack feitos de garrafas de Lucozade. Eu não podia ter certeza de que ela não estivesse fumando essas drogas àquela altura, mas duvidava seriamente disso. Amy ainda parecia saudável, embora estivesse ficando cada dia mais magra. Sei que nos primeiros dias de dependência você ainda é capaz de funcionar, a droga não o destrói da noite para o dia, mas ela não me contou e, se estivesse *mesmo* se drogando e achasse que aquilo era certo, eu teria sabido.

Jeffrey's Place agora era um chiqueiro, quase inabitável, então ela se mudou por algum tempo para o Kensington Hotel no Oeste de Londres. Era uma suíte de luxo com sua própria sala de estar e cozinha. Ela começou a me telefonar de lá, várias vezes ao dia. E no dia seguinte. Então eu ficava sem notícias por um dia. Ela não estava lúcida. Parecia ora letárgica, ora agitada. Mostrava-se hesitante e só me ligava quando Blake saía do quarto. Estávamos no meio da conversa, eu ouvia o ruído da porta e a voz de Blake à distância — "Amy, o que está fazendo?" — e ela desligava, sem uma palavra. Não queria que ele soubesse que ela estava falando comigo, ou com quem quer que fosse. Senti algumas vezes que estava amedrontada.

Ela começou a me contar o que estava acontecendo.

— Acho que Blake está vendendo reportagens sobre mim.

— Ora, isso não é legal, Ame, o que você acha?

— Não me importo, ele só está tentando ganhar o próprio dinheiro.

Ela estava se enganando. Amy sabia que era errado, mas estava livrando a cara dele. Não queria dizer "Meu marido é um babaca." Ele não precisava de dinheiro, tudo que quisesse seria pago por ela. Blake vendia histórias sobre Amy o tempo todo, o que eles andavam fazendo, coisas íntimas. Falava com um jornalista de tabloide todo dia e aí você lia "disse uma fonte". Amy demorou muito a me contar que sua vida estava arruinada.

Eu não falava com ela havia muitas semanas e presumi que ela estava arrasando — o álbum dela foi o mais vendido na Inglaterra naquele ano, ela era ridiculamente famosa, com pilhas de dinheiro *e* tinha o cara que queria. Eu esperava que Amy me dissesse que estava tudo agitadíssimo e maravilhoso, que falasse das coisas que ela e Blake estavam fazendo. Em vez disso, ela descreveu a cena: estou trancada num hotel. Não posso ir a lugar nenhum. Aonde quer que a gente vá tem sempre paparazzi. Tem pessoas correndo atrás de nós, não aguento isso. Me sinto como uma prisioneira. *Não podemos fazer nada.*

Senti que o aspecto de prisioneira também se referia a Blake. Não havia mais uma Amy, nem um Blake, somente "nós". Blake tinha controle sobre a vida e a agenda dela, estava no controle de sua carreira. Duvido que Amy quisesse realmente se mudar para um hotel de luxo em Kensington, aquilo era decisão do empresário: havia paparazzi por toda parte agora, então era mais seguro, lá havia mais segurança.

Amy nunca diria "Socorro". Aquelas palavras nunca sairiam de sua boca. *Nunca*. Mas ela sabia que eu sempre a ajudaria e nunca a julgaria. Ao longo dos dias falando ao telefone, eu ouvia seu isqueiro clicar com muita frequência.

— O que está fazendo agora, Amy?

— Ora, você sabe, cachimbando e fumando.

Eu sabia exatamente o que aquilo queria dizer. Crack e heroína. Fiquei calmo e controlado.

— OK, Ame, você sabe que não pode continuar com essa merda para sempre, não é?

Nenhuma resposta.

Quando Amy reatou com Blake, eu não fiquei muito por perto. Eu a perdi para ele. Não me preocupei no início, era normal, minha amiga tinha entrado numa relação. Eu estava na minha. Mas agora eu estava de volta e o mundo deles era muito diferente. Pensei: "Porra, veja o que aconteceu desde que eu parti, você está fumando heroína e crack e Blake assumiu o controle da sua vida."

Blake foi a primeira pessoa que deu heroína a Amy. *Ofereceu* heroína a ela. Ela tomou a decisão de usar por sua própria conta. Para estar com ele, em sintonia. Ela me disse isso anos depois. Tinha decidido, se aquilo era a coisa que a estava impedindo de ficar com ele, ia aderir também. Ela nunca encarou aquilo como um problema. A heroína estava por toda parte em Camden. Você podia chamar aquilo de sacrifício autoimposto, mas também de estar loucamente apaixonada. E o romance maldito tem um poder muito sedutor.

No Kensington Hotel eles brigavam. Eu não sabia no começo. Drogas já são uma coisa ruim; com duas pessoas numa relação movida a heroína e crack, trancadas num quarto durante semanas, é claro que vão ocorrer brigas. A coisa era provocada pelas drogas, não costumava acontecer antes.

Era o aniversário de 24 anos de Amy, 14 de setembro de 2007, e fui ao hotel visitá-la. Foi a primeira vez que vi os paparazzi à espera deles do lado de fora, prontos com a bateria de luzes estroboscópicas que se tornaria uma constante em nossas vidas. Amy detestava aniversários, sempre dissera que sua ideia do aniversário perfeito seria submeter-se a anestesia geral o dia inteiro até passar. Eu estava completamente sóbrio na época, havia me reequilibrado temporariamente, então inventei uma missão para mim: vou salvar Amy.

Eu a encorajaria a não ficar naquele quarto o tempo todo, só os dois consumindo drogas. Já tinha completado dois meses que ela vinha se drogando com Blake naquele quarto quando chegou seu aniversário, até ela devia estar entediada àquela altura. Houve ocasiões anteriores em que tentei animá-los a sair: "Por que não vamos ao Hawley? Você pode trazer suas drogas, Blake, vamos dar uma saída deste lugar."

Não quiseram ir.

No apartamento ele a levava ao banheiro o tempo todo. "Quer um pouco de heroína, Ame?" Pensei: "Pare com isso, ela já está sentada lá, não a encoraje, talvez ela não precise da droga tanto quanto você." Quando eu estava lá, Blake mandava uma mensagem de texto de dentro do banheiro, perguntando o que ela estava fazendo. "Ele me envia mensagens sempre que estou com outra pessoa", ela me disse. "É assim que ele me controla."

**

Percebi que Amy queria sair. Dessa vez ela usou seu aniversário como um pretexto. "É o meu aniversário, Blake, temos de sair." Blake disse OK.

O plano era ir ao Jazz After Dark, o lugar onde a apresentei a Phil para o vídeo de "Rehab" — hoje é um altar para Amy. Ela vinha morando naquele hotel, usando calças de jogging e o moletom de Blake, e agora ficou empolgada:

— Vou me produzir toda!

Ela sempre levava um tempão para se arrumar, mas fumar drogas fazia com que demorasse uma eternidade. Blake ficou no banheiro, no quarto, fumando drogas, na dele. Esperei sentado por quatro, cinco horas. Chamei um carro, todo mundo estava pronto. Amy estava toda arrumada, Blake estava com uma roupa maneira também. De repente, Blake não quis mais sair. Eu e Amy dissemos que íamos de qualquer maneira. Ela disse:

— Me dê um minuto, vou me despedir de Blake, me espere no carro.

Esperei dez minutos. Voltei e quando Amy abriu a porta seu lábio estava estourado. Cortado. Ensanguentado. Que porra era aquela? Tentei empurrar a porta e entrar.

— Não, Tyler. Deixa pra lá.

— O que quer dizer com deixa pra lá?!

— T, eu posso resolver isso sozinha.

Era como se ela estivesse dizendo que aquilo era besteira, que acontecia às vezes. Eu nunca quis me envolver demais nas merdas dos outros, mas eu podia ter entrado, me aprumado e partido para cima de Blake; ele ganharia de mim numa luta, mas eu estava me lixando. Porém senti duas vibrações vindo de Amy: *Não precipite as coisas, isso é uma coisa nossa e você não precisa ficar preocupado.* E, mais típico num caso de violência doméstica: *Não comece ou a coisa vai piorar.* O que me convenceu a sair dali. Fui embora e disse:

— OK, Amy, mas me ligue.

Saí de lá, porém não entrei no carro. Simplesmente caminhei e caminhei. Já tinha intuído alguma coisa antes, mas agora eu sabia: tudo que imaginara que estava acontecendo naquele quarto — controle, abuso — acontecia de verdade. Não fiz nada porque ela me pediu para não fazer e confiei em seus instintos. Eu sabia que ela era capaz de se defender. Não podia chamar a polícia, podia? Ou, se atravessasse a porta e nocauteasse Blake, que diferença aquilo teria feito? Ela o teria deixado? Teria dito "Obrigado, T, você é o meu herói"? Claro que não. Ela o amava. E, por mais autodestrutivo que fosse, fazia parte do território da fantasia da mulher de gângster.

* * *

Minha vida se concentrou no desejo de salvar Amy. Eu sabia que não teria nenhuma utilidade para ela se eu mesmo estivesse mal, então aquilo me levou a ficar sóbrio. O que me impediu de morrer muitas vezes foi ter de cuidar dela. O mesmo acontecia com ela, em relação a mim. As pessoas podiam chamar aquilo de codependência, mas nós mantínhamos um ao outro vivo. Eu me joguei de volta no mundo dela porque achava que não tinha escolha — éramos almas gêmeas. Aqueles telefonemas do hotel foram o começo do pedido de ajuda de Amy. Ela estava criando uma rede de segurança para si mesma através de mim. O que eu podia fazer então? Como podia deixar de ajudá-la? E a única maneira de ajudá-la era estar com ela o tempo todo, o máximo que pudesse. Eu sabia que aquele mundo me faria mal, mas a amava e faria qualquer coisa por ela. Pensei sobre aquilo de um modo muito lógico: "Muito bem, Ame, estou ouvindo você. Vou acabar no hospício, mas estou nessa."

15

21 de setembro de 2007 e Amy estava fazendo um dueto com Prince. Meses antes, em maio, na entrevista coletiva para anunciar a temporada de 21 noites dele na O2 Arena, Prince falou sobre "Love Is a Losing Game" e quanto ele amava a música. Seria um sonho, ele acrescentou, Amy cantá-la com ele em sua última noite na O2. Phil Griffin havia começado a trabalhar com Prince, gravando seus vídeos, filmando suas turnês, e tinham se tornado amigos. Então Prince pediu a Phil que articulasse o encontro e ele fez isso.

Amy adorou a ideia, embora fizesse apenas uma semana do seu aniversário, quando Blake arrebentou seu lábio. Phil telefonou para mim preocupado: "Amy está bem, numa boa?" Ela estava ótima naquele dia. Phil disse: "*Por favor*, garanta a presença dela, não me deixe na mão." E disse também, muito especificamente, Blake não pode vir, não crie nenhum esquema com a presença de Blake. Eu não poderia ter impedido Blake de ir, mas omiti isso, disse a Phil que aquilo era trabalho, era uma coisa profissional. Blake estava interessado demais em se drogar, de qualquer maneira.

Amy insistiu que eu fosse com ela. Chegamos lá, Phil tinha falado a Prince sobre mim e fomos apresentados a ele. Prince disse a Amy:

— Vamos ensaiar?

— Sim, se Tyler puder vir comigo, ele também é cantor — respondeu ela.

Típico de Amy, nunca me deixou fora de nada.

Estávamos no camarim de Prince, do tamanho de uma casa, com um espelho ocupando toda uma parede, uma gigantesca bancada de maquiagem, produtos de maquiagem caros em cada superfície, roupas nas araras, roupas no chão, por toda parte. Ele era ainda menor do que se imagina — ele e Amy tinham a mesma altura! — e ele parecia *Prince*, uma entidade fora deste mundo, com purpurina nos cabelos. Vestia um roupão parecido com um *smoking jacket* num tom de púrpura. Parecia Prince relaxando no seu camarim e ele foi *incrivelmente* simpático, uma alma suave, estava tudo tão agradável. Senti que ele tinha entendido Amy, ele simplesmente a captou. Não eram muitas pessoas que conseguiam, não imediatamente.

Prince sentou-se ao piano e eles fizeram um ensaio, ele cantando a maior parte de "Love Is a Losing Game", Amy a maior parte do tempo ouvindo, embora na apresentação ele a acompanhasse na guitarra. Então, e tenho certeza de que ele estava tentando agradá-la, Prince disse que gostaria de cantar comigo também. Nós todos cantamos "Purple Rain". Não durou muito — eu, Amy e Prince cantando juntos —, mas ela fez aquilo acontecer para mim. Um momento maravilhoso na minha vida. Embora eu estivesse nervoso, pensando: "Eu não devia nem estar aqui."

Depois, fomos à área privada de um lounge, Amy debruçou-se sobre o balcão do bar, pediu um drinque, pegou uma limonada para mim, me olhou e disse:

— Faye Dunaway está ali adiante.

Fomos transportados para uma dimensão diferente. Faye Dunaway, a Bonnie, de *Bonnie e Clyde*, em carne e osso, parecia tão glamorosa e bonita. Ela se apresentou a Amy:

— Oi, meu nome é Faye.

Amy ficou toda tímida.

— Oi, eu sou Amy. — E então, do nada, típico dela, disse a Faye Dunaway:

— A mãe de Tyler tem maçãs do rosto mais bonitas que as suas.

Ela não disse de uma maneira depreciativa, estava empolgada pelo momento e o que tentava dizer a Faye Dunaway era "Você tem umas maçãs do rosto incríveis!". Faye Dunaway respondeu com um "Obrigada", mas deve ter pensado: "Que coisa mais esquisita."

Amy teria tomado drogas a certa altura daquele dia, mas estava ótima, com uma aparência legal, embora estivesse nervosa. O esquema de Prince era o mesmo, ele fazia dois shows por noite — o show principal na arena e depois um "pós-show" menor de fim de noite. Era nessa apresentação comparativamente íntima que Amy deveria se apresentar. Estávamos na seção Índigo da O2, que tinha capacidade para quase três mil pessoas, e era o espetáculo final de Prince em Londres. Estávamos na lateral do palco quando Amy começou a amarelar.

— Não sei se vou conseguir... Acho que posso, se você não sair daqui, fique aí, por favor.

Eu podia ouvir a guitarra de Prince nos bastidores iniciando a canção. Amy começou a cantar e então os dois avançaram para o palco e ela arrasou, a multidão uivando. *Foi foda.*

Algo bom assim só acontecia quando Blake estava ausente. Naquela hora, éramos só eu e Amy. Valorizei o momento, desfrutei cada segundo até o fim, minha melhor amiga cantando com Prince enquanto ele cantava a canção *dela*, aquela canção espantosa que eu a ouvira compor no chão da cozinha dezoito meses antes. Foi a primeira noite em muitos meses que tivemos só para nós dois e foi também um momento para que ela reconhecesse a *si mesma*. E o que havia alcançado. E, como não havia ninguém mais ali, ela o fez. Normalmente, ela seria indiferente — "Sim, cantei com Prince, e daí?" — e arrogante e minimizaria aquilo, como fazem as pessoas inseguras. Eu era a única pessoa para quem ela não fingia.

Ela desceu do palco e eu estava tão empolgado.

— Você acabou de cantar com Prince!

— Sim, que loucura! — disse Amy.

Ela nunca deixava as pessoas verem aquele lado seu, *nunca*. Podíamos ter sido apenas os dois garotos que frequentavam a escola Sylvia Young naquela noite. Eu estava tentando arrancar com meus *dentes* qualquer momento de celebração, qualquer sensação boa que ela pudesse ter por tudo que estava acontecendo. Porque eu podia ver tudo aquilo escapando dela. E então Amy deu a notícia.

— Blake está vindo.

Blake apareceu. Prince, sendo o homem mais generoso do mundo, comunicou a Amy que Blake poderia usar o camarim dele também, ela podia fazer o que quisesse ali, usar sua maquiagem, ele não estava mais usando o camarim. Agora, com Blake ali, toda a atmosfera mudou. Blake estava paranoico, agitado, indo ao banheiro de Prince para se drogar. Tudo ficou muito tenso. Havia dinheiro vivo no camarim, simplesmente exposto ali, em cima da bancada de maquiagem. Ninguém estava prestando muita atenção. Amy estava calma, todo mundo estava bebendo, havia outras pessoas no camarim. Prince apareceu, num clima casual. Nos despedimos e partimos, e eu, Amy e Blake fomos levados de carro ao Kensington Hotel.

No carro, Blake fez uma piada sobre ter pegado o dinheiro do camarim. Eram centenas de libras. *Ele havia roubado o dinheiro de Prince.* Fiquei mortificado. Amy deixou a história de lado. Eu sabia que ela sabia que aquilo era errado, mas diante de Blake ela levou a coisa na risada, porque se sentia constrangida. Eu sabia que ela não achava aquilo engraçado.

Na manhã seguinte, Phil me ligou. A segurança de Prince tinha descoberto que o dinheiro fora roubado e culpava Phil. Pensaram que ele tinha roubado e partiram para cima dele, o cobriram de pancada e o chutaram para fora. Por algum motivo, Phil estava sem sua credencial e naquelas situações você podia ser a irmã de Whitney Houston, mas se o sujeito que cuida da entrada do show de Whitney Houston não sabe disso e se você não tem uma credencial você é um merda. Assim, Phil, em vez de ser o diretor de arte de toda a turnê de Prince, foi acusado de ter sido o cara que roubou dinheiro do camarim de Prince, foi surrado e expulso da O2 Arena. Phil, que tinha uma boa relação com Prince, ficou devastado.

No dia seguinte, Amy entrou em contato com Prince e pediu desculpas. Disse que devolveria o dinheiro. Prince respondeu:

— Não me importo com o dinheiro, não foi nada legal o que aconteceu com Phil. — Agora era Prince pedindo desculpas por *aquilo*. Não achei nenhuma graça na história. Não achei engraçado que meu amigo tivesse sido surrado também. Eu era tolerante, mas pela primeira vez me vi depreciando Blake, pensando: seu gesto foi realmente um horror, cara. Naquela manhã ninguém falava de como a noite anterior tinha sido incrível, de qual havia sido a sensação de Amy ao cantar com um dos maiores artistas de todos os tempos. Blake sequer perguntou a Amy como ela se sentiu. Tudo se focou no dinheiro roubado por ele. Pensei: "*Quem* é você, afinal?" Minha amiga é uma pessoa ridiculamente talentosa que tem oportunidades fabulosas e você traz seu caráter de sarjeta *para esses momentos mágicos aos quais tem o privilégio de comparecer.* Eu queria dizer a ela: "Amy, que porra seu namorado acha que é?" Ao que ela provavelmente responderia: "Meu marido." Havia sempre alguém tentando tirar tudo dela.

A visão que Amy tinha de Blake estava se tornando seriamente distorcida. Ela começava a vê-lo como Deus. Ele era mais importante do que todo mundo e todas as coisas. Mesmo seis meses antes disso ela teria ficado chocada — "Você acabou de passar a mão no dinheiro do Prince?!" Mas agora, se ela tivesse de escolher entre detonar Blake e detonar Prince, Prince seria o escolhido. E a essa altura Blake estava um caos só. Um *caos*. E aonde quer que fosse, ele criava cada vez mais confusão.

16

A cena de Camden começara a se espalhar por Londres, especialmente para o leste, em Hackney. Algumas pessoas que conhecíamos moravam num condomínio reurbanizado chamado Omega Works, em Hackney Wick, na junção do rio Lea com o canal Hertford Union. Era novo, moderno, dominado por vidro, e parte da turma do programa de TV *T4* tinha apartamentos lá. O novo cabeleireiro de Amy, Alex Foden, mudou-se para lá e Catriona foi morar com ele, dividindo o aluguel de um apartamento no primeiro andar. Ela era uma figura, Amy adorava suas histórias de incursões na cidades, seus encontros com marmanjos, e agora ela gerenciava a Rokit, a loja de roupas vintage em Camden. Quando ficou sem casa por algum tempo, ela dormia no depósito da Rokit.

Amy e Blake estavam de volta a Jeffrey's Place, mas ele não a mantinha cativa como antes, só telefonava a cada meia hora. Estava no auge do vício por crack e heroína, com fornecimento constante, porque dinheiro não era problema, portanto ficava muito tempo sozinho. Chega um ponto no vício em que você se isola, sua maior relação é com o que quer que seja o seu vício. Ele estava consumindo o triplo da quantidade de drogas que Amy consumia, por isso ela estava ficando mais comigo, Cat e Alex no apartamento deles no Omega Works.

Era um complexo grande e quadrado de quatro andares, muito luxuoso, dando para um pátio interno, com paredes de vidro por toda parte. Havia sacadas ao longo do prédio todo e você podia caminhar livremente ao longo da porta dianteira de seus vizinhos. Foi Phil quem recomendou Alex como cabeleireiro de Amy, depois que eles fizeram um anúncio do xampu Timotei juntos. Ela foi visitá-lo, e enquanto fazia um corte maneiríssimo em mim Alex segurava um baseado, por isso eles de cara já tinham algo em comum: eram queimadores de erva habituais. Ele era um rapaz bonito, bem-vestido, e estava se tornando um grande nome entre os cabeleireiros. Como Blake, parecia não ter nenhuma ligação com sua família. Era um solitário aderindo a esse círculo íntimo muito atraente que éramos Amy, eu, Catriona, Chantelle e Naomi. Éramos um grupo coeso em que cada um era capaz de fazer qualquer coisa para o outro, um bando de crianças meio piradas. E nós éramos mesmo crianças, 22, 23 anos. Com tudo que desejássemos à nossa disposição.

Alex desfrutava as vantagens de ter uma amiga famosa. Recebia produtos de pele da Dermalogica toda semana, principalmente para si mesmo, usando o nome dela. "Oi, sou o cabeleireiro de Amy." Toda marca mandava novos produtos, supostamente para ela: cabelos, beleza, pós de bronzeamento. Ela era multimilionária, não precisava de uma amostra grátis de Fake Bake, podia comprar um foguete espacial para voar até mais perto do sol e conseguir um bronzeado legal.

Senti que Alex tinha um ciúme infantil de minha amizade por Amy e me queria fora do caminho. Amy não podia ver aquilo, em sua psicose do crack. Ele estava usando muito crack e heroína com Amy, drogas que eu nunca usei, então para mim essa era uma maneira de ele se aproximar dela, a única coisa que ele podia compartilhar com ela e que eu não podia. Ele começou a me desprezar e eu o odiava.

Sempre escolhi manter meus inimigos por perto.

Foi Alex quem organizou uma noitada na Harrods em que eles fecham a loja para você e é tudo grátis. Podíamos levar o que quiséssemos. Havia um garçom circulando com champanhe ilimitado numa bandeja. Havia Amy, eu, Cat, Alex e as gêmeas Olsen também, as saudáveis estrelas adolescentes americanas que se tornaram garotas festeiras e rebeldes. Elas eram magras como papel de fumo. A certa altura Alex e Amy desapareceram num quarto dos fundos do andar superior para fumar heroína nas instalações chiques da Harrods.

Amy escolheu uma dúzia de bolsas Mulberry para nossas mães e tias, duas mil libras cada. Elas nunca teriam dinheiro para comprar uma bolsa Mulberry, Amy foi muito exigente na escolha. Ela escolheu vestidos de coquetel e vinte pares de Louboutins para seus pés pequenos tamanho 35. Bastava apontar para os itens e as pessoas os colocavam em sacolas. Eu pensava na ironia, todo aquele privilégio concedido a pessoas que tinham meios de pagar por aqueles produtos. Eu não queria me aproveitar e Amy me encorajava a escolher outra bolsa bonita para minha mãe. Ela apanhou dois suéteres para mim, o que realmente incomodou Alex. Ele pegou um laptop para si mesmo. Alguns meses depois, eu enfiaria uma faca de pão naquele laptotp.

Eu e Amy fomos ao apartamento de Cat e Alex no Omega Works um dia, um dia normal, até onde os fumadores de crack e alcoólatras andando por lá possam ser definidos como normais. Ao longo de todo o vício de Amy, eu a incentivei a fazer as coisas normais, fazer comida, lavar roupa, limpar a casa, porque a normalidade era o que estava faltando e aquilo que ela ansiava desesperadamente. Hoje, como incontáveis outras mulheres, Amy estava fazendo almôndegas. Fazendo almôndegas enquanto fumava seu cachimbo de crack.

Certa vez ouvi alguém se referir à cocaína como "a energia de amanhã agora". Pelo que posso dizer, o crack é "a energia deste ano agora". No fogão cortando cebolas e enrolando carne moída em bolas de tamanho perfeito, de vez em quando ela também dava uma estrela. *Estrelas*. No assoalho daquele grande apartamento de espaços abertos, a sala de estar e a cozinha se estendendo ao longo de uma parede muito comprida. Depois ela fazia flexões. Flexões de pino perfeitas entre cada prova do molho. Era muito boa naquilo, em todo tipo de acrobacia. Ao mesmo tempo cantava bonito como sempre, enlevada por estar trabalhando na cozinha.

Eu nunca tinha visto Amy tão louca. Estava acostumado a vê-la bêbada, chapada, caindo aos pedaços. Com o craque e a heroína você não fica exatamente inebriado. As pessoas com crack e heroína no sistema não bebem, pois não precisam. Ela bebia o energético Lucozade e bebidas efervescentes, talvez um drinque alcoólico e ficava assim por horas.

Parece loucura, mas eu adorava ver minha garota feliz daquela maneira; mesmo quando o vício está causando estragos na sua vida, existem momentos de felicidade genuína. As drogas tinham se instalado e o vício estava seguindo seu curso, causando tristeza, dor e perturbação diariamente, mas momentos como aquele você saboreava, momentos em que podia mentir para si mesmo, momentos raros e fugazes em que você fingia que tudo estava normal. Tudo está OK.

* * *

Blake telefonou. Estava no viva voz no telefone de Amy e parecia totalmente paranoico. Ele estava em Jeffrey's Place.
— Estou olhando pela janela, tem gente atrás de mim pra me pegar.

Não acho que houvesse nada errado além do estado da cabeça de Blake. Ele ficou ligando a cada dois minutos até que Amy, por fim, disse:
— Venha para cá, vou mandar um táxi pegar você.

Blake chegou do lado de fora do apartamento com um ar psicótico e desgrenhado, como um drogado da pesada, basicamente. Entrou no apartamento e começou a espiar por trás das cortinas fechadas na parede de vidro que dava para o pátio. Três minutos depois, quinze oficiais de polícia à paisana estavam dentro do apartamento, dando-lhe voz de prisão, bem à nossa frente, recitando aquela ladainha, "tudo que você disser...", algemando seus pulsos atrás das costas. Estávamos sentados nos sofás, com nossos pratos de almôndegas, garfos em pleno ar, assistindo a uma operação policial de verdade, e havia *muito* crack sendo usado no apartamento naquele dia, crack guardado no banheiro de Alex. Os *olhares* que todos nós trocamos. Alex fingiu casualmente dar um pulo até o banheiro e, é claro, jogou todo o estoque no vaso sanitário, ouvi a descarga. Os policiais o viram levantar-se e ninguém o deteve. Não se faz isso numa batida de drogas. Então havia uma noção muito clara de que não estavam atrás de drogas, não estavam atrás de Amy. Sempre tive a impressão de que os policiais se importavam com Amy e que estavam se lixando para as drogas. O mundo inteiro sabia que ela usava drogas e os policiais fizeram vista grossa. Acho que o público a amava, tinha pena dela e via Blake como o vilão.

Os policiais saíram com ele pela porta da frente e desceram as escadas até o pátio. Amy correu para a sacada externa e perdeu a cabeça, saiu gritando transtornada: "Não levem meu Blake!" Ele atravessou o pátio, algemado atrás das costas, entrou no carro e agora Amy gritava e chorava: "Blakey, meu querido, não se preocupe!" Ela ameaçava se atirar da sacada para chegar até ele. Eu a segurei e ela ficou furiosa, socando-me no peito, chutando-me, tentou até me *morder* e eu não a larguei, não a deixei descer as escadas. Ela podia ter tentado agredir um policial ou jogar algo neles e então incorreria numa acusação de ofensa corporal grave. Por fim ela desistiu, desabou nos meus braços, escorregou pelo meu corpo até o chão. Foi extremamente dramático, mas foi real.

Cinco minutos depois que levaram Blake, Mitch chegou. Podia ter sido coincidência ou talvez alguém tenha contado para ele que a polícia aparecera no apartamento, mas sempre senti que ele teve algum envolvimento com a detenção. Por que subitamente Mitch chegaria ali? Se ele provocou a detenção de Blake, foi uma boa atitude e ele agiu como um pai de verdade, na minha opinião.

Amy saiu gritando com o pai:

— Quero que Blake tenha o melhor advogado do mundo, não me importo com quanto vai custar!

— Faremos isso, Ame, faremos de tudo.

Ele estava cagando para Blake, obviamente.

Raye chegou lá meia hora depois. Os dois falaram comigo na sacada, dizendo que havia uma grande turnê programada, ela não podia ir sozinha, será que eu poderia acompanhá-la? Estavam me usando, me manipulando, mas eu não me importava, vi aquilo como uma oportunidade. Havia uma chance, agora, de salvar Amy. Ninguém podia se colocar entre Amy e Blake, e eu sequer tentaria fazer isso, ela o amava tanto. Olhei para ela através do vidro, estava arrasada, se drogando com Alex.

A mãe e o padrasto de Blake apareceram no apartamento, junto com um dos irmãos dele. Era a primeira vez que eu a via, ela tinha bebido e me pareceu uma pessoa escandalosa e boca-suja. Meu coração voltou-se para Blake: essa é a mãe dele, pobre infeliz. Levara o irmão mais novo de Blake, que tinha uns 14 anos, e aquele era um cenário familiar bizarro que parecia falso para mim. Amy entrou em cena. Estava representando "a esposa", pedindo comida, KFC, zelando para que o irmãozinho de Blake tivesse algo para comer enquanto estavam todos fumando crack.

Todo mundo na "família" conversava sobre como Amy ia tirar Blake da prisão. A mãe de Blake estava xingando Mitch e Mitch começava perder a paciência.

— Vamos gastar uma fortuna tentando tirar seu garoto da prisão, então por que a senhora está falando comigo desse jeito?

Amy se colocou entre eles, os braços estendidos, tentando acalmá-los.

— Parem de discutir, parem de gritar, estamos aqui todos a favor de Blake!

Então o irmão adolescente de Blake deu um soco em Mitch. Houve gritaria e confusão.

Vou cair fora, pensei, e saí.

* * *

Antes, na sacada, Raye e Mitch tinham feito uma sugestão: "Por que você e Amy não arranjam um apartamento aqui? Vamos ver se tem algum disponível."

Jeffrey's Place estava arruinado a essa altura. Alex morava aqui, Cat morava aqui, eu geralmente estava aqui, era a coisa óbvia a fazer, especialmente agora que Blake tinha ido embora, provavelmente por uma longa temporada. Amy saiu para a sacada. Eles estavam preocupados que essa iminente turnê britânica, sem Blake, nem mesmo acontecesse. Por isso ficaram tranquilizando Amy.

— Tyler vai acompanhar você na turnê. Tyler vai estar sempre com você, você e Tyler vão morar num apartamento aqui.

Estavam fazendo tudo que podiam e gastando um monte de dinheiro para que ela ficasse em ordem para encarar a turnê. Quem mais podia cuidar dela e em quem podiam confiar? Sei que eu tornava a vida deles mais fácil. Ela não queria fazer certas coisas e eles me usavam para levá-la a fazer essas coisas. Eu tornava a vida da família dela mais fácil também. Eu os ouvi dizer um milhão de vezes: "Não se preocupem, Amy está com Tyler, nada vai acontecer com ela."

17

Amy costumava dizer com frequência: "A lei não se aplica a mim." Ela não estava brincando. Não que estivesse se gabando, era até o contrário. Mas aquilo era mesmo *verdade*. Ela podia se safar de qualquer coisa. Ela e Alex foram flagrados com maconha pela alfândega da Noruega — tudo que aconteceu com ela foi ter de pagar uma multa de quinhentos euros. Se fosse comigo? Provavelmente teriam me prendido. Amy só precisou pagar e foi liberada, porque era "Amy Winehouse". O poder conferido aos famosos e aos ricos é insano e ela sabia disso.

Houve ocasiões em que Amy deliberadamente quebrou coisas em pubs — copos, uma mesa, espelhos, em surtos de violência — e nunca houve nenhuma repercussão. Ela estava testando, vendo até onde podia ir, porque era esperta. Certa vez estávamos num bar no Soho, no centro de Londres, no auge de sua fama, um daqueles bares chiques com as taças de vinho penduradas com as bordas para baixo na frente do bar. Ela ergueu o braço e deslizou a mão ao longo das taças. Um monte delas caiu e se espatifou no chão. Ninguém se aproximou dela e nós fomos embora. Fiquei horrorizado.

— Por que você fez isso?

— Porque estou provando uma coisa. A verdade é: por que me deixariam me safar dessa? Como poderiam me *deixar* fazer aquilo? A fama é uma besteira. A fama é uma merda. A fama é ridícula. Eu acabei de quebrar um bar e ninguém vai falar nada.

As pessoas ficavam sabendo desse tipo de coisa e achavam que ela era uma escrota. Às vezes ela *era*. Porque é isso o que as drogas e o álcool fazem. Mas a maioria das vezes não era, estava brincando com a fama. Às vezes um dos rapazes da segurança levava dinheiro ao gerente de um bar: "Não diga nada, lamento que tudo tenha sido quebrado, mas acho que isso dá para pagar o conserto." O dinheiro a livrava de muitas situações.

Havia um desrespeito pela lei, sempre presente nela, mas a maior parte do tempo era apenas brincadeira. Em 2007, o filho do sultão de Brunei, o príncipe Azim, estava num festival em Londres em que Amy ia tocar. Aos vinte e poucos anos, ele era renomado, membro da alta sociedade, sempre circulando pelo meio musical, convivendo com pessoas ridiculamente famosas como Michael Jackson e Mariah Carey. Era também membro da realeza, o segundo na sucessão do trono da monarquia absoluta de Brunei. O sultão de Brunei é um dos homens mais ricos do planeta e o príncipe Azim também valia bilhões. Ele estava lá com sua tia e seu assistente pessoal, nos bastidores, numa tenda luxuosa comendo alguma coisa — na sua privacidade — quando mãos de fora da tenda começaram a abrir duas paredes da lona, rompendo a fita que as prendia. Era Amy, que entrou pela fenda, virou-se para eles e disse:

— Estou cansada do assédio lá fora, estão todos puxando o meu saco, me tratando como seu eu fosse a porra da realeza!

Azim achou isso hilário. Convidou-a para entrar e comer com eles — ela estava muito magra na época. Conhecendo Amy, acredito que ela estava dando uma entrevista do outro lado da tenda e pensou: "Que se foda, vou atravessar a lona!"

Anos depois, em 2012, o príncipe Azim se tornou meu bom amigo e eu não consegui acreditar quando ele me contou que tinha conhecido Amy naquele dia na tenda. Ele me disse que, quando sentou com eles, ela falou: "Isso é um tremendo alívio, vocês parecem pessoas normais." Ele não contou a ela nada a seu respeito. Disse que via muito de si mesmo em Amy, no sentido de que ocupavam diferentes posições de privilégio na vida, mas que lhes cobravam o mesmo preço: eles não podiam ser verdadeiramente livres. Azim viu em Amy alguém com uma carapaça externa dura e protetora que no fundo era vulnerável e delicada, algo que ele não esperava. Ele era assim também, o que tornou ainda mais triste sua morte em outubro de 2020, aos 38 anos.

Alguém que definitivamente não estava acima da lei era Blake. Ele tinha sido detido no Omega Works, em novembro de 2007, por obstrução da justiça numa acusação de lesão corporal grave em 2006. Blake e um amigo tinham surrado um sujeito, seriamente, durante uma briga com um dono de pub, surra que requereu placas no rosto da vítima para reparar os ferimentos, entre eles fratura no maxilar, no nariz e na cavidade ocular. Havia uma testemunha da agressão e Blake pagou a ela duzentas mil libras para não comparecer ao tribunal ou então mentir. Amy deve ter pagado essa quantia, pois ele não tinha esse dinheiro todo. Imagino que isso fizesse dela cúmplice, mesmo que não soubesse para o que seria o dinheiro. E ela estava acima da lei nessa ocasião também. (Blake admitiu a culpa pelas duas acusações no verão de 2008 e foi condenado a 27 meses de prisão.)

Porém, depois da detenção de Blake no Omega Works, Amy foi obrigada a depor sobre o caso e teve uma reunião com a polícia. Ela pediu que eu a acompanhasse. Pegamos o advogado no caminho e ele instruiu brevemente Amy no carro.

— Vou ser franco, Amy, é só uma formalidade. Eles precisam interrogar você por causa do protocolo. Não estão interessados em prendê-la de modo algum, por isso responda apenas "sem comentários, sem comentários, sem comentários".

Amy estava toda produzida. Ela gostava da realidade, adorava qualquer coisa na sua vida que não tivesse a ver com ser uma estrela pop. Por isso, sentia-se muito bem. Ela não podia esperar a hora de ir até a delegacia, sentar-se lá e ser interrogada. Igual à mulher de um gângster. Sabendo que não seria detida.

Ela foi à delegacia de polícia de Old Street. Fiquei sentado do lado de fora no pub vizinho e havia uma multidão de paparazzi e jornalistas por lá. Um repórter se aproximou de mim:

— Você se dá conta de que pode ganhar muito dinheiro com essa situação?

Joguei minha bebida na cara dele.

Amy saiu.

— Como foi?

— Foi *hilário*. Só sentei lá e disparei "sem comentários, sem comentários, sem comentários". Acho que vou compor uma música chamada "Sem comentários".

Comparecemos à audiência inicial de Blake no tribunal em 23 de novembro. Não era algo em que eu quisesse estar envolvido. Amy era aguerrida, corajosa e destemida, mas na hora do pega pra capar se transformava numa menininha e sempre queria que eu a acompanhasse. Ela cedia e dizia: "Estou nervosa, você vem comigo?" E me dava trinta segundos para me aprontar.

O tribunal ficava no Leste de Londres, não muito longe do Omega Works. Estávamos no banco traseiro do carro, paparazzi nos seguindo de carros e motos, e me dei conta de que era uma situação muito pública. Amy passara três horas caprichando nos cabelos e na maquiagem, eu parecia um vagabundo e sabia que íamos aparecer na TV. Paramos diante do tribunal e havia mais paparazzi. Nós caminhamos até o tribunal através de uma cortina de flashes espocando.

Eu nunca estivera numa sala de tribunal antes. Era imensa, como a gente vê na TV, tudo parecia um filme. Blake estava no banco dos réus. Eu e Amy ficamos de pé numa cabine de vidro, de onde dava para ver todo o tribunal. Eu nunca vira Amy como algo diferente da *minha* Amy e agora começava a enxergar como ela se tornava diferente aos olhos de outras pessoas. Era como se eu de repente estivesse com a princesa Diana. Aquele foi o dia em que Blake foi reconduzido à custódia e mandado para a penitenciária de Pentonville, à espera do julgamento no ano seguinte. Ele passaria vários meses em Pentonville.

Amy começou a chorar e a gritar, apoiando as mãos contra o vidro; era tão dramático e sofrido, ela nunca pensara por um segundo que ele pudesse de fato ir para a prisão. De pé ao lado dela, observando-a, com suas mãos, seu rosto e seus cabelos em colmeia colados ao vidro, apesar de todo o caos induzido por Blake, aquilo partiu meu coração também. Lágrimas rolavam por seu rosto, ela gritava: "Blakey, não se preocupe, eu vou soltar você!"

Olhei ao meu redor no tribunal e ninguém, *ninguém* estava olhando para Blake. Todo mundo olhava para Amy, observando-a atrás do vidro. *Era* realmente como estar num filme. Tudo na cena era irreal. Blake de algemas, indo para a prisão; Amy, toda glamorosa, uma superestrela. Eu estava de pé ao lado de uma *personagem*, era assim a atmosfera. Observando todo mundo que a observava em meio ao seu colapso nervoso. Eu veria aquilo de novo e de novo — como sua vida, não importa o que você está atravessando, não importa como aquilo é real para você, não importa quanto você está devastado, não importa quanto seu coração está partido, é um *espetáculo*, para todo mundo mais. Isso ao menos estava muito, *muito* claro.

***

Com Blake na prisão de Pentonville, o vício em drogas de Amy entrou em espiral. Ela se tornou uma força própria, fazendo os vícios dele parecerem pequenos. Avançou para o nível seguinte, era da sua natureza. Ela sabia apertar o botão da autodestruição melhor do que ninguém. Não era o tipo de pessoa que, quando Blake lhe foi subtraído, diria: "Tentei enfrentar isso sóbria, mas era demais para mim." Não. Amy tomou uma decisão: "Eu vou *destruir a mim mesma*." Eu sabia o que ela estava pensando.

Era tão doido que era quase engraçado. *Ah, vocês acham que vão me salvar agora? Venham todos, sim, a força destrutiva na minha vida se foi. Pois bem, vou mostrar quanto vocês podem me salvar, vou fazer essa porra eu mesma vinte bilhões de vezes pior. Vou usar tanta droga quanto eu quiser e estou cagando se eu morrer amanhã porque não tenho meu Blake e minha vida não vale a pena, então venham tentar me salvar agora.* A canção completa das Shangri-Las, basicamente. Ela deixou claro para mim: queria que eu ficasse por perto, queria meu apoio, mas *não interfira na minha vida*.

Voltamos para Jeffrey's Place depois da audiência e ela se trancou no banheiro. Não me preocupava que ela fosse se machucar ou se matar, mas fiquei sentado no andar de baixo, ouvi o isqueiro disparando e sabia que ela tinha *embarcado*. As coisas já haviam escalonado, mas fiquei sabendo em meu coração: esta é a próxima dimensão.

Eu tinha meu próprio mecanismo de defesa. Preparei uma superdose de Jack Daniels com codeína efervescente e fiquei sentado no sofá pensando: "Não sei como chegamos aqui, como você se tornou uma das pessoas mais famosas no mundo, seu marido acaba de ir para a prisão, agora você afundou no crack e na heroína, estou basicamente cuidando de você e amedrontado demais para deixá-la sozinha, mas aqui estamos nós. E agora vamos partir numa grande turnê pelo Reino Unido."

18

Inverno de 2007 e Amy não tocava havia meses. Na verdade não fazia nada havia meses, estava mergulhada demais no drama de Blake. Mas eu me sentia esperançoso. Tinha esperança de ver Amy como intérprete de novo, como cantora de novo. Talvez voltasse a ser como era quando costumávamos sair juntos em turnê.

Eu não podia ter sido mais ingênuo.

Íamos todos sair juntos do Omega Works — eu, Amy, Alex, o cabeleireiro, e Naomi, a estilista — para pegar um voo do aeroporto London City para a Escócia. Verifiquei minhas malas e encontrei um maço de apliques de cabelos. Olhando mais de perto, vi que, enfiados nos apliques, havia uma porção de papelotes de crack. A única explicação que eu consegui imaginar era que Alex os tinha colocado ali para que ele e Amy tivessem uma provisão de drogas à mão. Se eu fosse apanhado na alfândega, me colocariam na *prisão*. Interpelei Alex.

— Sabe aqueles apliques cheios de crack? Estão na sua mala agora, cara, e você pode fazer qualquer merda que quiser com eles.

Talvez não tivesse sido ele, mas Alex não negou e pareceu atordoado. Eu não disse nada a Amy. Ele era seu cabeleireiro oficial e tudo que me interessava era tomar conta dela porque ela não era capaz de cuidar de si mesma.

Passando pela alfandega percebi que não havia nada com que se preocupar. Quando Amy embarcava num aeroporto não havia sequer controle de passaportes; era "você é Amy Winehouse, pode passar". Viajávamos num voo comercial. Amy estava sentada à janela, eu no meio, Naomi junto ao corredor. Amy se levantou, saltou por cima de mim e de Naomi como um garoto, colete no lugar, tatuagens à mostra, e partiu para o banheiro. Dois minutos depois, senti o cheiro e pensei: *Não, você só pode estar de brincadeira*. Estou muito familiarizado com o cheiro de crack e heroína. Cheiros nojentos, revoltantes, como merda e açúcar. Naomi riu. Mesmo eu tive de rir, pensando: *Não, Amy, só você faria isso, querida*. O cheiro de crack, adocicado e efervescente, estava escoando do banheiro, por baixo da porta, você podia *ver* a fumaça avançando lentamente pelo corredor. Todo mundo olhava ao redor, farejando: o avião está pegando fogo?! O próprio piloto falou pelo sistema de som, como se fosse um espetáculo: "Senhoras e senhores, alguém poderia fazer a gentileza de pedir a nossa amiga famosa para deixar de fumar no banheiro?" Eu pensei: *Ela não está fumando um cigarro, amigo!* Todo mundo riu. Levantei e fui até o banheiro. Amy abriu a porta e ela também ria, fedendo a crack.

Quando aterrissamos, não houve repercussões, nenhuma multa por fumar, nenhuma apreensão pela polícia. Ela continuava acima da lei.

* * *

Amy estava se apresentando no Barrowlands, em Glasgow, a famosa casa de shows com a pista de dança com molas. Sempre ficávamos em hotéis legais, mas aquele nos arredores de Glasgow era uma imponente mansão rural onde bacanas provavelmente se hospedavam nas temporadas de caça. Amy entrou e adorou.

— Que legal, não é!?

Foi a primeira turnê em que ela era "Amy Winehouse", um nome familiar. Era uma experiência completamente nova, com plateias cinco vezes maiores. No camarim, não era como nos tempos em que ouvíamos Minnie Riperton com um copo de uísque. Uma mesa de sinuca fora trazida e todo mundo colocava sua diária sobre o tecido verde para a compra de cocaína.

A multidão do Barrowlands estava a mil. Pouco antes de pisar no palco, Amy congelou.

— T, não consigo fazer isso, você fica na lateral do palco como fazia antigamente?

Fiquei parado ali e observei. E ela fez o que fazia toda noite naquela turnê, chorava e falava sobre Blake, lágrimas escorrendo pelo rosto.

— Me desculpem, não estou na minha melhor forma, meu Blakey está na prisão.

A todo momento Amy dizia "Meu Blake encarcerado", como se ele fosse um homem injustiçado, embora estivesse preso por ter surrado alguém quase até a morte. Ela ainda estava com o pensamento muito distorcido. A certa altura Amy jogou o pedestal do microfone, que caiu nos bastidores perto de mim, e saiu correndo do palco. Corri ao seu encontro, e ela se jogou nos meus braços chorando. Então retornou ao palco, terminou o espetáculo, que não foi lá grande coisa, e voltamos à mansão rural.

Todo mundo tinha seu quarto, mas todos nos empilhávamos na aristocrática cama com dossel de Amy. Ela fumou um pouco de heroína. Os outros pegaram no sono, eu ainda estava acordado, observando Amy junto à janela, agora papeando com Raye. Fiquei deitado ali por horas, agoniado, pensando *isso está totalmente errado*.

***

A Island lançou "Love Is a Losing Game" enquanto ela estava em turnê. Tínhamos tentado fazer o vídeo havia semanas, antes que Blake estivesse na prisão. Um set imenso e elaborado foi alugado nos estúdios de Pinewood, uma rua fora construída e tinham pensado numa chuva artificial. Como de costume, sobrou para mim a responsabilidade de levar Amy ao local. Não Raye, nem Mitch, nem ninguém da Island. Amy tinha ficado com Blake na noite anterior. Cheguei ao estúdio de manhã, havia uma centena de pessoas à espera de Amy, e Phil Griffin estava frenético.

— Por favor, *por favor*, Tyler, você é a única pessoa capaz de trazê-la aqui.

Todo mundo sempre pensava que ia me fazer manipular Amy, mas eu sempre contava apenas a verdade. Liguei para ela.

— Ame, o set está uma maravilha, tem cem pessoas aqui e Phil está dirigindo. Acho que o vídeo vai ser incrível, mas todo mundo está me enchendo o saco, por isso; se não está a fim de vir, *me diga* logo pelo menos, para que eu possa dar o fora.

Ela virou-se para Blake.

— Blake, é a gravação do vídeo hoje. Phil está dirigindo, vamos nessa?

— Não, Ame, que se foda, nós não vamos! — gritou ele.

— T, nós não vamos, querido.

Ele tinha esse nível de controle sobre ela.

Eu e Phil tivemos de fazer o vídeo de "Love Is a Losing Game". Mandamos instalar o equipamento de edição num quarto de hotel vazio e fizemos a montagem de imagens e das apresentações dela. Queríamos que Amy participasse. Ela veio uma vez. Disse:

— Não me importo, façam você e Phil, vocês conhecem o meu gosto. — E saiu pela porta, voltou atrás, abriu a porta e falou: — Não esqueçam de botar um montão de Blake!

É por isso que ele aparece no vídeo.

***

O voo comercial em que Amy fumou crack no banheiro foi seu último voo comercial na turnê. Depois daquilo, passaram a usar jatinhos fretados. Ela era conhecida demais para que o público a visse numa situação daquelas outra vez. Para facilitar o processo e convencer Amy a seguir com a turnê, Raye disse para ela: "Olha, vamos facilitar as coisas, não vamos mais ter que passar por aeroportos. Vai ser tudo particular." Ela achou aquilo absurdo.

— O quê, jatos particulares?!

Eu senti aquilo ainda com mais intensidade, porque quem era eu para de repente viajar em jatos particulares? Agora estávamos naquela bolha privilegiada, mas ainda éramos apenas dois melhores amigos, como sempre fomos.

Havia dois gerentes de turnê, um se chamava Curly, um cara adorável, escocês, uma verdadeira figura paterna. Era um drogado recuperado, estava sóbrio havia anos, por isso a administração o recrutou de propósito — se alguém podia lidar com aquele nível de estupidez era ele. Conhecia o meio artístico e seus cacoetes, sabia que eu não era um bicão, não era um aproveitador e que meu papel era cuidar de Amy. Falei bastante com Curly sobre os problemas dela e ele me ensinou muito sobre heroína, sobre vício e doença. Sugeriu um substituto para a heroína, um comprimido chamado Subutex, e sabia onde podia consegui-lo sem receita. Amy concordou em tomá-lo, para ficar em ordem na turnê sem ter de encarar a abstinência total.

Ela havia ingerido Subutex uma noite quando tomou banho de banheira, como nos velhos dias. Fomos para a cama e ela colocou *Cry Baby*, o filme de Johnny Depp que amava; a lágrima do *Cry Baby* aflorou em seu rosto muitas vezes. Estava um pouco chateada, falando de Blake.

— Eu e Blake, a gente via muito esse filme. Johnny Depp me lembra do meu Blakey.

Eu não tivera Amy a sós comigo por uma semana, para uma conversa. Estava deitado do seu lado e desfrutava um daqueles momentos, fiquei até meio emocionado. Amy tinha acabado de tomar seu Subutex.

— Estou tão orgulhoso de você, Amy, por tentar se livrar desse vício de heroína, você *se deu conta* — falei, eu estava tão feliz e orgulhoso.

Ela pulou da cama.

— Tyler, você está com a cabeça fodida ou o quê?! Como assim, tá todo mundo achando que vai me botar sóbria? Só estou fazendo isso porque me pediram para fazer, mas só preciso tomar esses comprimidos enquanto estivermos na turnê e, quando voltarmos a Londres, juro que vou fumar e cheirar todas, porque estou fodida sem o meu Blake.

Ela podia ter acrescentado: "Pare de chorar, de pensar que isso é o começo da minha melhora, porque não é nada dessa porra. É o começo da *minha piora*, e bote piora nisso."

Ela não estava com raiva de mim. Estava simplesmente com *raiva*. Amy aniquilou meu otimismo, mas eu amava aquilo nela também. Ela me trazia de volta para a realidade — *tire esse conto de fadas imbe-*

cil da sua cabeça. Não demorou e todo mundo estava esmigalhando aqueles comprimidos de Subutex e cheirando em carreirinhas.

Eu tinha conseguido ficar relativamente sóbrio havia meses, durante as semanas no Kensington Hotel, o barraco com Blake no aniversário dela e o episódio com Prince, mas agora eu começava a desmoronar. Eu sabia que embarcar na turnê com Amy não ia fazer nenhum bem do ponto de vista dos vícios, a ocasião era terrível, mas eu estava lá por um motivo: cuidar dela. Eu tinha responsabilidades, o que também significava pressão. Ver como seus próprios vícios haviam escalonado, tão rápido, desde que Blake foi para a prisão, aquilo me deixava tenso também. Me fazia sentir que eu também precisava da "ajuda" dos meus próprios estabilizadores supostamente confiáveis, para me ajudarem a atravessar mais um dia. Eu simplesmente não conseguia aguentar aquilo sóbrio. Comecei a me dopar de novo, por ela, mas amigos são para isso.

Meu alcoolismo teve uma recaída. Comecei a cheirar muita cocaína, já que parte da minha função era ficar acordado e de olho em Amy à noite. A maioria das pessoas na turnê sabia das drogas, pois é assim que funciona na indústria da música. Eu estava numa missão. Olhando para trás, eu estava também alimentando meus próprios vícios, mas acreditava totalmente que aquela era a coisa certa a fazer. Outra parte do meu papel era me certificar de que nenhuma parafernália de droga fosse deixada nos quartos de hotel antes de fazermos o check-out. Eu era o "responsável".

Amy estava se apresentando em Londres e nós ficamos hospedados no K West Hotel, que todo mundo chamava o K Hole. Íamos sempre lá para festas, o aniversário de Kelly Osbourne, era o novo lugar para se estar em Londres. Amy já tinha dito para mim: "Eu vou me *destruir* em Londres." A apresentação era em Brixton dentro de dois dias e nós demos uma festa no K Hole que durou dois dias. Um monte de gente deu as caras. Inclusive Pete Doherty.

Conhecíamos Pete da cena de Camden, mas ele ainda me enervava. Parecia um morto-vivo, um zumbi, com um grande curativo no lado do rosto, daqueles que fazem no hospital no caso de ferimentos. Injetava heroína na sala na frente de todo mundo, eu nunca tinha visto aquilo antes — eu decididamente me sentia *em Trainspotting* agora. Ver Amy na companhia dele me incomodava, eu ficava apavorado de que ela começasse a se injetar, coisa que nunca fazia. Ela sempre fumava.

Pete estava no sofá fazendo com sangue uma pintura de Amy e Blake se abraçando. Fazia admiravelmente, os braços de Amy enlaçando Blake e as mãos de Blake algemadas atrás das costas. Ela estava doidona de heroína, sem crack, e com calafrios. Pete estava ali sentado injetando, tirando a agulha do braço e usando o sangue para fazer a pintura. Pediu a Amy um pouco do sangue dela, sendo aquilo uma coisa artística e significativa. Amy tinha marcas de automutilação e a maior parte do tempo elas eram frescas, por isso ela arranhou uma ferida, ele pegou algumas gotas e as usou na pintura.

Mitch chegou. Ele sabia que Amy usava drogas havia muito tempo. Era conhecimento público, mas ela sempre fizera questão de não consumir na frente do pai, tinha a decência de ir para outro cômodo. Nunca o vi dizer nada para ela, mas eu o vi falar alguma coisa quando outra pessoa tomava drogas na presença de Amy. Era como ele sempre precisasse de alguém para culpar pelos vícios de Amy. Agora Blake estava fora do jogo e surgia esse viciado em heroína com um curativo enorme no rosto e sangue por toda parte. Mitch aprontou uma cena descomunal, berrando para Amy:

— Que porra você está fazendo andando com ele?! Não vai tentar melhorar?!

— Pai, não me envergonhe!

Mitch simplesmente saiu.

Houve uma festa no quarto de Amy aquela noite, cerca de trinta pessoas, todo mundo bebendo, se drogando, pedindo serviço de quarto. A certa altura, ela deixou o quarto, eu saí à sua procura e a encontrei no quarto de um casal, cheirando coca com eles enquanto lhe perguntavam se iam ter filhos. Eu a levei de volta ao seu quarto e me senti responsável. Ela andara falando com estranhos, podiam tê-la filmado. Mas aquela era Amy típica, deixando sua própria festa para conversar com pessoas aleatórias.

No fim, ficamos só eu e Amy. O quarto estava destruído — bebida, drogas e comida sobre cada superfície. Amy estava constante e incansavelmente fumando crack, como disse que faria. O quarto estava escuro, a luz da alvorada se insinuando através da janela e os olhos dela semicerrados, como os de um gato, do jeito que os olhos de um viciado em crack sempre ficam. Tive pesadelos com aqueles olhos de gato durante anos. Eu ficava pensando: *Esta não é a minha amiga, isso não está certo.*

Adormeci no sofá, acordei, vi uma tigela de salsicha e purê de batatas frios e vômito. Eu me sentira esquisito a noite toda. Eu havia tido aquela sensação estranha uma vez antes durante a turnê, uma sensação de algo passando pelas minhas veias, como se eu fosse morrer de verdade, num quarto cheio de fumaça de heroína. Não conseguia ficar de pé direito. Na época perguntei a Curly: "É possível que a heroína tenha entrado no meu sistema?" Ele se limitou a rir. "Claro, você pode sofrer os efeitos passivos." Fiquei horrorizado. "Jesus Cristo, estou dopado com heroína!" Agora estava acontecendo de novo: os efeitos passivos do crack.

Fiquei no banheiro por uma hora, deitado no chão, com a cabeça sobre o vaso. Amy esfregando minhas costas. "Me desculpe, não posso acreditar que fiz isso com você!" Ela também estava sendo sincera. "Não me importo em fazer mal a mim mesma", dizia sempre, "mas não vou fazer mal a alguém que amo."

Nick Shymansky foi ao show em Brixton. Estávamos todos nos bastidores — eu, Alex, Naomi, Cat —, e Amy tinha apagado. Eu estava cheirando muita coca, bebendo. Também estava tomando analgésicos. Tudo aquilo tinha me afetado, a loucura, os olhos de gato — eu estava perdendo a razão. Por isso, quando Nick entrou, foi como se uma pessoa responsável *de verdade* tivesse aparecido. Ele me levou para um quarto.

— Tyler, você não parece legal, cara, o que está fazendo?

— Estou ajudando Amy.

— Como está ajudando Amy? Você está cheirando coca!

— Sim, mas eles me dão isso porque ela fica acordada três dias direto por causa do crack, então eu preciso da coca para ficar acordado de olho nela.

Ele percebeu que eu tinha pirado.

— Você precisa se afastar de tudo isso. Caso contrário, vocês dois vão acabar sendo encontrados mortos num quarto de hotel.

Nick disse que não era tarde demais para mim.

— Sei que você está tentando ajudar Amy, sei que eles estão usando você para ajudar Amy, mas seguir em turnê com Amy não chega a ser um substituto para você mesmo cair na droga. Você só tem 24 anos. Ainda pode conseguir um contrato, se quiser. Se conseguir se recuperar, ainda pode ter uma chance de viver a vida.

Eu chorei. Tudo corria a cem por hora e de repente uma pessoa de verdade chegava para mim e a corrida parou. Desabei e o abracei. Eu estava perdido. E quando se está perdido é mais fácil concentrar sua mente em outra coisa longe de seus próprios problemas. E eu definitivamente havia colocado minha cabeça em *algo*.

* * *

Amy apresentou-se em Bournemouth. Depois da apresentação, estávamos no quarto do hotel com umas garotas locais que tentavam ser normais com ela. "Gosto da sua maquiagem!" Amy tinha começado a me escrever bilhetinhos quando não queria que falássemos na frente de todo mundo e me passou um que dizia: "Por que você fica rodando em círculos?" Ela podia ver que eu era um homem devastado. Eu nunca dormia. Amy me levou para um canto.

— Está tudo bem com você?

— Não, eu não quero mais beber, não quero mais cheirar coca, quero que você melhore.

Eu estava chorando de novo. Ela me fez tomar meu Night Nurse, pediu que não me preocupasse, que fosse dormir, daquela maneira maternal que ela ainda guardava. Eu não dormia fazia tanto tempo. Vou dormir agora e amanhã vai ser outro dia, pensei.

Acordei e Amy tinha ido embora. Fiquei desesperado. Curly apareceu.

— Não se preocupe, ela está em Londres. Precisamos levar você para casa, a turnê foi cancelada.

Ela havia simplesmente dado um *foda-se* e entrado no carro com as duas garotas de Bournemouth que lhe deram uma carona direto para Londres. Eu podia ver que Curly estava satisfeito: chega de loucura. Talvez ela estivesse tentando me livrar de mais loucura também.

Nós tínhamos um ônibus da turnê e Curly me conduziu até ele; Alex estava lá, eu podia sentir o cheiro do crack. Curly me fez sentar. Disse que Amy não estava bem, precisava de ajuda, precisava se internar numa unidade psiquiátrica, num hospital. Eu não queria acreditar naquilo. Ele falou que ela era viciada em heroína, viciada em crack, que sofria de bulimia e se automutilava. Fiquei sentado ali soluçando. E soluçando e soluçando. Ninguém nunca tinha me dito essas coisas com tanta clareza, nunca. Ele afirmou que se esses problemas não fossem resolvidos ela morreria. Suas palavras caíram sobre mim como tijolos. Curly disse também: "Mas as pessoas melhoram." Levantei, fui até a geladeira e peguei uma garrafa de Jack Daniels — muito mais fácil de engolir do que as palavras que acabara de ouvir — e continuei bebendo e bebendo e bebendo até que desmaiei num beliche.

Foi o começo do período em que as pessoas não conseguiam mais lidar com Amy. As pessoas ao seu redor achavam que ela era um pesadelo. Desistiram dela. Às vezes ela *de fato* era um pesadelo. Seus problemas eram grandes demais para que uma pessoa pudesse lidar com eles. Para qualquer um poder ajudá-la. Mas eu não sabia aquilo na época. Ainda era uma criança.

O ônibus me levou para casa, para minha Amy.

19

Logo depois do cancelamento da turnê pelo Reino Unido, nós devíamos nos mudar para nosso apartamento no Omega Works. Depois de sua volta relâmpago para Londres, Amy tinha se hospedado num hotel e fui lá apanhá-la. Era o mesmo hotel em que tínhamos ficado na noite do Grammy. Ela ainda estava tão exausta da loucura da turnê que tive de carregá-la através da porta de vidro dianteira do Omega Works em meus braços. Estava inconsciente e tão magra que praticamente não pesava nada. Parecia surreal entrar naquele apartamento moderno e estonteante com a amiga que eu amo quase morta em meus braços. Deitei-a no sofá da enorme sala de estar e pensei: É um novo lugar, é um novo começo.

Nosso apartamento ocupava o andar térreo *e* o primeiro andar, um espaço imenso de dois pisos com sacadas nos dois andares, no canto oposto ao apartamento de Alex e Cat. Podíamos sair à sacada do primeiro andar e caminhar até o apartamento de Alex. Era quase risivelmente luxuoso. Tínhamos paredes de vidro por toda parte, metade do andar térreo tinha um pé-direito de quase dez metros. A outra metade subia ao andar superior, um mezanino, com uma escada em espiral no meio. O quarto de Amy ficava no mezanino, todo envidraçado, com cortinas pretas. Se você olhasse para cima e as cortinas não estivessem fechadas, podia ver o quarto dela. Havia uma mesa de jantar que se transformava numa mesa de sinuca. E havia uma *rede*.

Raye apareceu e tentou tirar Amy da cama para resolver a questão da turnê cancelada.

— Ame, você precisa ir encontrar o advogado, temos uma reunião, caso contrário vamos perder o seguro da turnê.

— Raye, estou dormindo.

— Vai nos custar centenas de milhares de libras.

Como de costume, ele apelou para mim.

— Tyler, por favor, tenta acordá-la.

— Ela não quer levantar — respondi.

Eu preferia que ela dormisse, aquilo parecia mais importante para mim na ocasião.

— Estou me lixando pra porra do dinheiro — disse Amy.

Raye foi embora. Imagino que o dinheiro foi perdido. Nunca perguntei.

A chave da porta da frente foi perdida em três dias. Como não éramos sensatos, não providenciamos uma cópia. Entrávamos e saíamos por uma janela do térreo. Alguns paparazzi agora viviam do lado de fora do apartamento, só dois no começo, e eles tiraram fotos de Amy escalando a janela para sair, cheia de soníferos, tendo acabado de acordar, perturbada, magra, fechando os olhos em meio aos flashes que espocavam.

Às vezes usávamos os paparazzi, agora faziam parte da nossa vida. O complexo ficava no meio de uma área industrial, a loja mais próxima era um posto de gasolina à distância de meia hora a pé. Então, no meio da noite, se a bebida tinha acabado, os paparazzi nos davam uma carona.

— Podiam nos levar até a loja de conveniência?

— OK, subam aí.

Amy sempre perdia tudo, especialmente o celular. Estávamos à procura de seu telefone um dia, horas e horas de "onde está meu telefone?". Então ouvimos o aparelho tocando nas proximidades. Ela caiu na risada, disse "Espera aí!", enfiou a mão em sua colmeia e puxou o telefone que tocava. Eu me mijei nas calças de tanto rir. Amy usava os cabelos em colmeia dentro e fora de casa agora, geralmente uma daquelas bem grandes que Alex prendia, e ela guardava coisas ali para não perder. Guardava papelotes de droga ali também.

Sua colmeia era agora uma obra de arte. Nos primeiros dias de turnê de *Back to Black* ela erguia a cabeça, sabia que a colmeia era tão famosa quanto ela e, às vezes, quando o show terminava, ela recebia fãs nos bastidores. Geralmente havia garotinhas que amavam Amy, com suas mães, e às vezes levávamos uma menininha e sua mãe ao camarim e Amy e Alex faziam uma colmeia na criança. Uma vez, uma garotinha minúscula usou uma colmeia gigantesca. Fiquei sentado lá rindo e pensando: "O que é que está rolando aqui?!"

De vez em quando saíamos com Russell Brand — ele sempre a chamava de "Winehouse" — e sempre que se encontrava com ele Amy colocava uma Barbie em sua colmeia. Russell era divertido, incrivelmente brilhante e eles se davam bem, eram como dois moleques juntos pelas ruas. Outras noites não eram tão engraçadas. Ela também era conhecida de Mos Def e nós estávamos num quarto de hotel juntos uma noite. Amy não parava de ir ao banheiro para usar drogas. Nunca fazia aquele tipo de coisa na frente dele, mas é claro que ele sabia. Ficou preocupado e falou com ela.

— Amy, essa merda não faz bem, você sabe?

Ela o idolatrava, sabia que aquilo não era legal.

— Mos, eu sei disso, cara.

Foi um momento triste para todos nós.

Amigos vinham nos visitar no Omega Works. Víamos Grimmy com frequência, Adele às vezes — ela era uma tremenda fã de Amy e as duas se conheceram através do trabalho. Amy não gostava de um monte de novos artistas, mas achava que Adele era uma iluminada; sabia cantar e sua personalidade casava com a de Amy. Fizemos algumas festinhas legais na época, todo mundo improvisando, cantando, tocando violão, bebendo, Adele com sua lata de sidra.

Na maioria das vezes era apenas nosso círculo íntimo, bebendo, eu cheirando coca, Amy e Alex fumando crack. A coisa entrou na normalidade. Eu me entorpecia com álcool, observava tudo de um sofá pensando: por que está todo mundo sentado dentro de casa bebendo e comendo balas de goma Haribo e fumando crack *o tempo todo*? Como foi que essa se tornou a nossa vida? Médicos eram chamados permanentemente para receitar antidepressivos para Amy.

Uma noite, quando estávamos os dois pirados, Amy levantou-se do sofá, foi até o seu laptop e botou uma música lenta, um jazz standard, "The Nearness of You". Aproximou-se de mim num outro sofá, pegou-me pela mão e me puxou para seus braços. Ela queria que dançássemos música lenta, era sua maneira de parar a loucura, um momento de normalidade. Uma simples dança, uma coisa tão bonita de fazer.

Muito da vida de Amy agora era providenciada pelos outros: tudo relacionado a trabalho, dinheiro, compra de comida, até mesmo *como* ela vivia, o que incluía a forma como conseguia drogas. Ela não ia visitar nenhum fornecedor, comprando crack e heroína e sendo seguida pelos paparazzi que estavam do lado de fora. A droga tinha de ser entregue em casa, ou um fornecedor fazia uma visita, e aquilo precisava ser organizado. Tinha de ser pago, o dinheiro transferido para os distribuidores e o esquema precisava ser organizado para ela. Ela não saberia como fazer aquilo.

No meio do caos, surgiu uma nova força positiva na vida de Amy, Dionne, que se tornaria sua afilhada, a filha de 12 anos da sua amiga Julie. Era uma cantora talentosa, amava música e Amy formou um laço afetivo real com ela. De vez em quando Dionne vinha visitá-la e, antes que ela chegasse, Amy sempre ficava sóbria e se aprumava para cuidar dela. Queria ser responsável por ela e era boa nisso. Dionne viera visitar Amy no K Hole, quando Pete Doherty fez a pintura com sangue, e ninguém consumiu drogas enquanto ela estava lá. Amy começou a colocar seus cabelos para cima numa colmeia e tudo parecia quase normal. Era meio louco ainda de certo modo, uma menina de 12 anos num ambiente daqueles, mas Amy nunca faria nada na frente de Dionne, nem eu ou qualquer outra pessoa.

***

Amy continuava perdendo as visitas a Blake em Pentonville. Eu não me importava se Amy visse Blake ou não, ele não era nenhuma preocupação minha, era ela que eu estava tentando salvar. Mas eu usava uma visita iminente como um pretexto para colocar a cabeça no lugar, encorajá-la a desfrutar uma boa noite de sono, comer alguma coisa. E ainda assim ela acabava perdendo a visita. Aquilo tinha um efeito devastador sobre sua psique e seu vício. Ele era supostamente o amor da vida dela; ela era a mulher do gângster e não conseguia se organizar para ver o marido gângster atrás das grades. A cada cinco minutos ela voltava para o crack.

Eu tentava aprontá-la num espaço de tempo determinado. O carro ficava à espera do lado de fora, aguardando por quatro, cinco horas, enquanto ela fazia o cabelo, a maquiagem, as roupas, tentando ficar bonita. Nove em cada dez vezes ela não ficava pronta a tempo e o carro ia embora. Ela dizia na noite anterior: "Por favor, cuide para que eu me levante, não me deixe perder a visita!" Eu lhe dava Valium, ela dormia, eu a fazia levantar. Eu esperava no andar de baixo, pronto, enquanto ela corria para lá e para cá, fumando crack, se arrumando, até que era tarde demais. Quando perdia a visita ela se destruía, se cortava, quebrava alguma coisa, consumia ainda mais drogas, *desistia* de si mesma. Perder aquelas visitas à prisão teve um papel importante na deterioração mental de Amy. Seu vício tornou-se mais importante do que qualquer outra coisa em sua vida.

Blake me ligou da prisão.

— Por que ela não veio? — O Blake sóbrio, não o Blake que foi levado de algemas. — Por favor, cara, faça com que ela venha.

Era tudo em cima de mim de novo. Todo o seu mundo era Amy, ninguém mais se importava com ele.

Houve poucas vezes em que ela finalmente entrou no carro, já tarde, toda produzida. Certifiquei-me de que não havia drogas nela — eu ficava nervoso, afinal Amy ia entrar numa prisão e você não podia acreditar no que ela dizia. Mas quando chegamos aos portões não a deixaram entrar... Tarde demais.

Nas raras vezes em que a visita *de fato* acontecia, ela saía de lá exaltada. E, claro, como acontece com o viciado, você se droga quando se sente na merda e também quando se sente numa boa, um motivo para comemorar.

Mas quando não conseguia ir à visita, Amy subia para seu quarto de paredes de vidro, batia a porta, derramava lágrimas e em meia hora tinha cortado o braço.

Foi decido que tentariam fazer com que Juliette se envolvesse na vida de Amy de novo. Juliette havia se afastado, mas as duas nunca tiveram uma discussão. Houve um telefonema, de Raye ou de Mitch, dias depois do cancelamento da turnê, e Juliette foi até o Omega Works. Ela estava à espera de que Amy aparecesse e me perguntava: "O que está acontecendo? Eu não posso me envolver nisso." Um médico apareceu, foi até o quarto de Amy e lhe deu antidepressivos.

Amy acabou descendo comendo sorvete de um pote, embora não comesse muito, e se achava estranhamente em êxtase: "*Oh, meu Deus, vocês já provaram isso? O sorvete mais incrível do mundo...*" Tudo que eu vira Amy fazer nos últimos dias era fumar heroína e crack e chorar o dia inteiro.

— Acho melhor você controlar sua dosagem dos comprimidos. — disse Juliette.

Fiquei triste. Não via Amy feliz fazia tanto tempo e aquela era uma felicidade tão *fingida*, o que quer que tivessem lhe dado. Juliette só queria ir embora. Desci as escadas e Juliette me seguiu, havia ainda muito amor entre nós. Ela estava preocupada comigo.

— Mas como é que *você* está, Tyler? Você vai acabar num hospício, vai ter um *colapso nervoso*.

Ninguém tinha dito aquilo para mim antes.

— Eu sei. Mas o que posso fazer? Não posso deixá-la. Não posso deixá-la com um babaca como Alex. Não tenho escolha.

Comecei a chorar. Ela me abraçou. Amy entrou no quarto. Para ela, considerando toda a loucura que enfrentara — Blake na prisão, a turnê, o botão de autodestruição —, de repente seus dois amigos da infância estavam abraçados sentados na cama e eu chorando. Aquilo estourou sua bolha de falsa felicidade.

— Tyler, qual é o problema, por que você está chorando?

Ela me abraçou e continuou perguntando:

— Qual é o problema?

Eu não queria dizer nada, não queria chateá-la. Continuei balançando para a frente e para trás e de repente perdi o prumo. *Eu perdi o prumo.*

— Você! — Eu estava realmente aos berros. — VOCÊ! *Você é o* problema! Não sei o que fazer. Você vai *morrer*, porra.

Ela só ficou parada ali. Como se eu a tivesse apavorado. Foi uma das duas ou três vezes que gritei daquele jeito com Amy. Vi a fagulha em seus olhos, *bang*. Ela saiu do quarto na mesma hora. Toda a extensão do corredor do andar de cima tinha fileiras de guarda-roupas de vidro. Tudo que eu podia ouvir era *Crash! Crash! Crash! Crash! Crash! Crash! Crash!* Até que ela tivesse quebrado cada um dos armários. Sentei-me na cama ouvindo aquele barulho aterrador e simplesmente *gritei*. Juliette correu para o andar de baixo. Eu me levantei, desci as escadas, saltei pela janela e sentei do lado de fora, tremendo e fumando. Os paparazzi estavam sentados em seus carros. Um deles se aproximou.

— Você está bem, amigo?

Eu chorava sem parar, não conseguia controlar as palavras:

— Não, minha melhor amiga é uma viciada em heroína e crack e não sei o que fazer, *não sei o que fazer.*

Juliette saiu e disse que ficaria com Amy naquela noite para me dar um descanso. Minha tia Sharon morava a dez minutos dali e Juliette disse que me levaria de carro até lá. Antes de sair eu fiz curativos em Amy. Ela estava coberta de cortes e arranhões. Seus braços e suas mãos sangravam, mas nada grave, nenhuma hemorragia de artéria, o que *poderia* ter ocorrido. Automutilação era agora outro problema sério, um problema ao qual eu estava quase acostumado. Eu tinha o telefone de seus médicos e conversei bastante com eles. Eu era o responsável por comprimidos como Valium e tinha começado a montar um estojo de bandagens e pomada receitada para casos de automutilação. É o que acontece quando você lida com o vício das drogas: você está convivendo com ele, preparado, com um monte de ferramentas farmacêuticas. Eu fiz seus curativos em silêncio. Não havia nada a falar. Eu estava entorpecido.

Cheguei na casa de tia Sharon tremendo. Ela me deu vodca, tomei Night Nurse e fui dormir na segurança da minha família, sabendo que Juliette estava com Amy. Na manhã seguinte, depois de uma boa noite de sono, eu me levantei, tia Sharon preparou para mim um sanduíche de salsicha e eu estava pronto para voltar e resolver o problema. Joguei-me naquela loucura de novo. Era o que eu fazia, repetidamente. Quando você está cuidando de alguém que está tão mal assim, começa a ficar mal também. Você se perde. Mas não desiste. Eu não me importava com o que aquilo estivesse fazendo a mim. *Você não desiste.* E eu nunca desisti *mesmo*.

Comecei a tentar assumir o controle do jeito que pudesse. Amy tinha um amigo fornecedor que vinha ao apartamento. Se havia quatro bolas de crack embrulhadas em filme plástico, eu as tirava, quebrava pedaços e remodelava em quatro bolas menores. Amy sempre sabia quantas bolas vinham, mas estava com a cabeça ruim e você podia extraviar algumas que ela não notaria. Eu sempre dizia a mim mesmo: *Isso vai acabar.*

O vício de Alex estava piorando. Eu ficava dias sem o ver e me perguntava se ele não estaria morto. Me aproximava de sua sacada e olhava pela janela para ver se ainda estava vivo e ele parecia pálido como um fantasma dopado com psicotrópico. Se você está fumando crack há cinco dias sem dormir e sem comer, precisa dormir por dois dias seguidos. E aí acorda desse sono branco, desligado, quase morto. Eu verificava se Cat estava OK também e ela estava, apesar de conviver com aquele tipo de caos.

Os empresários começaram a falar de uma viagem para longe, para a ilha caribenha de Mustique, só eu e Amy. Tínhamos sido convidados para ficar na casa de praia de Bryan Adams— o roqueiro canadense que era agora fotógrafo famoso. Havia meses que não víamos a luz do dia. Nosso apartamento luxuoso era agora um covil de crack. Precisávamos voar em direção ao sol.

20

Raye tinha uma relação de trabalho com Bryan Adams e, sabendo que Bryan possuía uma casa de praia maravilhosa em Mustique, ele mexeu os pauzinhos e orquestrou uma viagem, logo depois do Natal de 2007. Mustique é uma ilha particular onde milionários e bilionários possuem casas, gente como o gigante da moda Tommy Hilfiger. Você não pode ir lá sem permissão e toda a ilha funciona no sistema de conta, você assina por toda despesa e a importância é debitada numa conta preexistente e aprovada. Eu nem sabia quem estava pagando — se era Amy, a Island ou cortesia de Bryan Adams, mas nós éramos conhecidos na ilha como hóspedes de Bryan. Era como se a ilha toda fosse um hotel e, em vez de dizer "Estamos no quarto 759", a gente dizia "Estamos na casa de Bryan". Não havia crack nem heroína em Mustique, talvez um pouco de erva. Era a maneira de Raye tentar ajudar Amy, mandando-a de férias para um pouco de repouso, mas o que ela precisava era de um tratamento de desintoxicação.

Na noite anterior, eu não dormi, como sempre, e fiz as malas de Amy: shorts, coletes, blusas, vestidos, moletons, sapatilhas, biquínis. Seu médico sabia que ela ia viajar e me deu as ferramentas de costume: antidepressivos, soníferos, curativos, pomada para feridas, analgésicos à base de codeína, comprimidos para a síndrome de abstinência e grande quantidade de Valium. Mitch apareceu e me deu o cartão de crédito corporativo dela, embora não se comprasse nada na ilha. Isso me preparou, sabendo que estava no comando. Amy, sendo viciada em drogas, não queria ir, disse que preferia ficar em casa.

Mitch ficou furioso:

— Você nem viu as fotos, é um luxo, coisa do outro mundo, você não quer curtir férias de 25 mil libras? Se não quiser ir, *eu vou*.

— Pode ir, pai, vá *você*.

Eu podia ver o que ela estava pensando: "Você adora toda essa merda, não é, pai? Não consegue ver o meu estado agora? O tumulto em que estou? Que não preciso de nenhumas férias de 25 mil libras, que estou cagando pra isso?"

Àquela altura, Mitch tinha seu próprio contrato com uma gravadora e estava em turnê. Ela dizia para mim que havia chegado ao estágio em que ela era a mãe e ele o menino. Achava que ele deveria arrastá-la para fora daquele apartamento e conseguir ajuda para ela. Mas não era do feitio de seu pai, Amy tinha consciência daquilo.

Curly nos levou ao aeroporto de táxi, Amy meio adormecida, agindo como um robô. Ele nos acompanhou no check-in, me deu nossos passaportes, passagens e um tapinha nas minhas costas. "Boa sorte." Voamos na primeira classe, o que era um luxo desperdiçado com dois garotos acabados como nós. Pelo menos Amy podia ter um bom sono, numa daquelas imensas cabines com poltronas que se transformam em verdadeiras camas. Dei a ela o Valium receitado de que necessitava, ela dormiu e pensei na oportunidade à nossa frente: ela não tinha como conseguir drogas, talvez isso levasse à desintoxicação. Havia uma *chance*.

Chegamos a Barbados e furamos com prioridade um controle de passaportes superlotado. Havia filas de pessoas do mundo inteiro, passaportes na mão, olhando para Amy. Era como se fosse uma Whitney Houston. Eu podia ouvi-los. "Uh! É Amy Winehouse!" Ela atravessou a turba, calma, como se estivesse acostumada a ficar na mira de todo mundo. Era eu quem não estava acostumado àquilo. Foi a primeira vez que me dei conta, de fato, de quanto Amy tinha se tornado famosa: em um ano ela evoluíra de uma simples cantora de jazz de Camden Town ao status de estrela global. Tínhamos vivido numa bolha por tanto tempo, em meio a todos os dramas e tumultos das drogas, que eu quase havia esquecido que existia um mundo exterior, esquecido que existiam milhões de pessoas que sabiam a respeito dela, que amavam sua música, que sentiam admiração por ela. Estávamos a mais de seis mil quilômetros de casa e eu vi aquilo nos rostos de todas aquelas pessoas de todos os cantos do mundo.

Fomos recebidos do lado de fora, no clima escaldante, "Por aqui, srta. Winehouse" — ela sempre odiava tudo aquilo —, e atravessamos o terminal de Mustique, que parecia um bicicletário. Saquei minha garrafa de Jack Daniels e relaxei. Éramos só nós dois, como se voltássemos dois anos atrás, aos tempos em que sempre viajávamos juntos.

O piloto nos pegou e levou-nos a um aviãozinho de quatro lugares, e voamos sobre o perfeito oceano turquesa, o piloto apontando para cardumes de tubarões lá embaixo. Nós ríamos, achando que jamais chegaríamos a Mustique, voando sobre águas infestadas de tubarões numa lata de conserva. Pousamos na pequena pista daquela bela ilha típica do Caribe, o aeroporto um galpão com um telhado de palhoça. Um jipe se aproximou, era Bryan Adams sozinho. Ele se apresentou e pôs nossas malas na traseira. Levou-nos até sua casa e estávamos todos no paraíso: palmeiras, areia fina e branca, oceano verde-água e ninguém à vista.

A casa era impressionante: de madeira, situada onde a ilha se afina numa faixa estreita, fazendo um desenho alongado, longitudinal, com a praia dos dois lados. Ele nos ciceroneou pelo local. Cada quarto tinha grandes venezianas de madeira que davam para a praia. Com as venezianas do quarto abertas, você dormia com o oceano a três metros da beira da sua cama. Eu podia ver que Bryan estava por dentro da situação de Amy. Ele não ficou surpreso quando não a ouviu falar um "Que lugar Bonito!". Ela foi educada, mas estava com jet lag e disse que só precisava dormir. Ele a levou para o quarto, ela deitou na cama — duvido que tenha sequer *visto* o oceano à sua frente — e caiu no sono. Bryan sugeriu uma caminhada, até o topo de um penhasco nas proximidades chamado Lookout Point. Subimos até o cume e pudemos ver uma tempestade caribenha formando-se no horizonte. Ele pediu as últimas atualizações.

— Como está a situação de Amy, em que ponto estão as coisas?

Achei que já estávamos na desintoxicação. Quem quer que houvesse tomado a iniciativa, Raye ou Bryan, tinha obviamente um plano: ela pode vir aqui e se recuperar. Então ele começou a perguntar sobre *minha* vida. Eu nunca tivera momentos assim. O último tinha sido com Curly, o gerente da turnê. Fiquei abalado, sentado naquela montanha que dava para o oceano, com o céu avermelhado e a tempestade à distância. Desabei, contei a ele como as coisas estavam ruina e ele me abraçou como um irmão mais velho. Eu tinha uma garrafa de rum caribenho na mão. Bebida era a primeira coisa que eu procurava no meu quarto — *onde está a bebida, tem bebida no quarto?* Tinha, uma grande garrafa de rum caribenho com teor alcoólico de sessenta por cento que tinha gosto de cana de açúcar pura.

Eu me senti seguro. Estava num lugar bonito com aquele desconhecido do qual só ouvira falar antes porque minha mãe amava muito aquela canção "Everything I Fucking Do, I Do It for You". E ele era *saudável*. Um homem adorável, atencioso, com um coração de ouro. Pela primeira vez em muito tempo eu sentia que havia um adulto por perto. Alguém que reconhecia que nós éramos crianças. E estávamos ferrados. Sua mensagem era clara: quem sabe o que pode acontecer, mas sejam bem-vindos ao meu santuário, longe da loucura que você acaba de descrever. Veja como as coisas vão evoluir, e vou ajudá-lo com tudo de que precisar. *Bem-vindo*.

* * *

Era noite no Caribe, eu tinha tomado umas boas doses de rum, estava relaxado. Tinha meu próprio quarto, mas estava cuidando de Amy, por isso me deitei do lado dela, com sua cabeça aninhada no travesseiro do meu lado. Tive um de meus momentos. Eu estava esperançoso. *Somos só eu e minha garota, estamos a salvo, ela dorme profundamente, nenhum mal pode ser feito a ela e não tem ninguém mais por aqui para estragar essa situação.* Parecia que *isso* era um novo começo. Tudo ia ficar bem.

Havia outras pessoas hospedadas na casa. Todos adultos simpáticos e responsáveis. Vicky Russell, uma estilista, filha de Ken Russell. Participei de um filme dele quando era criança, uma ponta, contei a ela. "Seu pai me dirigiu num filme quando eu tinha 7 anos!" Um sujeito chamado Harvey, diretor de vídeo, supergay, superexcêntrico, e Val, um maquiador vencedor do Oscar. Nos primeiros dias, Amy também se deu bem com eles. Tinham pena dela e de mim também. Me viram com toda aquela responsabilidade, me viram do lado de fora com um cigarro e a cabeça entre as mãos. Mas estavam todos zelando por nós. Harvey nos encorajava a todo tipo de bobagem fotográfica. Ele nos incentivava a usar delineador, chamava aquilo de "virar gatinho". Aparecia do nada com sua câmera e anunciava "Vamos lá, vocês dois, vamos virar gatinhos agora, só por dez minutos". Gostaria que tivéssemos passado muito mais tempo lá com todos eles.

Havia uma grande mesa de jantar e as pessoas da casa podiam comer juntas. Bryan é vegano e geralmente tinha sopa de abóbora, comida que não nos interessava. Éramos sempre educados, mas pensávamos: *Onde* é que a gente pode descolar um pouco de carne?! A ilha tinha poucos restaurantes e Vicky nos falou de um lugar chamado Basil's Bar, na praia, que servia comida, hambúrgueres. Havia bugres na casa de Bryan, como aqueles carrinhos de golfe, e levei Amy até lá, embora eu não saiba dirigir. Amy estava hiperfaminta, a quantidade de comida que ela comeu era insana. Devemos ter pedido sete, oito refeições, hambúrgueres, frango, era uma piada que rolava na mesa: "Precisamos de carne, nós estamos na casa de Bryan!" O pessoal do bar estava rindo. Então ela ia ao banheiro. Voltava. Comia de montão de novo. Ia ao banheiro. Cerca de cinco vezes, sem parar. Vicky perguntou: "Ela está bem?" Era óbvio: a bulimia agora era *outro* problema sério.

Amy voltou para seu quarto. Pouco depois, Bryan veio ao meu.

— Tyler, está sentindo o cheiro? Acho que ela está se drogando. Não posso ter esse tipo de coisa acontecendo aqui.

Ele agia com tranquilidade em relação àquilo e eu estava horrorizado. Ela conseguira contrabandear algo no voo, enfiara as drogas *em algum lugar*. Ele me disse para tomar cuidado.

— Quando vocês voltarem para o aeroporto de Barbados, cuide para que não haja nada em lugar algum, eles não vão ligar se ela é Amy Winehouse. Você não está mais na Inglaterra, vão botar vocês dois na cadeia e jogar as chaves fora.

Fiquei *aterrorizado*. Amy saiu do quarto muito chapada. Como quando ficava dando estrelas enquanto fazia almôndegas. Senti que era heroína *e* crack. Todo mundo estava ao redor da mesa de jantar, foi tão constrangedor. Os olhos de Amy reviravam enquanto ela tocava a guitarra. Eu a convenci a voltar para o quarto, porque não queria que as pessoas vissem minha amiga naquele estado. Ela disse:

— Vamos sair.

Entramos no bugre, rodamos um pouco e encontramos uma rave numa gafieira caribenha, um antro suarento. Acabamos indo parar numa festa na casa de algum habitante local, com reggae e música caribenha estourando os alto-falantes. Todos os empregados da ilha deviam estar lá e Amy adorou:

— Isto sim, gente de verdade!

Depois de toda aquela preocupação na hora do almoço eu pensei: *Ela está alta agora, mas isso vai acabar, então simplesmente curta enquanto ela está feliz.* Estávamos dançando, ninguém se importava que ela fosse "Amy Winehouse", ela era normal e adorava aquilo.

No dia seguinte, as drogas acabaram. Vendo aquilo em retrospectiva, me dei conta de que ela queria sair na noite anterior para ver se conseguia achar mais drogas e não conseguiu. Ela começou a sofrer os efeitos da síndrome de abstinência. Todo mundo estava ciente daquilo. De repente Raye estava ao telefone com Bryan e o telefone foi passado para mim. Raye deu o serviço.

— Ouça, isso vai ser realmente brabo pra você, ela vai ficar doente, *doente de verdade*, vomitando, provavelmente vai defecar, mas não se preocupe, existem médicos na ilha.

Adeus ao meu momento de otimismo. Fiquei apavorado. Sentei-me com Amy.

— T, estou tendo crise de abstinência.

— Me diga o que devo fazer.

— Tente apenas me manter dormindo. Vou dormir tanto quanto puder, já passei por isso antes... E me traga montanhas de doces.

As pessoas carentes de heroína precisam de açúcar.

Na primeira noite eu lhe dei Valium e puxei uma cadeira para o pé de sua cama, sabendo que eu não ia me mexer. Ela rolava, tremia, como eu fazia em meus *delirium tremens* alcoólicos. Olhei para a beleza do oceano, chorando, pensando como eu tinha sido ingênuo. Achei que estava preparado para aquilo e não estava. De manhã pensei: *Muito bem, como é que posso ajudá-la a superar isso? Ela precisa de sustento, ela precisa comer*. Fui até a cozinha, Bryan tinha empregadas; elas eram muito religiosas e me disseram: "Estamos orando por você e sua amiga." Pensei: *Deixa Deus pra lá, onde está o liquidificador?!* Tirei-o do armário e usei o que achei à mão: bananas, xarope adocicado de bordo, Night Nurse, rum, gelo picado.

Não sou médico. Nunca deviam ter dado a mim essa responsabilidade — Amy precisava de ajuda médica séria. Eu estava tentando preparar para ela algo que a derrubasse. Ela bebia aquilo sem parar.

— Maravilha, manda mais.

Amy chamou a gororoba de Suco do Sono. Ela acordava, e eu estava no pé da cama.

— T, faz mais Suco do Sono pra mim.

Continuei preparando. A certa altura ela se sentou na cama.

— Você me ama de verdade, não? Você é o único amigo de verdade que eu tenho.

— Claro que eu amo você. Estou aqui, vou continuar cuidando de você, vou fazer o suco para você e você vai sair dessa e vai ficar bem.

A síndrome de abstinência foi piorando. Pensei: *Estou dando demais dessa mistura para ela?* Eu não podia suportar vê-la sofrendo. Amy continuava me pedindo mais Valium, implorando, meia hora depois de ter tomado o último. Eu não sabia qual era o limite. Foi por isso que achei a bebida uma ideia melhor, que mal havia num pouco de rum com banana? Eu não sabia o que estava fazendo. Ela vomitou tudo, contorcendo-se e gemendo. Houve momentos em que eu a tirava da cama para dar esguichadas do lado de fora com a mangueira de água da chuva para mantê-la limpa e confortável. Aquilo não podia continuar, ela precisava de ajuda profissional.

Procurei Bryan e falei: "Chame um médico."

Um médico apareceu e colocou-a no soro. Perguntou-me o que tinha dado a ela, olhou para a caixa de Valium e disse que a dosagem não daria nem para a saída. Ele deu a ela Valiums muito mais fortes, analgésicos, eletrólitos, sei lá o quê, e aquilo a acalmou. Fiquei destruído, pensando que Amy estava basicamente num hospital naquele lugar. Eu me acostumaria com aquilo no futuro, mas não estava acostumado na época.

Eu tinha falado a Bryan sobre minha mãe e ele disse que eu deveria ligar para ela. Fiquei nervoso no telefone, dizendo a ela que Amy estava tomando soro e eu achava que ela ia morrer. Pedi à minha mãe que viesse me ajudar, ela disse que iria e Bryan falou que ele organizaria a viagem. Tudo naquele paraíso surreal ficou subitamente muito real. Bryan falou com minha mãe. Os adultos tinham chegado. Eu me sentia protegido.

Bryan me levou de volta ao topo do penhasco e me contou que Eric Clapton era dono de uma clínica de reabilitação na ilha — Amy aceitaria se internar lá? Eu achava que ela não toparia. Ele olhou para a garrafa de rum na minha mão.

— Talvez você devesse ir também, Tyler.

Eu sabia que precisava. Já tinha ficado mal na frente dele antes e agora desabei em seus braços, chorando, e ele sabia instintivamente o que dizer a um viciado:

— É bonito lá e vão cuidar de você.

Eu disse que não podia pagar uma coisa daquelas. Ele sorriu, talvez da minha ingenuidade, e disse que tinha certeza de que Amy pagaria por meu tratamento.

Comecei a me sentir esperançoso de novo. Talvez nós dois fôssemos para a reabilitação. Minha mãe chegaria dentro de poucos dias, ela e Amy se davam bem, quem sabe isso poderia realmente acontecer, afinal?

Mas na manhã seguinte eu não estava mais pensando em mim — para mim, Bryan tinha me pegado num momento de fraqueza. *Eu não sou um viciado, Amy é que é.*

Ally Hilfiger apareceu, a filha de Tommy Hilfiger. Ela entendia bastante de trauma psicológico, depois de passar a infância com uma doença de Lyme não diagnosticada; os sintomas a tinham levado à loucura. Ela dizia insistentemente: "Se isso não for resolvido, Amy vai morrer." À medida que os dias passavam, Amy ia melhorando, mas eu sabia que ela era militantemente contrária à reabilitação. Ally convidou-me à casa de sua família para uma reunião. "E vai ter muita carne!" Fiquei receoso de deixar Amy, mas ela estava dormindo e os outros na casa me garantiram que ficariam de olho nela.

O jantar na mansão dos Hilfiger foi muito civilizado, todo mundo sentado do lado de fora na praia comendo bifes trazidos especialmente de avião. Mick Jagger estava lá com uma de suas filhas e a filha de Bob Geldof, Peaches. As pessoas começaram a perguntar sobre Amy. Tentei controlar a situação, mas fiquei chateado de novo. Foi Mick Jagger quem me consolou.

— Não se preocupe, cara, as pessoas naquele mundo atravessam esse tipo de coisa.

Eu só sabia que ele era um astro do rock que tinha passado por tudo, que conhecia tudo sobre drogas e fama. Ele estava me dizendo, de uma maneira sábia, que eu devia me acalmar, que aquilo era normal, Amy era uma estrela do rock também e aquilo fazia parte do processo. Ele disse em palavras claras: quando de repente, do nada, você é a estrela do rock mais famosa do planeta, todo mundo passa pelo que Amy está passando. Claro, ela é viciada em heroína, claro, tem um monte de complicações, mas ela vai chegar do outro lado e não há nada com que se preocupar. Eu pensei: *Você provavelmente cheirou heroína no rabo de uma supermodelo e aqui está no Caribe comendo um bife na mansão de um milionário à beira da praia. Então é assim que Amy estará um dia, sentada numa ilha, olhando para trás, "eu me lembro quando..."* Eu me agarrei a isso.

Mais dias se passaram. Amy estava ficando lúcida, tudo que eu tinha a fazer era mantê-la ali mais alguns dias e então teríamos a conversa sobre a reabilitação. Raye agora telefonava para Bryan e conversava sobre isso. Todo mundo estava entusiasmado.

Amy conseguiu sair da cama uma noite, por uma hora, sua força estava voltando. Havia sofás do lado de fora do quarto, na praia, e deitamos num deles debaixo das estrelas. O pior da abstinência tinha passado e Amy tinha um pouco de erva — provavelmente pedira a um menino da piscina. Aquilo me levou de volta anos no tempo, vendo-a enrolar um baseado. Foi outro momento. Em toda a minha vida eu havia sido muito contrário a fumar maconha e sempre tentei fazer a cabeça de Amy contra a erva. Ela sempre dizia quando éramos mais jovens: "Um dia, você e eu, nós vamos queimar um baseado juntos, uma vez só." Agora ela disse:

— É hoje!

Fui até a geladeira. Estava farto do rum de barril então peguei algumas cervejinhas civilizadas e nos sentamos no sofá fumando o baseado. Eu nunca tinha fumado um baseado antes. Me senti realmente *muito* relaxado. E agora me sentia ainda *mais* esperançoso. Estávamos tendo uma conversa de verdade.

— A vida não é uma loucura, Amy?

— T, que porra estamos fazendo aqui? Deitados debaixo das estrelas defronte ao oceano. Veja aquelas três estrelas numa constelação.

Era o Cinturão de Órion. Até hoje, toda vez que olho para as estrelas, sempre vejo *aquelas* três estrelas. E sempre digo para mim mesmo: *Vejam, lá está Amy*. Fazia calor, o oceano estava bem ali e era pura felicidade. Só eu e ela. Nos aconchegamos e caímos no sono, sob as estrelas, com as ondas do mar quebrando e o som dos grilos.

Na manhã seguinte, Amy acordou e tinha passado de um estado de calma e alívio por ter se livrado da agonia para uma atitude basicamente de "Que se foda essa merda!". Era como se tivesse saído da inconsciência.

— O que estou fazendo aqui, onde eu estou?

Ela estava fraca fisicamente, mas de volta ao normal. E agitada.

— T? Quero voltar pra casa. Ligue para o Raye, diga que estamos *indo para casa...*

Fiquei arrasado. Eu não tinha nem mencionado a reabilitação. Inventei pretextos — não é possível conseguir voos na véspera do Ano-Novo. Num esforço supremo, recorri ao meu aniversário.

— Não podemos ficar aqui para o meu aniversário, 5 de janeiro?

Foi como se a tivesse atingido: *Que merda, não posso estragar o aniversário dele.*

Passado um dia, ela veio com uma ideia:

— T, não quero estragar seu aniversário, por isso vou fazer o seguinte: alugar uma mansão para você, trazer sua mãe de avião ou quem mais você quiser. Você fica aqui por umas duas semanas e comemora seu aniversário em grande estilo, mas eu vou para casa porque preciso ver o meu Blake.

De repente Blake era parte do motivo para voltar para casa. Antes, Blake estava começando a mal *existir*.

— Ame, eu jamais deixaria que você fizesse isso, pagasse o voo das pessoas e uma mansão. É *comigo* que você está falando!

Ela estava agora tão iludida, tão acostumada a pessoas que se aproveitavam dela, procurando-a por causa de sua fama ou seu dinheiro, que achou que conseguiria *me* comprar. Fiquei ofendido.

— Sim, sou esse tipo de babaca, sempre fui assim, Amy. Deitei com você e esfreguei suas costas e preparei aquelas bebidas e mantive você sóbria a semana passada toda e agora vou ficar numa bela mansão sentado numa banheira com água quente e você pode voltar para casa sozinha e apodrecer. Até parece! Vou voltar com *você*!

Toda a esperança de Amy se submeter a uma reabilitação foi por água abaixo. Todo mundo concordou que ainda era muito cedo.

As passagens foram reservadas. Um assistente pessoal que obviamente nunca estivera com Amy disse: "Mas não pudemos conseguir primeira classe, só executiva." Como se Amy se importasse! Ela teria voltado remando num *bote*. Mas ela acabou estragando meu aniversário — foi no dia em que voamos de volta para casa.

Em 5 de janeiro de 2008, dia do meu aniversário de 26 anos, só íamos pegar o avião no final da tarde e todo mundo na casa trouxe um bolo de chocolate de aniversário e cantou parabéns. Havia algo no olhar de Bryan que insinuava "Estou mandando estas duas crianças de volta para o inferno". Amy estava se fortalecendo e queria fazer algo divertido no meu aniversário. Sugeri o mar. Estava bem à frente de nossos quartos, mas ainda não tínhamos pisado nele. Nem *uma* só vez. Bryan nos levou em seu jipe para um passeio pelos penhascos e Amy perguntou se ela poderia dirigir. Ele a deixou dar uma voltinha e ela adorou, estava no controle, no assento do motorista, literal e metaforicamente. Ela saboreou a liberdade, foi *possuída* pela liberdade, dirigindo como uma maníaca dopada com esteroides, desgarrando nas curvas, os pneus guinchando. Bryan agarrava o volante para nos manter na estrada, gritando: "Amy, vamos cair do penhasco!" Ela estava se mijando de tanto rir e parecia tão livre. Bryan também ria. Enquanto isso, eu estava no banco traseiro, me cagando de medo.

Chegamos a uma praia gloriosa e entramos no mar até a altura da cintura. Tentei persuadi-la, pela última vez.

— Tem certeza de que quer voltar? Vamos ficar?

— Esquece, T. Nós vamos voltar.

* * *

Voltamos ao Omega Works e Amy *mal podia* ver a hora de entrar em casa. Já tínhamos novas chaves da porta da frente, mas as havíamos esquecido. Era de manhã, depois daquele longo voo, depois daquela longa temporada em Mustique, onde nada tinha dado certo, e agora a porta estava trancada. Amy estava tendo um chilique. Dei-lhe Valium, mas ela começou a socar o assento do carro, gritando: "Vou quebrar esta porta e entrar!" Telefonei para todo mundo em que pude pensar, nada das chaves. Ficamos no carro uma hora e meia, Amy perdendo a cabeça. *Foda-se*, pensei. Não tenho escolha. Perguntei ao motorista se ele tinha um pé de cabra, *qualquer coisa*. Ele pegou um pé de cabra no porta-malas. Saí do carro, levei o pé de cabra até a porta da frente, que era toda de vidro, e a quebrei inteira. Tirei todos os cacos do caminho e apontei para a casa, puto da vida.

— Pode entrar, Ame!

Ela atravessou o espaço onde antes havia a porta.

— Valeu, T.

Ela se mostrara irritada no voo, irritada no carro e subiu as escadas naquele humor terrível. Minutos depois desceu, estava calma, amável — "Tudo certo, Tyler?" —, como se nada tivesse acontecido. Começou a cantar, a se limpar. Devem ser *drogas poderosas*, pensei. Atravessei o buraco onde devia haver a porta e sentei do lado de fora para fumar um cigarro, pensando como é doido o vício das drogas. Como elas governam sua vida e seu humor mesmo depois de duas semanas sem tomar nada. Como Amy não teria sofrido a síndrome da abstinência em Mustique se houvesse drogas lá, ela teria queimado a ilha para consegui-las. Como, se eu não tivesse derrubado a porta com um pé de cabra, ela teria se jogado através da porta. Eu *sei* que ela teria feito isso, teria se arremessado de cabeça contra o vidro e eu agora a estaria levando ao hospital.

Eu me sentia impotente. Não sabia mais o que pensar.

21

Os tabloides publicaram histórias sobre nossa viagem a Mustique. Os paparazzi fizeram fotos no aeroporto, a caminho de casa, a caminho de arrombar a porta de casa, a única ocasião em que saímos bem — Amy assinando autógrafos, eu bastante bronzeado. As reportagens diziam que Amy tinha deixado Blake na prisão e "embarcado em férias românticas com *George*" — o cara do departamento artístico da Sony com quem ela ficou por um tempo, sobre o qual compôs "Me and Mr. Jones". Que é negro. Eu fui identificado na legenda como "George". Não sei como eles saem impunes desses erros, realmente não sei.

De volta ao Omega Works, tudo correu como antes de Mustique, agora com novas pessoas aleatórias aparecendo. Ainda éramos plenamente notívagos e conhecidos como caóticos, o que atraía gente errada. O terceiro quarto fora transformado num estúdio sempre repleto de garrafas de bebida vazias. Havia uma faxina de emergência toda vez que Raye e Mitch apareciam, mas aquilo não acontecia com frequência.

Não tinha surgido nenhum trabalho para Amy desde que a turnê no Reino Unido fora cancelada. De uma perspectiva pública, parecia que sua carreira musical estava acabada. Mas, em nossa cabeça, aquele era o estilo boêmio, o excesso fazia parte de ser criativo, com uma atitude "foda-se". Tinha um violão por perto, eu e Amy sacávamos caneta e papel, sempre compondo. Ela chapada de crack, eu de

Valium e de bebida, encorajando um ao outro a ser *artistas* pirados. O que é uma besteira. Amy acreditava tanto naquilo que me convenceu e eu absolutamente aderi. Era melhor do que pensar *nós estamos simplesmente pirados*. Eu bebia o tempo todo, aquilo me mantinha no prumo, um alcoólatra que funcionava. Escrevemos juntos uma canção chamada "Mr. Jack", sobre uma garrafa de Jack Daniels. Eu *nunca* estava *sem* uma garrafa de Jack Daniels presa a mim. Eu dormia *abraçando* uma garrafa de uísque.

Havia muito do comportamento psicótico do crack. Eu ficava acordado quatro noites seguidas às vezes, de olho em Amy. Ela pegava todas as suas escovas de cabelo, grampos e arcos e os arranjava sobre a mesa combinando as cores. Colocava todos os suéteres cor de rosa, todos os vestidos vermelhos lado a lado, ou às três da manhã dizia: "Vamos pintar este quarto todo de preto..." Amy pintava as paredes constantemente. Ela era a decoradora chefe e havia cinco pessoas quaisquer munidas de latas e brochas pintando as paredes com ela ao longo da noite, seu projeto para três horas. Pelo menos aquilo a impedia de se drogar o tempo todo. Enquanto isso, eu seguia a rotina de sempre, tentando manter as coisas supostamente normais, jogando fora pedaços de crack, limpando o banheiro, ficando de olho. Aquela era a nossa vida.

Os amigos apareciam de vez em quando, às vezes Grimmy ou Kelly Osbourne. Ela veio com um pug certa vez e ficamos com aquele cãozinho correndo pela casa. Estávamos todos sentados ao redor da mesa, eu tinha um copo de Jack Daniels e codeína efervescente e o cachorrinho pulou sobre a mesa e começou a lamber o meu copo. Não estou mentindo, o cão pegou um cigarro aceso do cinzeiro e saiu correndo pelo apartamento, o cigarro em sua boca. Kelly estava mijando nas calças e todos nós gritávamos: "Que porra, este cachorro é um legítimo Osbourne!"

Era final de janeiro de 2008, três semanas depois de Mustique, que parecia uma lembrança distante. Eu estava deprimido porque a viagem não resultara em nada, magro como um palito, um anoréxico borderline. Alex ainda estava por lá. No dia em que voltamos de Mustique, ele começou a me provocar, ao ver Amy fumando crack, dizendo: "Legal, você fez realmente um bom trabalho lá, levando Amy para a reabilitação." Bater nas pessoas não é do meu feitio, mas eu lhe dei um soco na cara por aquilo. E então enfiei a faca de pão no laptop que ele descolara de graça na Harrods. Ele não retaliou. Como drogado, seu mundo entraria em colapso se Amy tivesse se submetido à reabilitação.

Amy decidiu tingir os cabelos de louro — uma ideia terrível, a fazia parecer ultramagra, ultradoente. Claro, Alex gostou da ideia, fumando crack com ela enquanto tingia seus cabelos. Poucos dias depois acordei tarde da noite e ela não estava lá. Aquilo nunca acontecia. Entrei no desespero e comecei a ligar para Alex, Cat, Kelly. O grande buraco onde ficava a porta fora fechado com tapumes que tínhamos pregado à soleira e que impediam a porta de ser aberta, tornando-a redundante. Ainda usávamos a janela ao lado dela como porta da frente. Saltei pela janela, olhei para o pátio lá fora e as portas eletrônicas se abriram. Uma picape entrou puxando um grande trailer cheio de pessoas. Quem está no meio deste bando de vadios? Amy, toda agitada e feliz.

— Dei uma saidinha! Esse pessoal veio comigo...

Entraram todos pela janela.

Fiquei feliz que ela estivesse de volta, mas quem eram essas pessoas aleatórias? Eram principalmente caras com roupas de corrida Adidas e bonés de beisebol. Senti que não eram realmente nossa turma — podiam ser escorregadios, perigosos. Amy os pegara num pub, todo o bando: "Venham pra minha casa!"

Amy tinha subido e vi dois deles subindo as escadas atrás dela. Gente desconhecida não ia para o andar de cima. Subi também e estavam no meu quarto, sentados na minha cama, me intimidando, podiam ter me enchido de porrada, me apunhalado. Fui até Amy.

— Tem dois caras na minha cama.

— Não esquenta, são amigos do Blake.

Foda-se, pensei, eu moro aqui! Entrei no quarto, numa boa.

— Me desculpem, caras, este é o meu quarto. Vocês não podem descer até onde está rolando a festa, em vez de ficarem no meu quarto?

Simplesmente olharam para mim e não se mexeram. Reparei que um deles tinha uma câmera numa corrente ao redor do pescoço. Era pequena, mas eu podia ver uma lente. Fui até Amy, disse que devia mandá-los embora, mas ela não me ouviu. "São legais, são amigos do Blake." Eu não ia ficar na companhia dessa turma. A janela do meu quarto dava para a sacada do primeiro andar e na porta ao lado morava um amigo nosso. Saí pela janela e passei a noite no apartamento do vizinho. E foi assim que filmaram o vídeo de Amy fumando crack.

Falamos sobre aquilo anos depois. A opinião de Amy era de que Blake organizara aquilo. Do mesmo modo que ele vendia reportagens, talvez precisasse do dinheiro. Mas ela não podia provar. Raye apareceu e jogou um exemplar do *Sun* na mesa de sinuca na sala de jantar. Amy era notícia de primeira página: "Exclusiva mundial de Winehouse. Amy no crack. Mergulho de nariz no esquecimento." Havia um link para o vídeo e Raye passou para ela em seu celular.

— Oh, que beleza, não é? Alguém fez isso comigo em meu próprio quarto, uns caras bem fodidos...

Eu estava com a cabeça entre as mãos.

— Eu *falei* para você, Amy.

Raye olhou para mim.

— Falou o quê?

— Falei para ela que alguém tinha uma câmera.

Raye se limitou a dizer:

— Olha aqui, caras, vocês deviam tomar mais cuidado. — E se virou para Amy. — Você vai ter que conversar com a polícia, você ultrapassou o limite.

Era assustador. Pensei: *Eu também vou ter que falar com a polícia?* Não precisava, mas eu não sabia disso. Raye disse para a gente se virar. Precisávamos acordar cedo na manhã seguinte. Nós dois subimos. Eu estava no meu quarto com uma garrafa de Jack Daniels quando Amy entrou e sentou na ponta da cama. Ela disse algo que nunca tinha falado antes.

— T, por que está bebendo tanto?

— O que você quer dizer? Não estou bebendo mais do que bebo sempre. Só quero dormir, querida.

Ela me disse para tomar um pouco de Valium. Respondi que *ela* devia tomar um pouco de Valium. Nós dois tomamos Valium e fomos dormir.

Acordei na cama na manhã seguinte sentindo uns tapinhas no ombro.

— Ken, Ken...

Na Escola de Teatro Sylvia ung, onde nos conhecemos.

Na praia em Miami.

Depois de um dueto, com nosso empresário Nick Shymansky.

Dormindo no Raleigh Hotel em Miami.

No estúdio com Salaam Remi.

Amy com a banda em 2003: o diretor musical Dale David à extrema direita.

No alto, à esquerda: a festa de Natal da 19, pouco antes da m[i] grande surra.

No alto, à direita: o vestido Pri[…] que comprei para Amy.

À esquerda: na festa de lançam[en]to da Saatchi & Saatchi Gum Factory.

PÁGINA OPOSTA
Amy no palco no início da carreira.

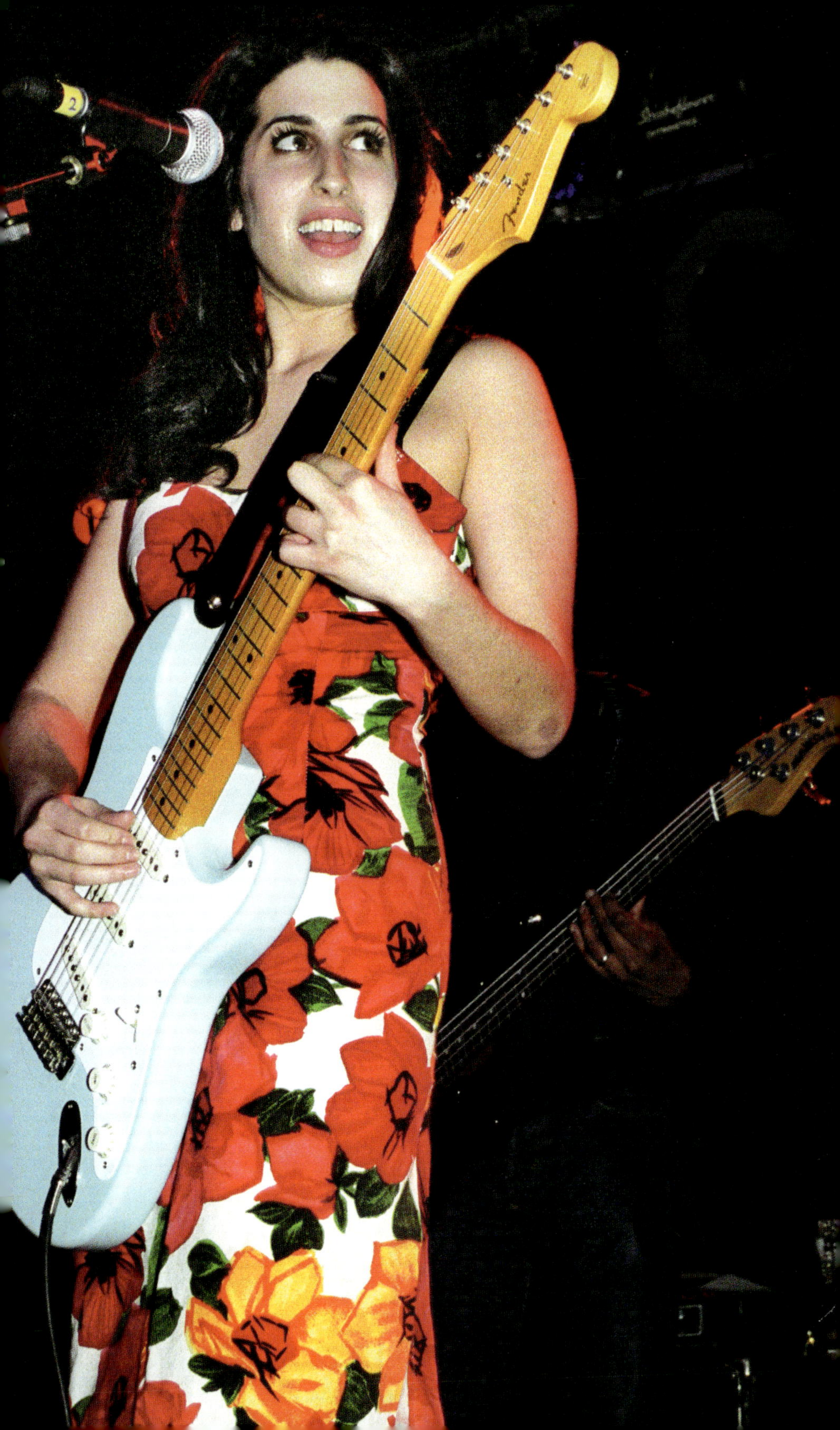
Fender

Mustique.
Acima: no Basil's Bar.
À esquerda: Amy dirigindo um bugg
ao redor da ilha.

Abaixo, à esquerda: partindo no avi

PÁGINA OPOSTA
Foto principal: Amy com
Kelly Osbourne na entrega dos Elle
Style Awards em 2007.
Inserido à esquerda: Dionne,
Pete Doherty, Amy e eu
no K West Hotel.
Inserido à direita: Blake e Amy
perseguidos por paparazzi
ao saírem da clínica de reabilitação.

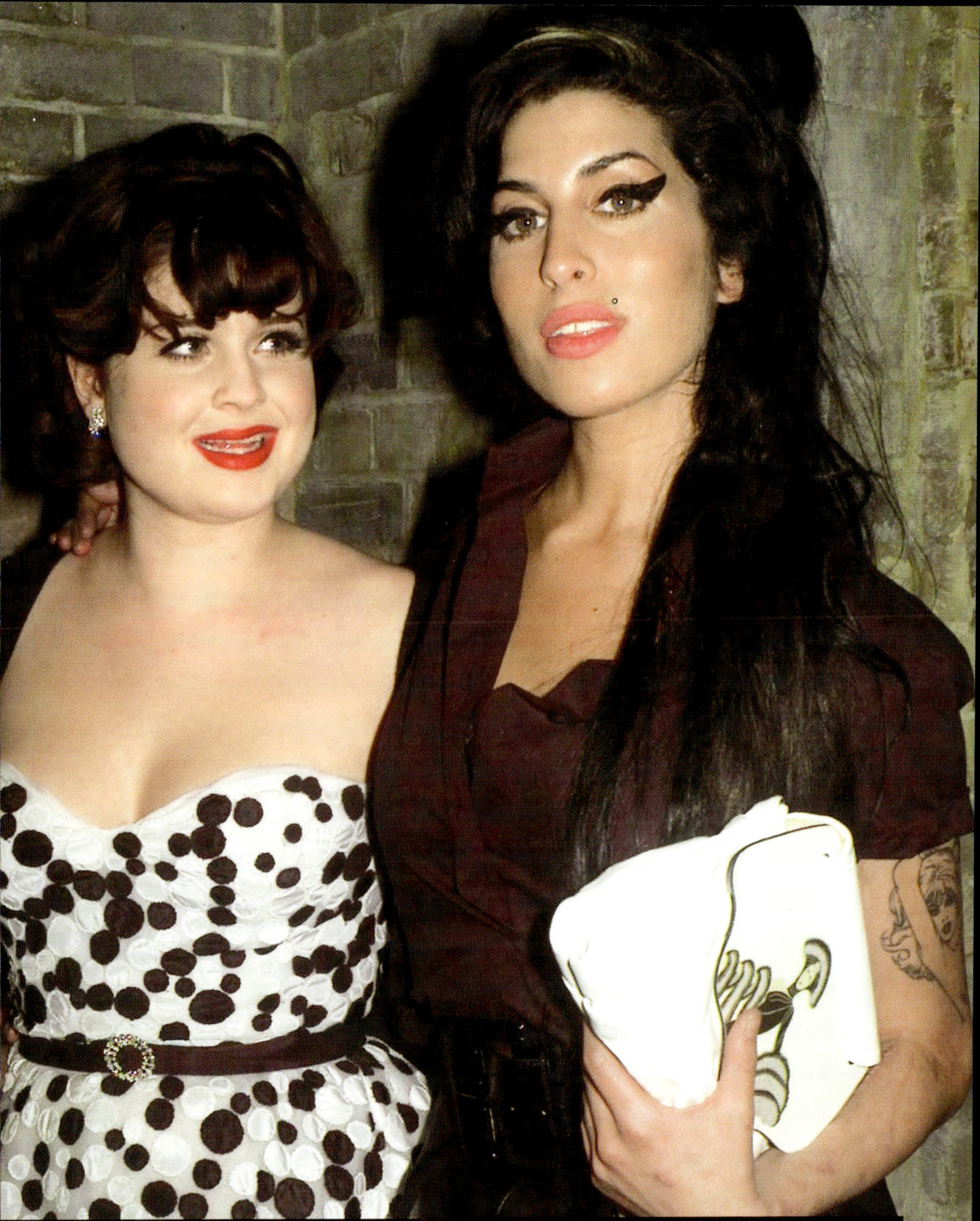
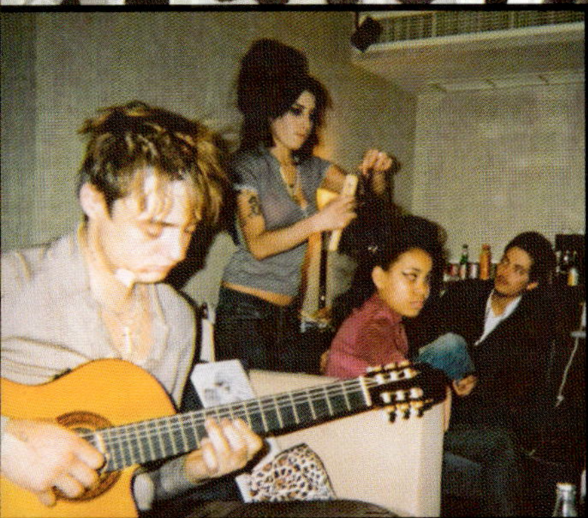
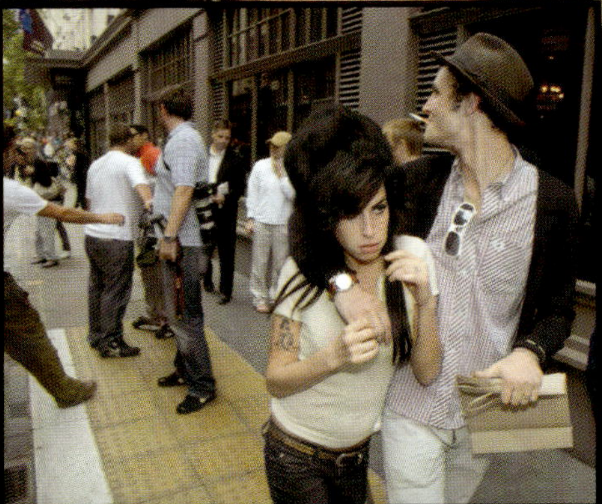

À esquerda: Amy abraçando sua mãe em Henley.

Acima: saindo do apartamento de Amy em Prowse Place.
À esquerda: com Mitch indo visitar Blake no tribunal.

PÁGINA OPOSTA
Amy na entrega dos Grammys, em que ela venceu cinco das seis categorias às quais foi indicada.

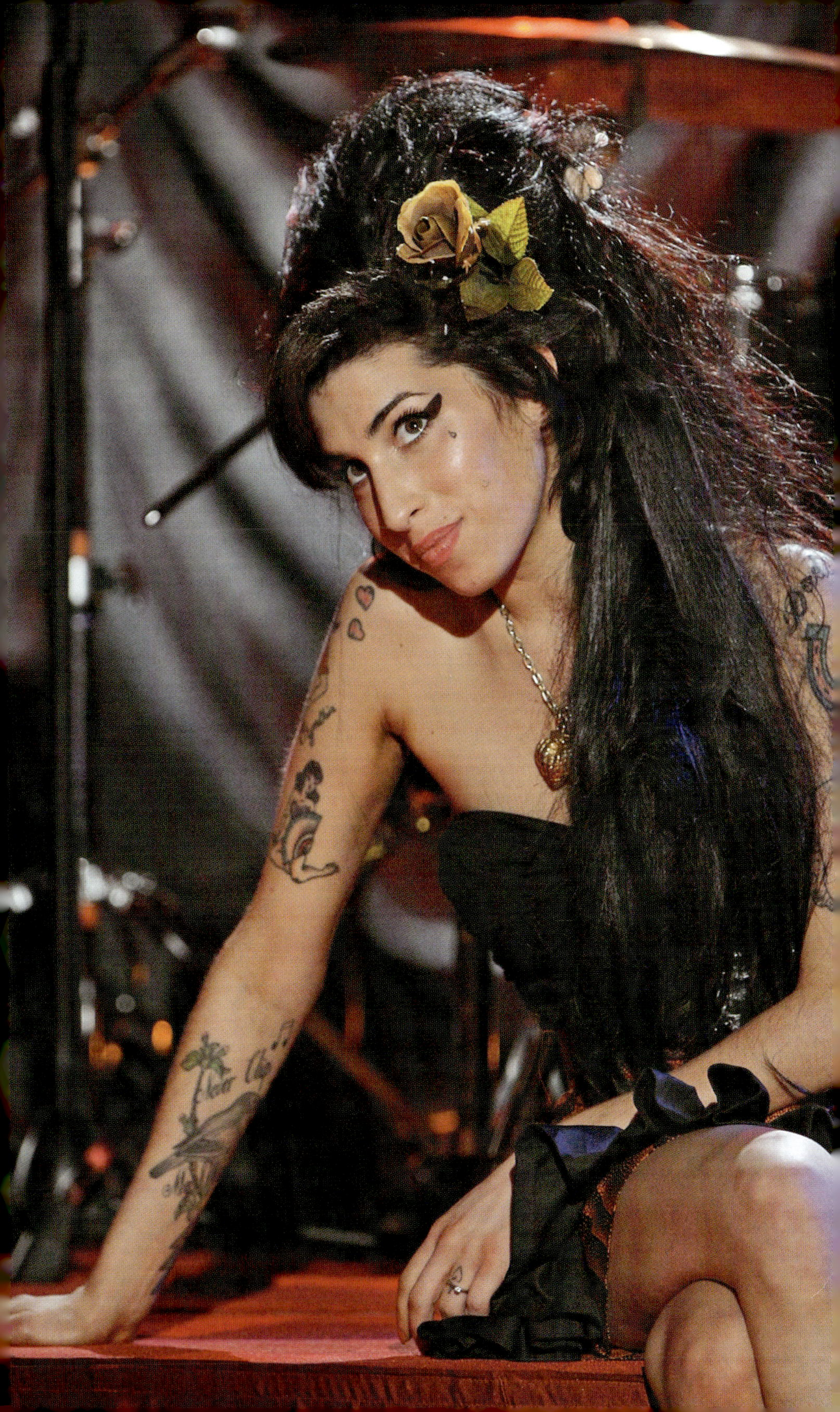

Perseguidos pela imprensa a caminho do Hawley Arms.

Abaixo, à esquerda: Amy no tribunal com Raye.
Abaixo, à direita: no aeroporto ao voltar de Santa Lúcia.

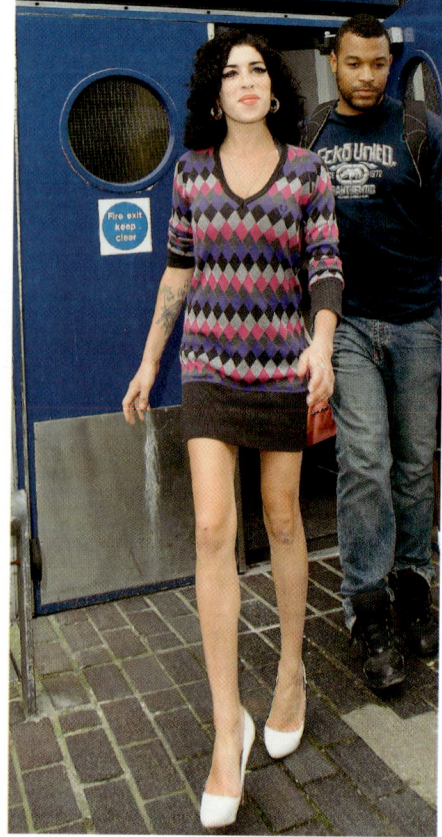

Amy (recortada) gravando
Frank *na HMV em 2004.*

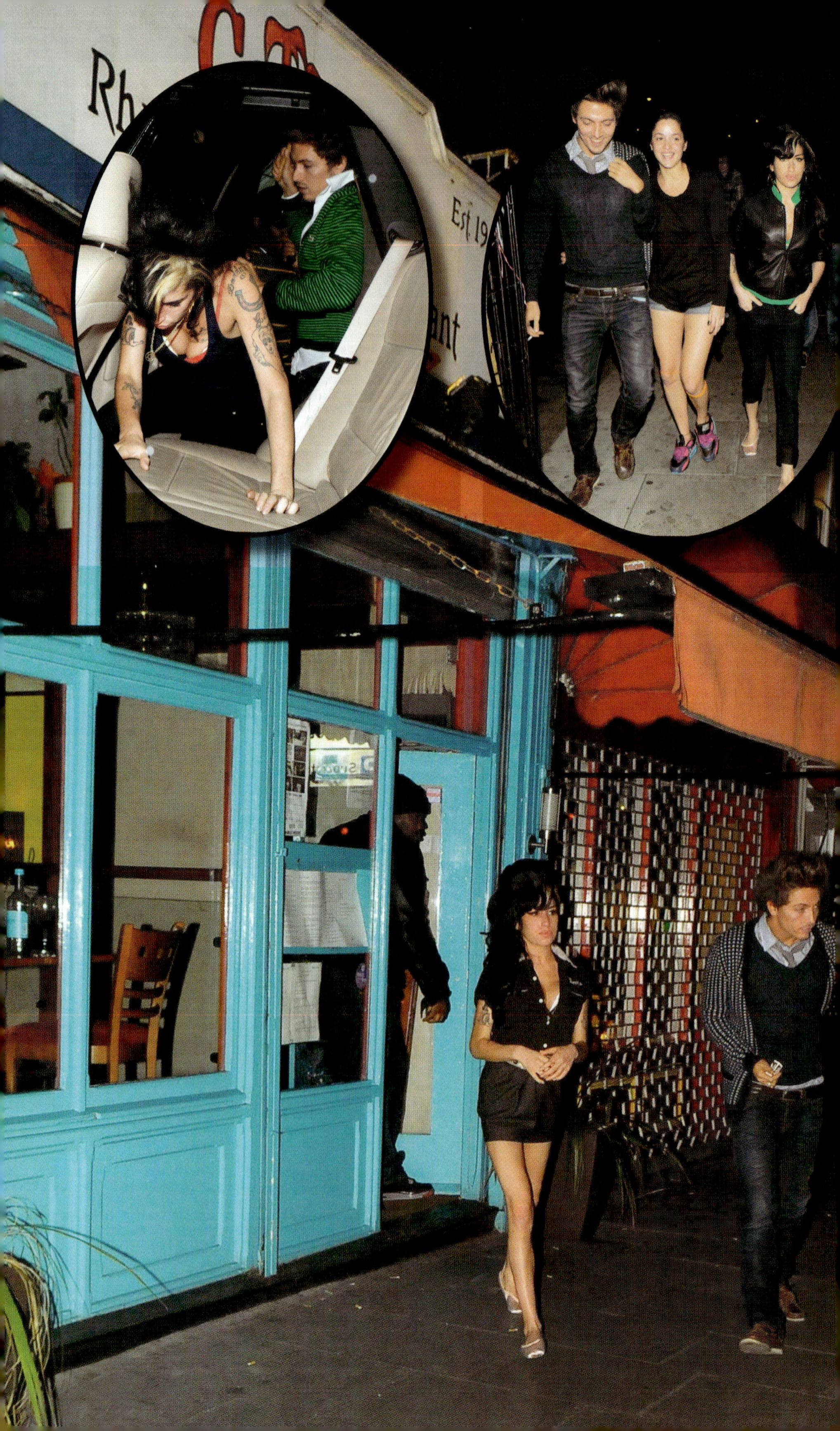

na: Andrew (esquerda) e Neville
eita), que ficavam constantemente
ompanhia de Amy.

reita: circulando por Soho no
o de 2010.

NA OPOSTA
rido à esquerda: embarcando
carro diante do pub
Good Mixer.
principal: circulando em
den.
rido à direita: com Violetta
cas noites depois.

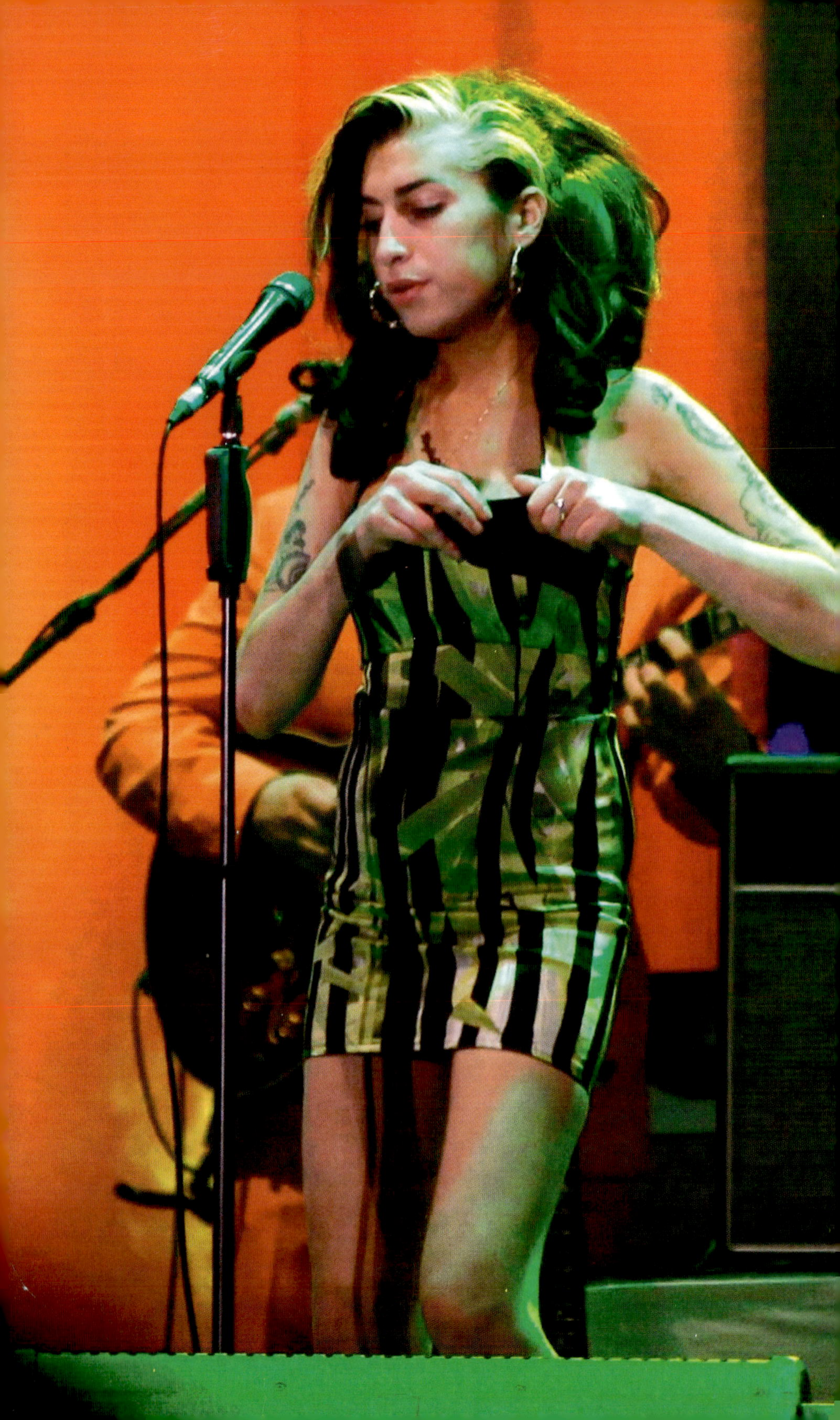

À direita e abaixo: o funeral de Amy.

NA OPOSTA
...palco na Sérvia,
...co antes do cancelamento
...urnê.

Como vou sempre lembrar da minha Amy.

Minha *mãe?* Abri os olhos e minha mãe estava lá com meu padrasto, Danny. Havia garrafas vazias por toda parte, caixas vazias de Valium e comprimidos e estupidez, todo um mundo que eu deliberadamente ocultava dos meus pais atrás. Fiquei surpreso de que ela não estivesse gritando comigo, nem meu padrasto me tivesse me dado uns bons cascudos. Ela estava calma.

— Ken, meu filho, vamos para casa agora...
— O que quer dizer?

Danny estava de pé ali.

— Nós *vamos para casa.*

Então eu entendi. Não tinha escolha, estava sendo resgatado da situação. Fiquei amedrontado e com raiva: eu ia ser arrastado para a reabilitação? Entrei no quarto de Amy, ela estava lá fumando crack. Fiquei lívido. Eu queria *matar* Amy.

— O que a minha mãe está fazendo aqui? Por que você tem que trazer minha mãe e meu pai aqui, porra?!

Ela deu de ombros.

— Sei lá, eles simplesmente apareceram...

Descemos todos. Raye estava lá, Mitch estava lá, Alex estava lá, um maquiador estava lá. Amy muito raramente chamava um maquiador, ela normalmente se maquiava sozinha. Alex pegou suas tinturas e começou a tingir os cabelos de Amy de preto de novo. Ela estava sendo produzida para não se parecer com a pessoa no vídeo do crack. E não se parecia. Foi uma proeza. Três horas depois estava imaculada, com a pele perfeita, a maquiagem escondendo o impetigo das drogas que fumava. Eu fiquei protelando. Não queria ir embora, e Danny estava irritado, vendo aquilo tudo acontecer. Amy estava sentada lá, os cabelos em bobs, tinturas e apliques por toda parte, garrafas de Lucozade com papel alumínio por toda parte, fumando crack. Pela primeira vez na vida, na frente de seu pai. Ela obviamente não estava mais se importando com coisa alguma. E Mitch não sabia como lidar com ela. Tudo que o ouvimos dizer foi: "Ame, precisamos nos aprontar, vamos andando!"

Minha mãe me levou para um canto.

— Precisamos ir andando *agora.* Danny não aguenta mais ficar vendo isto.

Fomos embora. Sentei no banco traseiro do carro, libertado da minha bolha. Minha mãe virou-se para mim.

— Sabe por que estou aqui, filho?

— Não, não sei, mãe.

Ela começou a chorar.

— É isso o que amo em Amy, ela me ligou.

Pensei: *Amy, sua filha da mãe! Como podia fazer isso comigo?!*

Ela continuou:

— Por mais ferrada que esteja, e ela precisa de ajuda, Amy sabe quando há algo errado com você, por isso me ligou na noite passada, chorando por *você*, Ken. Ela me pediu que viesse apanhar você.

Desabei no carro. Suas palavras me atingiram como uma bala no coração. Claro que havia algo errado comigo, vivendo em meio a toda aquela loucura. Eram só três semanas depois de Mustique. Eu estava *completamente perdido*. Mas Amy, no meio do próprio caos, queria me poupar dessa nova situação com a polícia. Ela sabia que eu estava apavorado. Também estava preocupada com meu alcoolismo, pensando em *me* salvar, mesmo com um cachimbo de crack em sua mão, quando ela precisava muito mais de salvação. Ela me deixou arrasado naquele dia. Não que eu não soubesse que Amy me amava, mas eu não sabia que ela tinha notado que eu estava tão perdido. Eu sabia que não podia deixá-la. Tinha de voltar. Implorei à minha mãe que me deixasse voltar.

— *Por favor*, não posso deixá-la. Vocês não se dão conta, vou ficar com ela, vou garantir que ela *continue respirando*.

Danny estava horrorizado.

— E o que o pai dela está fazendo, então?

Minha mãe ficou furiosa.

— Temos que pegar Amy, colocá-la na traseira da van de Danny, levá-la conosco e cuidar dela.

Acho que Mitch temia que, se fizesse algo assim, Amy o cortaria completamente e ele não teria ideia do que estava acontecendo em sua vida. Esse é o problema de ser rico e famoso quando se é um viciado. Talvez se isso acontecesse sete anos antes, Mitch poderia ter feito muito mais. Minha mãe se acalmou, ela entendeu minha situação.

— Sei que não posso prender você em casa, meu filho, você vai acabar fugindo. E sei quanto vocês se amam, são assim desde crianças. Então, se ela precisa de você tomando conta dela...

Havia ressalvas.

— Se eu ligar para você, a qualquer hora, atenda o telefone. Se eu disser que quero ver você, eu quero *ver* você. Para saber que está vivo, meu filho.

Danny acrescentou, falando pelos dois:

— E, se você tocar em drogas, juro que vou quebrar sua cabeça.

Danny e Mitch eram claramente pessoas bem diferentes. Danny estava falando, especificamente, de heroína e crack, que eu nunca tinha consumido e sabia que nunca usaria. Era a única coisa com que meus pais se preocupavam seriamente. Sempre que me encontrava com eles, eu era avaliado com atenção. Podia vê-los tentando detectar se eu estava usando heroína, em especial, porque, no momento em que aquilo acontecesse, eu não teria permissão de ir a lugar algum, eu seria posto na traseira de uma van, trancado num quarto. Eu poderia ser o garoto mais famoso do mundo e não haveria empresário, ou gravadora, ou contrato, ou qualquer quantia de dinheiro que entraria na próxima turnê que impedisse meus pais de tentarem me salvar. Quem sabe se daria certo ou se eu faria o que tivesse vontade, como Amy, mas sei que muita gente não entende por que Mitch não foi lá e simplesmente trancou Amy em algum lugar — porém não tenho certeza se ela teria deixado que ele fizesse isso.

Fiquei na casa da minha mãe e desfrutei de uma boa noite de sono. Ela me fez um sanduíche de salsicha e na manhã seguinte e eu estava pronto para partir, de novo. Quando voltei, nada havia resultado do encontro de Amy com a polícia. Só mais um "sem comentários". Dias depois, recebemos a notícia do Grammy.

22

Se Amy não se recuperasse para o Grammy, parecesse sóbria, *estivesse* sóbria, ela não ganharia nenhum prêmio. O recado da direção do Grammy foi claro: você foi indicada para seis Grammys, poucas pessoas já receberam tantas indicações, e queremos que seja a garota-propaganda do Grammy deste ano, portanto, você poderia, por favor, deixar de ser a garota viciada em crack do vídeo? Amy não podia entrar nos Estados Unidos: não lhe concediam um visto por ser usuária de drogas. Então houve um esquema: nós filmaremos seus Grammys em Londres, no Ravenscourt Theatre em Hammersmith, e transmitiremos sua apresentação ao vivo. *Se*, até a ocasião, ela se mostrasse uma pessoa feliz e sorridente.

Ela concordou em se internar duas semanas antes, no Capio Nightingale Hospital. Ela ainda nunca tinha se submetido a uma clínica de reabilitação, e nunca se submeteria, por isso aquilo não lhe foi apresentado como um tratamento de desintoxicação, mas como uma encenação. Não era o caso de deixar de ser uma viciada — assim que a cerimônia do Grammy acabasse, ela poderia fazer o que quisesse.

Amy concordou, criou a ilusão, fazendo no hospital o que ela geralmente faria no futuro, relaxando e mitigando os efeitos da abstinência com medicamentos. Não estava sofrendo, provavelmente tomando Subutex e ficando numa boa.

O dia do Grammy foi o dia em que Amy saiu do hospital. Ela foi direto para um hotel em Hammersmith e estava no banho quando Raye ligou. Como sempre, se Amy está na banheira, eu estou sentado no vaso, lavando seus cabelos. Ela parecia tão bem, tão saudável, fresca e natural. Terminou o telefonema.

— Adivinha, Tyler? Ganhei o Grammy! Sou uma artista vencedora do Grammy!

Oficialmente a informaram sobre um deles. Ela nem disse qual. Não importava: Amy tinha *chegado lá*. Estava coberta de sabonete e bolhas. Eu estava vestido com minha camisa e joguei os braços para dentro d'água e a agarrei para fora da banheira, enlaçando-a. Beijei-a por todo o rosto.

— Você ganhou a porra do Grammy!

Ela minimizou a coisa — "Fique frio, Tyler!" —, mas estava feliz naquele momento, um sorriso enorme no rosto, toda coberta de bolhas de sabão. *Amy tinha conquistado um Grammy.*

Estava tão glamorosa naquele dia em seu vestido preto cheio de classe, uma rosa dourada encravada na sua melhor colmeia, saudável, sóbria e linda. Mesmo assim, nos bastidores do Ravenscroft Theatre, as pessoas tinham medo dela, porque as manchetes eram sempre assustadoras. No vídeo do crack ela *parecia* terrível. No camarim ninguém queria perturbá-la, por isso ninguém se aproximou dela. Darcus da Island foi o único que arriscou, embora Amy nunca o respeitasse musicalmente. Na primeira turnê que fizemos juntos, quando tive meu nariz operado, ela disse: "Quero agradecer Darcus por ter feito meus cabelos." Ele tinha sido cabeleireiro. Ela estava gozando dele porque não o levava a sério. Amy era uma nerd que conhecia música de trás para a frente, cada canção de Cole Porter, cada canção de Gershwin, e Darcus não sacava nada. Nick levou Amy para Darcus na Island, e Darcus recebeu todos os aplausos, mas foi tudo obra de Nick.

Nos bastidores, Darcus falou para ela: "Me diga se há algo que eu possa fazer por você, Amy" e ela o diminuiu diante de todo mundo...

— Sim, Darcus, existe algo que você pode fazer por mim. Contrate Tyler.

Eu quis *morrer*. Ele havia *me dispensado*. Todo mundo ouviu e riu.

Passamos a maior parte do tempo atrás de uma cortina de teatro de veludo vermelho entre os bastidores e o palco, só nós dois. Fiquei falando sem parar sobre como me sentia orgulhoso dela, como ela merecia cada um de seus Grammys, como, apesar de todos os seus problemas pessoais, musicalmente ela era a fodona. E ninguém jamais poderia tirar aquilo dela. Eu estava orgulhoso por ela ter encarado o que foi preciso para ficar sóbria, para que pudesse estar lá, levando em consideração como as coisas tinham sido ruins por tanto tempo. Ela me jogou de volta à realidade.

— T, eu não fui para a reabilitação. A gravadora só disse que eu tinha que ficar no hospital para o Grammy. Assim que o show terminar vou direto para as drogas.

Fiquei mal, frustrado. Mas também quis dar uma cabeçada nela. *Sua idiota*. Você se safou, ficou sóbria. E ainda não tem a lucidez de pelo menos *tentar* continuar sóbria.

O Grammy foi apenas um pretexto. Deveria ser uma celebração de sua vida: Nick convidou Juliette e Lauren, o cara que a ensinara a tocar violão estava lá, sua mãe e pai estavam lá, suas tias, sentadas numa plateia falsa de executivos da gravadora. Amy não se misturava com nenhum deles. O ponto alto para ela foi rever sua banda, que não via havia tanto tempo. De vez em quando a cortina se abria e ela dava seu show ou recebia um prêmio e voltava a sentar, dizendo: "Quando é que esta merda vai acabar? Eu só quero cair nas drogas." Ganhou o que foi um recorde na época, cinco Grammys.

Todo mundo estava comemorando exceto ela. Entendi que a gravadora merecia, tinham trabalhado como condenados para isso. Charlie da divulgação, Shane, o relações públicas, todo mundo estava vivendo a noite de sua vida, tomando champanhe — muito justo. Amy estava solitária e deprimida. Não lhe permitiram uma bebida sequer. A cortina representava a divisória entre dois mundos completamente diferentes. Ela aceitava que havia um show a ser feito, mas estava também farta de cantar aquelas canções. Era o macaco que estava segurando as pontas para interpretar e conquistar todos aqueles prêmios para os outros.

No famoso momento "oh!" da surpresa — sua boca aberta quando ela recebe o prêmio de Gravação do Ano para "Rehab", anunciado por Tony Bennett em LA — acho que ela estava representando.

Não era uma reação típica de Amy. Aquilo era a parte dela que estava encenando um show. Todos os abraços de papai e mamãe no palco, era tudo para eles. Na minha cabeça, eu ainda podia vê-la no banho, naquele momento bonito, segurando seu corpo minúsculo todo coberto de espuma, molhando a minha camisa inteira. O resto era bobagem.

Como se o mundo de Amy não estivesse desabando o suficiente, na noite anterior à entrega do Grammy, Camden tinha ardido em chamas, um inferno se alastrando através de Camden Market e incendiando o Hawley Arms. O lugar foi quase arrasado pelo fogo, o interior foi eviscerado. Quando Amy ganhou o Grammy por "Rehab", a última coisa que disse em seu discurso foi: "Dedico isso a Londres, pois Camden Town *não* vai ser destruída pelo fogo, não!"

Voltamos todos para o hotel depois, Amy sentada no chão de seu quarto conversando com Raye completamente baratinada. Raye estava dizendo a ela que, agora que tinha conquistado cinco Grammys, ela ia vender mais quatro milhões de álbuns. Ele falou: "Você pode ter o que quiser agora." Amy respondeu: "Quero ter uma gravadora, quero contratar Tyler." Foi assim que surgiu o selo Lioness Records. Eu disse que não queria que ela me contratasse, não era uma boa. E, naquela época, ser artista de novo não fazia parte dos meus planos. Estar ali por Amy era meu único plano.

Naquela noite, havia em Amy um desejo de simplesmente ir embora. Quando só ficamos nós, com a segurança do lado de fora da porta, ela achou de fato que *podia* fazer aquilo.

— T, vamos só fazer as malas, sair disto aqui, não sei para onde, simplesmente vamos *embora*, não quero ter mais nada a ver com este mundo.

Embarquei nessa. Ela estava fora de casa havia duas semanas e tinha tudo de que precisava. Fiz suas malas, suas bolsas Fred Perry — ela nunca teve uma mala —, arrumei minhas coisas. Ela espiou pela porta:

— Que porra, a segurança está aí!

Era o começo do seu desejo de *sempre* se evadir. De sua vida. Foi por isso que nos mudamos tantas vezes. Mas você não pode fugir de você mesmo.

Tive a oportunidade, naquela noite, atrás das cortinas, de perguntar o que o hospital fizera realmente a ela. Era a primeira vez que tinha se internado num lugar daqueles.

— E aí, como foi? Você está OK? Foi difícil? Você falou com alguém?

Ela insistia em dizer que só ficara sóbria para o Grammy, mas aquela não era a minha pergunta. Amy estava sóbria e não havia ficado sóbria havia muito tempo.

— Mas como você se *sente*?

— Estou de saco cheio.

— Não, como se sente *por dentro*. Você está *sóbria*, com uma aparência incrível, seu corpo está limpo. Não deve ter sido fácil e, agora que está *aqui*, não pode pelo menos pensar em não voltar para lá?

— T, era basicamente um hotel cinco estrelas com drogas farmacêuticas.

— Por que você não para de tomar drogas agora? Por que não fazemos isso juntos?

— Não, vou embora esta noite e vou mergulhar de cabeça.

Fiquei irritado.

— Como assim? Você sabe que não pode fazer isso para sempre.

Estávamos de volta ao que eu tinha dito quando ela e Blake ficaram enfurnados juntos no Kensington Hotel. O que ela disse em seguida me arrasou.

— É só o crack que é perigoso, enfim. Presidentes de companhias, empreendedores e pessoas que controlam impérios curtem a heroína, o truque é consumir com moderação.

Isso foi dito a ela por alguém em quem ela confiava. Talvez tenha sido uma tentativa dele de minimizar os danos, mas era revoltante. Pensei: *Que idiota de merda*. Isso era música aos ouvidos de um viciado, a última coisa que ela precisava ouvir. Eu queria saber, para minha própria paz de espírito, se ela ainda desejava consumir drogas. Você parou com isso? Não parou com isso? Você parece livre! Não, você não está livre. Então vamos levando a coisa. Era mais do que óbvio que ganhar cinco Grammys não poderia fazê-la feliz, mas o que poderia? Ela me deu sua razão para se drogar e beber um milhão de vezes: a vida era chata sem aquilo. Mas a vida tinha sido interessante para ela sem drogas *antes* e podia voltar a ser, eu *sabia*. Por enquanto, estávamos empacados. E não só empacados.

A coisa ia *piorar ainda mais*.

23

Omega Works foi destruído. Visto que era alugado, custou centenas de milhares de libras botar o lugar em ordem de novo. Cada parede fora pintada de uma cor diferente, com muito preto e manchas em roxo, verde e laranja, sem linhas distintas — surpreendentemente trabalhos de decoração movidos pela psicose do crack não eram bem feitos! A rede ficou destruída. A mesa de sinuca, que nunca voltara a ser uma mesa de jantar, tivera o feltro, que um dia fora verde, manchado, encharcado de álcool, queimado por cigarros e calcinado por potes de crack. De um estonteante e imenso apartamento contemporâneo da melhor qualidade, passara a parecer um galpão de fábrica que abrigara meses de uma rave dos anos 1990. Era um cenário que se tornou um tema corrente: o inferno no paraíso. Quando se é viciado, aonde quer que vá, por mais bonito que seja o local, você o destruirá dentro de semanas. Porque o problema está em você.

Amy queria voltar para Camden. Alugou um apartamento de dois quartos em Prowse Place, pertinho de Jeffrey's Place, que ainda era propriedade sua (e pertence hoje a Mitch) e onde Naomi estava morando. Prowse Place ocupava três andares, compactos, mas bonitos: meu quarto ficava no térreo, nos fundos, havia um corredor comprido, escadas que davam para o primeiro andar, sala de estar espaçosa com cozinha americana na parte da frente, de onde se podia ver pela janela os paparazzi na rua. Havia mais paparazzi do que nunca vivendo em automóveis lá na frente. À direita da porta de entrada, havia uma garagem com uma mesa de sinuca. O quarto de Amy, no terceiro andar, dava para a sala de estar, outro mezanino como o de Omega Works, com uma escadaria de vidro, independente, pela qual podia descer. Eu passava a maior parte do tempo no sofá da sala de estar debaixo do quarto de Amy, cheirando cocaína, ouvindo seu isqueiro clicar no cachimbo de crack. Faça o que eu digo, mas não faça o que eu faço: era o quanto valia seu conselho para eu me manter afastado do crack.

Meu uso de cocaína estava descontrolado, cinco gramas por dia. Eu escondia aquilo de todo mundo. Amy não sabia. Nem chegava a ficar alto, apenas me mantinha alerta. Quando se está sempre bebericando vodca pura, chegando a três garrafas por dia, a coca mantém as coisas equilibradas. Eu podia permanecer acordado para ficar de olho em Amy dias a fio. Era tudo normal para mim, carreirinhas de coca, golinhos de álcool, constantemente. Meus bolsos estavam cheios de bala de goma Haribo e de papelotes de cocaína. Comprar cocaína era fácil: eu conhecia um fornecedor que morava a dois minutos e nunca havia menos de três gramas em meu bolso ou menos de uma garrafa de destilado em minha bolsa Fred Perry. Às vezes pensava: estou tão bêbado, como é que ainda posso ficar de pé? Eu ia pegar um copo e errava o caminho, mas nunca me sentia bêbado. Porque estar bêbado era normal. E estar sóbrio era o caos. A sobriedade trazia ataques de pânico.

Eu podia arcar com meus vícios. Mais ou menos naquela época, dei um jeito de assinar um contrato com a Global. Um contrato de publicação de cem mil libras sob o pretexto das asneiras de um compositor boêmio. Eu era conhecido como o melhor amigo de Amy, andava com Mark Ronson, era uma decisão fácil para a Global. Houve *algum* trabalho de composição: escrevi uma canção chamada "Loser" e cada verso era sobre beber sua última gota de vergonha. Toquei a canção "Mr Jack" que havia composto com Amy para Mark Ronson; estávamos agendados para ir ao estúdio e eu não fui capaz. Nenhuma música saiu daquele contrato, mas me ajudou a pagar uma clínica para me desintoxicar.

Certa noite, um de meus primos ligou; ele estava em Camden com uns amigos, e Amy, sendo como era em relação a minha família, convidou todos eles, embora tudo estivesse caótico. Havia quinze, vinte pessoas no apartamento, estava ficando uma bagunça, quando Amy parou a música, colocou uma canção de jazz lenta, e fez o que tinha feito em Omega Works. Pegou-me pela mão, enlaçou-me em seus braços e dançamos lentamente diante de todo mundo. Era o que fazíamos quando o tempo ficava favorável, um momento de calma no meio da loucura, sua maneira de voltar a se conectar comigo. Um momento definitivo para nós para sempre.

Prowse Place foi onde tivemos segurança vinte e quatro horas por dia pela primeira vez: Andrew e Neville, que nós chamávamos "os rapazes", moravam lá. Os seguranças não estavam lá para proteger Amy de outras pessoas, mas para proteger Amy de si mesma. Um deles ficava sentado no banheiro do térreo observando quem entrava e quem saía, como um leão-de-chácara de boate. Atrás do meu quarto havia um pequeno jardim, sem gramado, só pavimento de pedras e um muro. Era o muro por cima do qual drogas seriam jogadas para Amy. Tudo tinha sido combinado. Amy nunca tinha dinheiro físico, não tinha sequer um cartão de débito ou de crédito — não precisava deles, tudo era pago por sua conta. Toda segunda-feira de manhã, Mitch aparecia com dinheiro vivo num envelope pardo para os rapazes, e aquilo pagava por quaisquer despesas extras.

— Me sinto como um pária quando não tenho nenhum dinheiro no bolso. —Amy me dizia. Então eu tirava dinheiro de um caixa automático com meu cartão e lhe dava duzentas libras e ela entrava em êxtase, era uma tremenda novidade para ela.

Isso fazia com que ela se sentisse no controle da situação, normal, quando quase mais nada conseguia aquilo. Outra pessoa fazia transferências para pagar os fornecedores de drogas, ou os fornecedores viriam ao apartamento, apresentados aos rapazes como: amigos de Amy.

Havia uma bateria ao pé das escadas de vidro, porque Amy pedira. O que quer que ela pedisse era providenciado. Ela costumava fazer piada sobre aquilo:

— Se eu pedisse o sangue de uma menininha virgem africana, provavelmente o trariam sem demora.

Um jukebox vintage chegou num grande caminhão, cheio de singles de sete polegadas dos anos 1950 e 1960. Raye disse a ela que era do Blake, mas acho que vinha dos executivos, como esforço para animá-la, embora ela quase não chegasse a mencionar mais Blake. Era tão grande que ela o colocou na garagem ao lado da mesa de sinuca. Sempre que alguém entrava na garagem, ela dizia:

— Viu meu jukebox? Foi meu Blake quem me mandou.

Não comentei nada. Não podia suportar magoá-la.

Ainda tínhamos nossa mentalidade "boêmia", mas Amy estava ficando cada vez mais frustrada, agressiva até, menos propensa a escrever poesia, mais a fim de castigar a bateria a noite inteira, o que aumentava a loucura. Tornou-se uma excelente baterista.

Depois do Grammy, o volume do seu estrelismo aumentara. Todo tabloide no país queria escrever sobre ela todo dia. Todos queriam novas fotos, novas reportagens. Seis paparazzi ficavam permanentemente na frente da casa, na espreita: era só abrir a porta que os flashes espocavam no seu rosto como relâmpagos. O Hawley ainda estava sendo reconstruído depois do incêndio, mas ela sabia que simplesmente não podia mais frequentar os pubs de Camden, como uma pessoa normal, sem que corressem atrás dela. O que também fez aumentar o volume do seu vício.

Amy tornou-se completamente doida, vivendo a mil por hora. Comecei a ver um lado desagradável. Ela nunca foi desagradável comigo, mas às vezes não era tão legal — a maioria dos viciados não é. Era uma viciada antes, mas ainda era adorável. Eu a vira agitada muitas vezes, como quando gritara para quebrar a porta com um pé de cabra, mas estava se tornando a Amy da qual as pessoas tinham medo. Drogada, podia ser intimidante. Não tinha muita paciência com as pessoas que avançavam sobre ela, tratando-a como *a pessoa famosa*. Havia acusações contra ela por coisas que fazia em público. Aquela era a diferença em Amy: estava agredindo, se revoltando — contra o mundo, contra o que a fama havia feito com ela e contra os fãs, que eram subproduto daquela fama.

A certa altura, alguém no Hawley alegou ter sido agredido por ela. No mundo normal, se acontece uma briga entre bêbados ou drogados, ninguém ouve falar. Mas, se os envolvidos estão sob a mira do público, as pessoas vão aos jornais, procuram um advogado. Amy não era violenta, ela nunca bateu em ninguém, mas, se alguém a aborrecia ou se recusava a lhe dar espaço depois que ela pedira educadamente, ela botava a pessoa no seu lugar. Se persistiam, ela os jogava contra a parede:

— Se afastem de mim, porra!

Sentia-se assediada, as pessoas não a largavam, mesmo quando era óbvio que não queria ser abordada, ou estava claramente de mau humor, ou no meio de uma conversa ou até de uma discussão. As pessoas não podiam se conter, era como se achassem que ela lhes pertencia porque era famosa. Chegavam perto dela e diziam:

— Ah, Amy, vejo que não está feliz, mas posso, por favor, tirar uma foto ao seu lado?

Eu ainda acreditava que a Amy verdadeira debaixo de tudo aquilo iria *acordar*. Aquela não era ela. Estava se isolando cada vez mais.

Alex não era mais o cabeleireiro de Amy, desde o fim de Omega Works, era um viciado de crack grave e os executivos da gravadora o removeram. Em Prowse Place, ele tentou voltar ao círculo e incomodava todo mundo ver que Amy não conseguia realmente enxergar o que ele era. Especialmente Chantelle. Ele apareceu uma vez, parou lá fora e ligou para o telefone de Amy. Eu não estava lá aquele dia, mas Chantelle estava. Amy o viu da janela da cozinha e disse:

— Que merda, é Alex.

Mesmo assim, o deixou entrar.

Chantelle não podia aturar mais aquilo. Falou:

— Amy, não deixe esse merda entrar nesta casa, ninguém nunca quis contar para você, mas me deixa contar o que ele fez com Tyler...

Ela contou a Amy toda a merda que eu tivera de engolir da parte dele, inclusive minha desconfiança sobre o crack que encontrara no megahair.

Amy ficou ali escutando e meio que rosnando, dizendo:

— Ele fez isso, mesmo?

Alex ainda estava do lado de fora gritando "Amy!" para a janela. Amy virou-se para Chantelle e disse:

— Aguenta aí, eu preciso fazer uma coisa.

Ela caminhou até a cozinha, agarrou uma garrafa de vodca, abriu casualmente a janela da cozinha e gritou:

— Alex, um segundo, fique aí mesmo!

Amy abriu a janela da cozinha e atirou a garrafa de vodca na cabeça dele. E *acertou*. Espanou as mãos e disse:

— Muito bem, este é o fim dele.

Eu começava a sentir pena dele àquela altura, estava metido numa encrenca braba e Amy também se compadeceu. Ele acabou indo para uma clínica de reabilitação e ela pagou pelo tratamento.

Parecia que Mitch e Raye não conseguiam mais lidar com Amy em pessoa. Foi por isso que os executivos tomaram uma decisão para providenciar outro tipo de funcionários. Foi como o caso de pais ricos que não conseguem controlar seus filhos malcriados e contratam uma babá. Várias babás. No caso de Amy, isso significava não só os rapazes, mas um assistente pessoal. Ela não precisava de um assistente, quase não trabalhava mais, fazia apenas uma apresentação ocasional ou um festival.

Ela se sentia cada vez mais prisioneira. As janelas de Prowse Place eram enevoadas com spray para que os paparazzi não pudessem tirar fotos do interior da casa. Quanto mais seu vício escalonava, mais ela era desencorajada de sair, não tinha *permissão* de sair, para que não a fotografassem alterada em público. Se tentasse sair, os rapazes tinham ordens de ligar para Raye. A fama, para ela, equivalia à total ausência de independência ou da liberdade de ser ela mesma. Ela se ressentia daquilo. Amy tivera a necessidade daquelas coisas desde uma idade tenra, talvez até mais do que a maioria das pessoas. Ela as experimentara durante uns poucos anos e fizera tanto com elas, mas agora havia uma fortaleza erguida ao seu redor e ela era uma adolescente de novo. No lugar do padrasto severo e da mãe puritana, havia estranhos, com instruções a lhe dar sobre o que ela devia e não devia fazer, como uma criança. Ao mesmo tempo, os rapazes estavam se tornando mais membros da família do que seguranças contratados, tratando Amy como se fosse sua irmãzinha menor. Mas talvez não fosse tão surpreendente que Prowse Place estivesse se tornando cada vez mais um playground de crianças.

Havia objetos infantis por todo o apartamento. A Haribo soubera do hábito de Amy de consumir as balas de goma e agora entregava doces grátis diretamente para nós. Tínhamos uma mesinha de plástico especial Haribo com três pernas, que uma criança de 5 anos adoraria. O tampo da mesa era um receptáculo redondo côncavo cheio de doces Haribo, que faria vibrar qualquer viciado em crack. Havia uma máquina de fazer algodão doce que se tornou uma máquina de fazer algodão doce de cocaína, as pessoas aspergindo pó de coca enquanto o engenho batia o açúcar. Eu comia aquilo de montão e não me lembro de ter ficado nem um pouco alto com a mistura — era uma coisa ridícula e exagerada de desenho animado. Ficava ao lado da pia na cozinha perto da janela que dava para os paparazzi. Tínhamos uma máquina de fazer raspadinha, que usávamos para fazer margaritas de cereja quando recebíamos convidados.

Amy se tornara infantil de várias maneiras. Sentava-se no meu colo e chupava o polegar; aquilo nunca tinha acontecido antes. Havia ocasiões em Prowse Place em que eu dava uma escapada — não muito longa, apenas um dia — e quando voltava ela corria para mim como uma criança fazia quando o pai chegava do trabalho, pulava e me enlaçava com as pernas. Como eu poderia não desejar tomar conta dela?

Jodie Harsh estava se tornando uma grande drag queen na área e Amy fez amizade com ela. Lembro-me dela quando garoto, um skinhead com roupa de ginástica, parecia sempre prestes a dar uma cabeçada em você. Amy observava Jodi remover sua maquiagem e transformar-se de novo num menino e ficava fascinada.

— Você é tão boa no traço de maquiagem, *como pode?!*

Amy e Jodi caminhavam na frente de casa, Jodie no seu esplendor de drag queen, Amy com a maior de suas colmeias, carregando bandejas com pequenas xícaras de chá sobre pires para os paparazzi. Amy preparava para eles sanduíches de bacon de manhã e ralhava:

— Vocês não têm coisa melhor para fazer? Não têm casa?! Vão pra casa ver sua mulher!

Era tudo brincadeira boba, alguma coisa para fazer. Ela abria a porta às duas da manhã com um lenço de cabeça; os tabloides diziam que se parecia com Hilda Ogden de *Coronation Street*. Ou abria a porta com um aspirador de pó na mão, com sua camisola cor de rosa, ou botava os sacos de lixo para fora. Era assim o tempo todo, havia sempre asneira rolando. Colocava uma tigela de frutas artificiais na sua colmeia, para rir um pouco. Os paparazzi a *amavam*; era uma dádiva dos céus.

Dionne apareceu certa tarde e Amy criou um jogo com ela, junto aos paparazzi. Amy queria sair, ir ao Hawley, disse que nós três deveríamos ir. Fez Dionne calçar um par de tênis de corrida. Ela calçava suas sapatilhas e nós todos nos postamos na porta da frente. Dionne ficou tão excitada; todos os paparazzi estavam lá fora.

Amy abriu a porta, as câmeras começaram a espocar seus flashes e ela bateu a porta de novo.

— Dionne, vamos ter de correr.

Dionne estava de olhos arregalados.

— Vamos nessa!

Amy olhou para mim, olhou para Dionne.

— Prontos?

Abriu a porta e lá fomos nós, *pernas pra que te quero*. Fui atingido no lado da cabeça por uma das câmeras, fiquei um pouco para trás. Amy segurava a mão de Dionne, as duas dispararam ao longo da rua por uns bons cinco, dez minutos, os paparazzi na caça, e Dionne absolutamente adorou.

Aquelas bobagens nos mantinham sãos. O vício do crack não é divertido. Os pulmões de Amy foram tão afetados que ela teve enfisema. Ainda tinha impetigo e a pele ruim a incomodava, mas ela costumava dizer:

— Não se preocupe, você não vai pegar nada.

Como se eu me importasse. Eu sugava cocaína do nariz de Amy. Ela raramente cheirava coca, por que o faria quando estava fumando crack? Mas se cheirava e nós íamos sair, ou estávamos voltando, com os paparazzi sempre plantados diante da porta, e eu via uma meleca de cocaína pendendo do seu nariz, eu dizia:

— Limpe o nariz.

Ela tentava e, se a bolota ainda estava lá três segundos antes de chegarmos ao apartamento, eu simplesmente a sugava da sua narina!

— Obrigado, T!

* * *

Depois de uma sucessão de assistentes que a desagradaram, Amy finalmente encontrou Jevan, que era legal. Ele já conhecia Amy antes e levava tudo com um pé atrás. Mitch ficou puto que Amy pagasse por ele, embora contratar um assistente nem fosse ideia dela.

— O que ele *faz*? — Mitch ironizava. — Aparece de vez em quando para embolsar trinta mil libras por ano?

Uma de suas tarefas era alimentar os gatos. Amy queria gatos, então os gatos vieram, oito ou mais. Uma das caixas de areia ficava na sala de estar, mas o quarto de que mais gostavam era o meu, por isso o resto das caixas foi colocado lá. Sempre odiei gatos. Passei muitos dias deitado na cama com abstinência de álcool, doente como um cão, suando, tremendo, e aquele cheiro de cocô de gato por toda parte. De vez em quando eu colocava a cabeça para fora da cama e vomitava nas bandejas de merda transbordantes, alucinando com o coro de miaus dos gatos ao meu redor. Aquele quarto era o inferno na terra.

Acordei cedo uma manhã e Amy e Pete Doherty estavam cantando para mim e brincando com filhotes de camundongos. Tudo o que eu cheirava era merda de gato. E vodca. Pete postou uns vídeos online e eles saíram por toda parte nos tabloides, os dois completamente chapados e uma caixa de filhotes de camundongos, falando asneiras. Disseram que um deles se parecia com o cara da banda Razorlight e Amy estava usando outro deles para mandar mensagens para Blake. Não era a Amy que eu conhecia.

Eu me afastava dela naqueles momentos em que se mostrava doida de pedra. Eu bebia no meu quarto só para apagar por dez horas. Ficava deitado naquela cama, enjoado, em abstinência, pensando que porra de vida eu estava vivendo. Amy via o que estava acontecendo e cuidava de mim de novo. Ficava na extremidade de minha cama tocando violão e cantando como costumava fazer quando éramos mais novos — "I'm Only Sleeping" dos Beatles e "So Far Away" de Carole King. Ela sabia que aquilo me consolava como Valium. Às vezes, depois de passarmos dias acordados, só eu e ela, todos os aleatórios debandados tendo partido para seus cantos, o melhor momento para mim era quando Amy finalmente adormecia. Eu me deitava do lado de minha garota e me sentia calmo. Seu comportamento era como 50 bilhões de fogos de artifício explodindo ao mesmo tempo, mas quando ela dormia parecia a Amy que eu conhecia. Simplesmente a Amy de novo. Como quando um pai diz que sua filha é um pesadelo e discursa sobre como ela é bonita quando dorme.

***

    Uma garota chamada Neon tornou-se parte de nossa loucura, uma artista que tinha contrato assinado com a gravadora de Mike Skinner, The Beats. Era dura, tatuada, muito bacana e não aceitava nenhuma merda de Amy. Ficaram amigas e por algum tempo namoraram mesmo, embora eu não ache que Amy fosse bissexual. Essas coisas só acontecem. Eu estava exausto, tumultuado e Neon era refrescante, jovem, tinha acabado de entrar em cena, não sofrera nenhum trauma, não era insana ou viciada e queria ir a festas. Eu definitivamente não queria. Amy saía com Neon e aquilo era mais saudável do que Amy sentada sozinha no andar de cima pitando seu cachimbo de crack feito de garrafa de Lucozade. Eu ficava em casa e tinha um pouco de paz. Neon tinha uma grande amiga chamada Violetta e ela e Amy se deram maravilhosamente bem; ela só tinha 19 anos, nada a ver com a indústria musical e ainda morava com a família. Era destemida e também não topava nenhuma merda de Amy, não se impressionava com sua fama ou nada daquilo. Acho que Amy via nela a liberdade que ela mesma não possuía. A presença destas duas ao seu redor fazia bem a Amy: nada mais queriam dela além de amizade.

    Blake tinha se eclipsado, desaparecido. Ela havia deixado totalmente de falar nele, estava tão atolada, nada mais existia além do seu vício.

    Foi hospitalizada muitas vezes. Houve um incidente em 2007. Os tabloides exageraram sua importância, dizendo que tinha sofrido uma overdose de uma lista de drogas — ketamina, ecstasy, crack. Não chegou nem a ser um incidente memorável, essas coisas aconteciam. Mas foi só em Prowse Place que comecei a ser assolado pelo Pavor. De que o pior fosse realmente acontecer.

    Ela sempre fumava crack quando estava no andar de cima, no quarto. Eu ficava no sofá e gritava às vezes para o mezanino.

— Tudo bem, Amy?

— Tudo.

    Eu a ouvia tossir — o enfisema — e ela falava enquanto prendia a fumaça, tossia de novo e deixava sair aos pouquinhos. Aquilo me deixava louco. Eu estava no sofá quando ouvi algo parecido com uma sufocação. Uma sufocação de verdade. Então sons de arroto e vômito.

— Ame? Tudo bem?

Nada. Eu gritei.

— Ame! Amy, tudo bem?

Nada. *Porra.* Corri para cima, entrei no seu quarto, ela estava deitada sobre as costas, bem achatada. Havia vômito dos dois lados do seu rosto. Pulei sobre a cama, sacudindo-a, gritando seu nome. Não estava respirando.

Fiquei maluco. Enfiei os dedos na sua boca, no fundo da garganta, nada aconteceu. Ergui seu torso.

— Acorde, acorde, *acorde!*

Ainda não estava respirando. Coloquei-me por trás dela, apliquei a manobra Heimlich. Continuei a gritar seu nome, soluçando, puxando-a para cima, tentando fazer com que seu corpo rejeitasse o que quer que estivesse entalado, sacudindo-a sobre a cama, gritando.

— Não!

Eu estava desesperado, enfiei os punhos no seu estômago, quase num soco sobre o estômago, sem resultado, chorando, gritando. Pensei: "Pronto, ela morreu."

Continuei a sacudi-la e de repente um ruído, "ack-ack-ack!" e uma aspiração enorme, "huuuuuuuh!". Ela respirava de novo, *respirava*, com os olhos abertos. Fiquei atônito, em choque, e deitei-a de novo na cama. Ela me encarou.

— Tyler, está tudo bem? Parece que viu um fantasma.

Sentei na cama ao lado dela, trêmulo, agarrei uma garrafa de JD, tomei um trago e acendi um cigarro. Não podia acreditar no que havia acontecido. Eu acabara de salvar sua vida. Ela não tinha a menor ideia do que ocorrera e precisava saber.

— Você quase morreu!

— Puxa, que pena que não morri.

Não falava sério, estava bancando a durona. Fiquei zangado, perturbado, levantei-me, saí do quarto, desci as escadas até a metade e parei bruscamente, sentei e comecei a soluçar. Amy me ouviu, levantou-se e veio até mim.

— Tyler, qual é o problema?

— Você quase morreu, você *quase morreu*, não percebe o que está acontecendo, vai ter de parar com esta merda de droga, isso não pode continuar, segurei você, você não estava respirando...

Eu normalmente não me soltava daquele jeito, sempre me segurava. Continuei insistindo.

— Sei que não quer ir para uma clínica, mas pode pelo menos procurar um terapeuta, fazer alguma coisa? Tem de me *prometer*.

Ela me abraçou forte.

— T, eu não vou a lugar nenhum.

Eu ouvia aquilo o tempo todo. Mas então ela me prometeu.

— Vou fazer alguma coisa, vou, sim, eu *prometo*. Eu vou, eu vou, eu vou, eu vou.

Não falei a ninguém sobre aquilo, estava assustado demais. No dia seguinte, simplesmente fui levando. Amy foi levando. Pensei, como sempre fazia: "Isso vai acabar, vamos simplesmente sair dessa e *vai acabar*."

* * *

Durante meses houve oportunidades de trabalho em sua agenda profissional, mas eram sempre canceladas. A maioria das coisas não tinha importância. Até que apareceu uma proposta que *tinha* importância. Era o tema do James Bond. Para o filme de 2008, *Quantum of Solace*, o segundo estrelado por Daniel Craig. Amy se interessou pelo projeto e Mark Ronson seria o produtor. *Naturalmente*, eles a escolheram, naquele ano ela era a maior artista do mundo. Meu eu de 14 anos na escola Sylvia Young, meu eu de 17 anos que implorou a Amy para fazer sua primeira fita demo, entrou em êxtase. Tem que acontecer, não vou deixar que *não* aconteça, *preciso* ajudar Amy a fazer esta porra acontecer.

Eu estava decidido. "Vai ser incrível."

24

O estúdio residencial Doghouse, a quatro quilômetros de Henley, às margens do rio Tâmisa, é como um cenário da série de TV *Os assassinatos de Midsomer*: plantado no verdejante campo inglês, bucólico, pitoresco, calmo. Era abril de 2008 e nos próximos dois meses, exceto por uma ou outra semana de volta em Prowse Place, aquele seria o lar de Amy para compor o tema de Bond com sua alma gêmea musical do *Back to Black*. Mark Ronson conhecia a parada: ele amava Amy, aceitava que ela fosse viciada em drogas, aceitava que os fornecedores dessem as caras naquele paraíso tranquilo. A condição era que a certa altura, às três da manhã ou quando ela se levantasse de tarde, apesar de qualquer estupidez que tivesse feito, se ela conseguisse comparecer com uma hora de criatividade e um tema de Bond realmente acontecesse, ele era capaz de aturar tudo.

O complexo do estúdio tinha uma grande casa principal aonde nunca íamos e um pequeno chalé onde todos nós morávamos: Amy, Mark, eu e visitantes eventuais. Havia uma cozinha e um saguão no andar de baixo, com uma escada em espiral no canto que levava a um andar de quartos. Olhei para aquela escada e pensei: "Por que temos sempre as escadas mais precárias em todos os lugares que vamos?" Elas já eram precárias para pessoas sóbrias e equilibradas! Do lado de fora havia uma grande mesa de madeira em estilo de pub, um belo gramado e bicicletas para usar a toda hora, o rio logo adiante do jardim defronte ao chalé. Era final da primavera, mas parecia já verão e sair no começo da manhã ou assistir ao pôr-do-sol era felicidade pura. Havia também paparazzi do outro lado do rio escondidos entre os arbustos.

Era um esconderijo de astros do rock e por isso o proprietário, Barrie Barlow, o baterista do Jethro Tull, fazia todo o possível para manter os paparazzi afastados: havia telas de vídeo azuis colocadas como barreiras por todo o terreno — peças enormes de plástico que pendiam de mastros prateados de cinco metros de altura, dez metros de largura. Não havia uma cerca viva, um muro, um portão ou qualquer espaço aberto que não fosse bloqueado, impedindo a visão do que se passava do lado de dentro. Uma perfeita fortaleza para bloquear a mídia. Eu não vi, mas ficamos sabendo, nas semanas seguintes, que Barlow lançou jatos d'água com a mangueira do jardim sobre paparazzi escondidos entre os arbustos.

Levando em conta o que tinha acontecido em Prowse Place, a quase overdose quando Amy se sufocou no seu vômito e pensei que ela estivesse morta, eu aumentei minha dedicação. Seus vícios ainda estavam em escalada, ela vivia num caos permanente e era a ocasião na vida de Amy em que eu não teria ficado *de modo algum* surpreso se ela morresse. A qualquer momento. Então minha missão era simples: mantê-la viva. Aquele era meu mantra. Deitar do seu lado na cama toda noite, acordado, me certificando de que ela respirava, era mais importante do que nunca.

Mark Ronson seguia em frente com a música. Ficava no estúdio tentando criar batidas, atmosferas, tentando encorajar Amy. Não estava funcionando. Eu me sentava à mesa de mixagem com Mark e Amy estava tão chapada de heroína, revirando os olhos para trás, que não podia sequer segurar a guitarra e acabava dormindo no sofá. O rosto de Mark dizia tudo: o que querem que eu faça com isso?

Às vezes fazíamos todos uma *jam session*: eu, Amy, Ronson e nossa amiga Neon, que veio nos visitar. Mark até falou para mim, desesperado:

— Amy não está a fim de nada, ela não quer compor... que tal se todos nós escrevermos algo juntos, ou talvez ela queira escrever algo com você?

Eu simplesmente ri.

— Não posso escrever o tema do Bond, não é isso o que está procurando!

Ele disse que aquilo não importava, se uma fita saísse deste estúdio com música composta por Amy e um vocal seu, o que quer que fosse, seria usada.

Fornecedores de droga apareceram. Fiquei puto que alguém tivesse organizado aquilo. Um deles, que eu já vira muitas vezes antes, apareceu num carro de 150 mil libras, vestido com roupas caras, parecendo um homem de negócios, obviamente próspero. Enquanto isso, Amy estava um horror. Sua automutilação também entrara em escalada; eu podia ver as marcas recentes. Caminhava até o rio toda vez que Amy se cortava de novo para pensar e conversar comigo mesmo: "Não tenha um colapso, fume um cigarro, se recomponha, tome um gole de Jack Daniels, mantenha Amy viva." Então eu via uma cabecinha se erguer do outro lado dos arbustos. *Clic! Clic! Clic!*

Eu tentava criar certa normalidade, como sempre. De manhã cedo eu partia numa das bicicletas até a cidade mais próxima, a quinze minutos de distância, e comprava todo o café da manhã, providenciando para que todo mundo se alimentasse. Voltava com duas sacolas de compras gigantescas penduradas em cada guidom, todo o café da manhã e todo o álcool para todo mundo, duas garrafa de vodca de cada lado tentando equilibrar, mas vivia caindo.

Amy tinha um novo assistente pessoal provisório àquela altura, outro Alex, Alex Haines. A direção da gravadora o contratou, mas ele era muito inexperiente para estar num mundo daqueles. Era um carinha adorável, vindo do campo, que nunca tinha tomado drogas na vida, sequer bebia. Tive uma pena imensa dele; chegou com os olhos brilhando, inocente, teve um casinho com Amy e nosso mundo o triturou e cuspiu fora. Acabou indo morar com Alex Foden, o pobre coitado, e vendeu uma reportagem sobre Amy. Aquele não era mais o carinha adorável que conhecemos.

Um dia Amy anunciou:

— Peter está chegando.

Pete Doherty apareceu com Mick dos Babyshambles. O clima *Trainspotting* estava de volta. Eu resolvi cair fora, fui para outro lugar no complexo.

Na manhã seguinte eu me levantei, preparei uma xícara de chá, batizei-a com um pouco de JD, fui até a mesa do jardim para fumar um cigarro e criar minha normalidade matutina. Mick apareceu e sentou-se. Nunca havia estado com ele antes. Estava aterrorizante, parecia *morto*. Pensei "Não quero nem falar com você, está totalmente chapado" e fui ao banheiro lavar o rosto. Eu estava de shorts, camiseta e descalço e pisei numa agulha de heroína. Ela furou minha pele. Eu a chutei, caminhei até o corredor, limpando meu pé, procurando um esparadrapo. Encontrei Mark e contei a ele.

— Isso é ridículo, acabei de pisar numa agulha de heroína, o chão do banheiro está cheio delas, posso pegar AIDS, hepatite, todo tipo de doença.

Mark disse:

— Cara, pra mim chega.

Mark é um profissional. Vinha tentando fazer o seu trabalho em meio a todas essas pessoas aleatórias criando confusão. Tinha sido paciente; houve ocasiões em que não queria estar por perto de nenhum de nós, ia almoçar sozinho no pub local, aguardando. Mas ele ia embora.

— Não vai rolar — falou para mim, partindo com suas malas. — Cuide dela, T.

O tema do Bond foi cancelado, mas a Island convocou Salaam Remi, ainda acreditando que alguma música pudesse sair dali. Ele estava no estúdio com uma banda, pesquisando ideias. Salaam é um sujeito maravilhoso, outro adulto responsável, e as mesmas coisas estavam acontecendo de novo: eu, Amy, Neon e Salaam todos tocando e Amy viajando na heroína. Ela mudava para o crack a fim de despertar um pouco, ficava tão dispersiva que subia e descia as escadas sem motivo algum e acabava desaparecendo. Foram dias assim.

Eu estava no jardim quando vi Neon um dia, cambaleando bêbada às margens do rio, tentando embarcar numa canoa de madeira. Corri pelo gramado e a vi cair na água. Não foi por muito tempo, mas devia ter engolido muita água e acabou deitada na grama. Pensei: "Será que se foi?!" Coloquei minha boca na sua, soprei e jorrou água através de seus lábios. Ela ergueu o olhar para mim, sorrindo e gargalhando. Fiquei chocado. "De novo, não." A vida corria assim, agora.

A automutilação de Amy se tornara tão grave que ela precisava de atenção médica adequada. Telefonei para Raye:

— Precisamos de um médico, a coisa está braba aqui, ela está se retalhando.

Raye não apareceu em Henley depois dos primeiros dias, então ele tomou providências para que uma enfermeira psiquiátrica viesse morar na casa principal, na qual jamais havíamos entrado. Toda manhã a enfermeira vinha até a mesa de madeira de nosso chalé, e eu e Neon estávamos sentados lá — Amy ainda não tinha se levantado.

— Bom dia, pessoal — dizia, como se fôssemos fazer terapia de grupo.

Ela nos interrogava diariamente, sempre que pudesse, sobre nossos sentimentos e nosso estado mental, parando uma frase no meio para escrever a análise no seu caderno de anotações. Fazia sentido mandar uma enfermeira psiquiátrica, mas nós realmente precisávamos de uma *enfermeira*, alguém para nos ressuscitar caso fosse necessário, para enfaixar os machucados das pessoas — uma enfermeira de primeiros socorros, não uma terapeuta. Ela ficou impressionada com o caos e nos disse sem rodeios:

— Vocês todos precisam de ajuda psiquiátrica séria. Vocês todos precisam de tratamento de desintoxicação. Por que ninguém interveio ainda? Estou chocada que deixem tal comportamento continuar!

No meio de toda aquela loucura, Amy conseguia ser engraçada. Tinha um talento para sotaques e no meio da noite esgueirava-se de salto alto por entre as camas, fingindo ser uma enfermeira polonesa, vestindo um avental da cozinha, distribuindo Valium para todo mundo.

— Querida! É hora de *dormir*, querida, precisa tomar sua medicação...

Eu mijava nas calças de tanto rir. E guardava meu Valium debaixo do travesseiro, para ficar acordado.

* * *

Outra bela manhã na mesa de madeira, xícara de chá com JD, cigarro, meu momento diário de sanidade. Subitamente, ouvi ruídos de coisas quebrando entremeados de uivos e gritos vindos do andar superior, algo cortante e aterrador. Corri até a sala de estar e vi Amy descer cambaleante a escada em espiral, gritando, escorando-se nas laterais. Vestia um colete azul claro e estava coberta, dos ombros até os pulsos, nos dois braços, de sangue. *Saturada* de sangue. Havia cortes no peito, sangue por todo o colete. Eu não conseguia nem falar, pensei "Jesus Cristo, que porra aconteceu?!" e subi me arrastando até a metade das escadas, onde ela havia caído. Já tinha visto Amy se cortar muitas vezes, mas nunca uma sangria como aquela, era como se tivesse cortado os pulsos. Estava chapada, cheia de heroína, mal podia ficar de pé. Carreguei-a como pude escada abaixo até o corredor.

— Está tudo bem, querida, está tudo bem, querida...

Neon estava plantada ali apenas olhando, então gritei para ela:

— Vá pegar as ataduras e as pomadas!

Estávamos sentados no chão do corredor, Amy em meus braços, e eu a limpava com lenços de papel, procurando os cortes mais sérios. Neon me ajudava, umedecendo panos de prato na cozinha, enquanto Amy uivava e chorava. Era óbvio: ela tivera um surto no andar de cima, quebrara todo o banheiro, destruíra o espelho em mil cacos debatendo-se por toda parte. Como num frenesi. Daquela vez, ela se assustou mesmo. Quando desceu as escadas, era como um filme de terror da vida real, um filme de esquartejador, em cores vivas. Foi o *horror*.

Eu a enfaixei toda, acalmei, ajudei a chegar até a cozinha e disse que íamos tomar uma xícara de chá. Eu não queria chamar a enfermeira psiquiátrica. Não queria que ninguém de fora visse Amy daquele jeito. Não estava mais sangrando. Sentei-me sobre a bancada da cozinha e ela estava de pé junto à chaleira. Eu estava calmo, mas era o momento de contar para ela.

— Amy, isto não pode seguir assim, você não pode continuar fazendo isso consigo mesma, você vai acabar se machucando para *valer*. O que você estava pensando?

Ela parecia estar entendendo tudo, simplesmente ouvindo, concordava com o que eu estava dizendo e não falou uma palavra. Subitamente pegou a chaleira, ergueu o braço e a jogou sobre mim, acertou no lado do meu corpo. *Doeu*. Fiquei chocado. Amy nunca havia me machucado, nunca fizera nada daquilo contra mim antes.

— Por que jogou uma chaleira em cima de mim? Esta porra doeu!

Algo dentro dela fez *bang!*, como quando ela quebrou os guarda-roupas em Omega Works. Começou a gritar na minha cara.

— Doeu? *Doeu?!* O que você sabe sobre dor? O que você sabe sobre sofrimento? O que qualquer pessoa sabe sobre sofrimento?! Eu estou sofrendo como o cão! Estou morrendo de tanta dor! Meu *Blakey...*

Ela ainda estava gritando quando passou o braço por um monte de pratos e travessas em cima de bancada, que se amontoaram e caíram no chão. Ela partiu para a gaveta dos talheres, abriu — tudo estava acontecendo tão rapidamente —, puxou a maior faca de cozinha que pôde ver e estendeu o outro braço como se fosse apunhalar seu pulso — não havia dúvida.

— Amy! Não!

Pulei da bancada, chutei a faca para longe de sua mão e, com um golpe de rugby, a derrubei no chão. Ela me dava socos e chutes, mas eu não podia soltá-la, ia se matar bem diante de mim: *eu não podia soltá-la*. Ela se debatia sem parar — considerando tudo, ainda tinha muita força. Naquele minúsculo espaço de cozinha, com toda aquela loucura e horror, colado a alguém que havia completamente perdido a razão, coberta por ataduras e sangue, eu estava aterrorizado. Estendi o braço, agarrei a faca no chão e a joguei pela porta tão longe quanto podia. Ainda estava convencido de que ela ia se apunhalar ou *me* apunhalar, por isso eu a agarrei de novo, a *envolvi* em meus braços. Ela voltou a se debater, lutamos no chão e finalmente a luta começou a se esvair do seu corpo, eu podia sentir, ela estava caindo de novo em meus braços. Parou de gritar e começou a chorar, chorar e *chorar*. Finalmente se entregou, soluçando sem parar no meu ombro.

— Me desculpa, Tyler, por favor, me desculpa, Tyler, me *desculpa...*

Então ela disse as palavras que eu nunca antes a ouvira dizer. *Nunca.*

— Me ajude. Me ajude, Tyler. Não sei o que fazer. Me ajude. Me ajude. *Me ajude.*

Eu soluçava também, afrouxando o meu abraço, sabendo que o demônio tinha ido embora e ela voltara a ser Amy. Olhei para ela e a vi vulnerável e humana, como sempre fora. Como era quando compunha sua música no chão da cozinha. Pensei: "Aqui está você. *Você.* Você ainda é aquela garotinha, minha irmãzinha, minha Amy, você ainda está aqui e precisa de ajuda e vamos conseguir ajuda para você. Você finalmente se deu conta. Desistiu de toda a sua bravata."

Eu sabia que a causa daquilo não era Blake, era algo muito maior. Blake obviamente não era o problema. Blake estar por perto era o problema e depois Blake *não* estar por perto era o problema... e daí? Ela sabia bem daquilo. Havia uma garrafa de JD no canto, eu podia alcançá-la, então me alcei por cima de Amy, peguei a garrafa e tomei um trago. Meus batimentos cardíacos se acalmaram, eu a abracei, beijei-a no alto da cabeça.

— Shh, Shhh, está tudo bem, querida, está tudo bem.

Vê-la alquebrada daquela maneira era a morte para mim, lágrimas rolavam por meu rosto. Fiquei simplesmente sentado ali, pensando: "Como foi que ficamos tão fodidos assim? O que é que posso fazer? Como vou poder acabar com isso?" Parecia que tínhamos chegado a um beco sem saída, os dois.

Neon estava de pé no corredor e eu a mandei chamar a enfermeira. Dei um Valium a Amy, pedi à enfermeira que ficasse com ela, fui ao lado de fora e telefonei para Raye. Expliquei a ele o que tinha acontecido e disse que isso não podia continuar.

— Não consigo segurar mais a barra, toda essa merda tem de acabar. Você precisa ligar para Mitch e contar à família dela.

— Não se preocupe, nós vamos até aí.

A seriedade da situação foi compreendida. Voltei para dentro de casa; Amy dormia, a enfermeira ao lado dela. Pensei: "Amy está bem, a enfermeira está bem, Neon está bem." Agarrei a garrafa de JD, caminhei até o jardim e deitei na grama. Eu queria sair de tudo aquilo. Bebi um gole atrás do outro e desmaiei.

Quando voltei a mim, ainda no gramado, o sol se punha e todo mundo estava lá. Mitch. Janis. Raye. Tia Mel. Eu ficara deitado o dia inteiro com o peito nu e havia sido estraçalhado, picadas de mosquitos por todo o corpo. Ninguém viera me acordar. A maior parte das vezes que via Janis, sua esclerose múltipla estava mal e dava pra sentir que ela nunca sabia exatamente o que estava acontecendo com Amy, nem tinha condições de fazer algo a respeito. Aproximei-me, dei-lhe um beijo e ela falou bobagens normais. Era uma pessoa bonita à sua maneira, mas não estava bem de saúde. Fui até atrás de uns arbustos e vomitei violentamente, do álcool e do choque.

Havia uma sensação real de *finalidade*. Era surreal — aquele fim de tarde ensolarado de maio, toda a família lá, sentada em banquinhos ao redor do jardim. Tia Mel tinha trazido toda uma provisão de rosbife e comida judaica. Amy estava de pé e se amparava em Raye, seus braços magros e cobertos de ataduras enlaçados àquele homem enorme — era um terço do tamanho dele e àquela altura pesava 38 quilos —, chorando no seu ombro. Vi que Raye estava chorando também.

Pensei nela naquele banheiro. Eu a conheço e sei o que devia estar pensando. "O que está errado? O que está errado? Eu. *Eu*. Sou *eu* que estou errada. Minha personalidade, meu corpo, meu cérebro, sou eu o problema. Portanto, se o problema está em mim, vou destruir a mim mesma. Vou me cortar. Vou acabar comigo."

Não deixei Henley com Amy, porque ela estava com a família agora. Parti num carro sozinho, pegando a A40 até a casa de minha mãe, não de volta a Prowse Place. Quando telefonei a minha mãe para contar o que tinha acontecido, eu me senti aliviado. *Aliviado*. Eu andara tão preocupado e não estava mais preocupado. Amy precisava de ajuda e finalmente pedira ajuda. Eu não podia fazer o que era preciso agora. Não era médico, nem enfermeiro, nem psiquiatra. Eu não podia salvar Amy. Não sozinho.

Naquele carro que percorria a A40, eu sabia que era hora de ajudar a mim mesmo, também. Eu ficava pensando: "Acabou, acabou, acabou."

E *havia* acabado.

25

Amy trombou contra o muro a mil por hora. Com um vício sério, você acaba trombando contra o muro. Porque, se houver mais um quilômetro nesta estrada maluca em que você está correndo a 250 por hora, você vai fundo nele. Ela foi para o hospital, não uma clínica de reabilitação, mas um lugar como o Capio Nightingale Hospital, onde ficara para os Grammys. Não foi ela quem tomou a decisão, estava muito perdida para decidir qualquer coisa. Sabia apenas que precisava de ajuda, tinha finalmente pedido ajuda e acabou sendo levada sem maiores discussões.

No verão de 2008, ela entraria e sairia do hospital, trabalhando, finalmente, suas dependências do crack e da heroína, física, psicológica e emocionalmente. O fato de Amy passar pelo processo de largar as drogas aconteceu porque não havia nenhum outro lugar aonde ela pudesse ir: depois de Henley, ela simplesmente sabia que a coisa tinha acabado. *Mas.* Embora seus problemas fossem severos, embora ela ainda estivesse obviamente vulnerável, seus empresários seguiram em frente com a apresentação no Pyramid Stage do Festival de Glastonbury 2008, poucas semanas depois. Foi o espetáculo em que Amy se misturou com a multidão, um cara agarrou seus seios, as pessoas a vaiaram quando mencionou Blake e ela deu uma cotovelada no rosto de um fã e distribuiu socos entre a plateia. As manchetes correram o mundo. Sei que eu estava lá, mas não guardei a menor lembrança de ter estado em Glastonbury naquele ano, porque eu mesmo estava trombando contra o muro.

***

Depois de Henley, voltei para a casa de minha mãe. Ela estava na Espanha, então fiquei sozinho por três semanas inteiras. Liguei para os rapazes, que me disseram que Amy estava no hospital, então, já que eu não cuidava mais dela e ninguém cuidava de mim, mergulhei de cabeça. Bebi até ficar inconsciente. Eu acordava abraçado a uma garrafa de vodca, começava a beber de novo, tomava alguns tabletes. Eu não vivia apenas um problema de álcool e drogas. Eu estava tendo um processo maciço de colapso nervoso. Eu sabia que acabaria me safando, mas não precisava parar de beber hoje. Mas eu *iria* parar, em breve.

Toda manhã, quando voltava do mercado com uma garrafa de vodca ou duas — eu não estava estocando, é claro, porque ia parar —, eu enchia um copo de vodca pura e enfiava um canudinho nele, tremendo tanto que não conseguia manter o copo parado. Então comia qualquer merda congelada que tivesse comprado e bebia até ficar inconsciente. Estar consciente era insuportável.

Então me dei conta: *eu vou morrer*. Não era aquele pensamento que me preocupava, era o fato de que minha mãe me encontraria morto. Telefonei para Nick, ele estava num jogo de futebol do Arsenal, eu podia ouvir a multidão.

— Nick, eu preciso ir para a reabilitação.

Era a primeira vez que eu dizia aquilo em alto e bom som. Ele estava calmo.

— Tá bom, cara, não entre em pânico, vou providenciar, deixe a porta aberta.

Voltei a dormir.

Ele encontrou um programa de reabilitação em Hastings para viciados em drogas e álcool, e uma mulher chamada Ally e um cara chamado Sayed apareceram. Entrei no carro e viajamos três horas até Hastings, depois de eu ter parado para comprar uma garrafa de vodca. Eu não estava chateado por ir para a reabilitação, achava que estava fazendo a coisa certa. Estava a caminho de algum spa agradável no campo, me dariam um montão de drogas, os comprimidos mais possantes para dormir e em duas semanas eu estaria ótimo. Era o que eu sabia do mundo de Amy. Eu me sentia *bem*, tocava música no carro, eu brincava com Ally e Sayed — contaram que também foram viciados —, me sentindo sociável depois de ter ficado isolado tanto tempo, fumando pela janela, engolindo pílulas de Valium. Bebi a garrafa inteira de vodca e desmaiei.

Do lado de fora da clínica levaram duas horas para me acordar. O prédio parecia uma mansão senhorial e por dentro era como um albergue. Definitivamente não era um spa adorável. Ally disse que precisava verificar minhas malas e fui tomado pelo pânico. Será que iriam confiscar meu Valium? Meus comprimidos saturados de dopamina? Era pior ainda: aquela clínica específica tem uma crença arraigada de não usar nenhum tipo de remédio — nada de pílulas soníferas, nada de medicamentos para a síndrome de abstinência, sequer paracetamol para uma dor de cabeça. A avaliação de um médico decide se você é capaz de aguentar aquele nível de abstinência a seco. Oferecem-lhe uma massagem para induzir o sono. Dão vitaminas e Calmag, cálcio e magnésio, o que faz você se borrar todo. Fiquei aterrorizado. E então desmaiei.

Por volta do meio-dia seguinte, fui levado para os jardins. Mal podia ficar de pé e Ally e Sayed caminharam comigo como se eu fosse um inválido. Os três dias seguintes foram nada mais do que suores, vômitos, tremedeiras, alucinações visuais e auditivas: um inferno absoluto. Eu não sabia onde estava. Fiquei agitado, comecei a atirar coisas, gritar com as pessoas, dar socos nas pessoas, chorar convulsivamente. Agredi Sayed a socos várias vezes e ele aceitou, como parte do trabalho. Eu estava me desintoxicando não só da bebida, mas de Valium, benzoatos, codeína, tudo. Eu gritava:

— Me tirem daqui, não quero ficar acordado! — E eles me agarravam até que eu caísse de joelhos.

Joguei a mesa de massagem contra a parede e ela bateu em Sayed, parti de novo aos socos contra ele, caí em lágrimas e ele disse:

— Tyler, desista, você vai ficar bem, sei como é duro, eu também passei por isto, meu amigo.

Eu chorava sem parar. Ele dizia:

— Você tem um montão de problemas, se eu tivesse de lhe dar uma nota de um a dez como viciado, daria nove.

Eu falei:

— Pelo menos não é dez.

Ele disse:

— Dez é a morte. Mas não se preocupe, estou aqui com você.

Sayed tornou-se meu amigo. Tomamos chá de menta debaixo das estrelas, feito com menta que ele mesmo tinha cultivado no jardim. Cedi e aceitei a situação. Mas não por muito tempo. Dias depois, eu surtei de novo, querendo sair. Mandaram uma mulher franco-canadense; ela era fina, nunca fora viciada e foi uma bruxa comigo. Disse:

— Ah, é? Você acha que está pronto para sair? É o que *acha*?

Ela estava tentando me aniquilar psicologicamente e eu sabia, por isso não iria funcionar. Surtei completamente. Quebrei mesas, cadeiras, joguei copos nas paredes, arrebentei tudo na sala exceto as janelas. Ela simplesmente saiu e Sayed voltou. Nick estava no telefone, e Sayed o passou para mim.

— O que você está fazendo, cara? Você não pode ir embora!

— Nick, não vou conseguir, é difícil para caralho!

— Mas você não tem escolha, Tyler, você precisa de tratamento!

— Mas eu já me sinto um pouco melhor, de verdade; você sabe que ainda estou sob contrato, eu devia estar no estúdio.

Eu ainda era contratado da Global, ainda estava vivendo daquele contrato, e tudo o que andara fazendo era beber até apagar.

— Eu posso voltar à minha vida, posso dar uma virada.

— Você só quer beber! Não consegue enxergar isso?!

— Não! Depois do que passei na última semana? Não quero beber nunca mais! Só quero ir para *casa*. Não posso ficar aqui, é difícil demais, difícil demais para mim.

Eu acreditava absolutamente que, se voltasse para casa, conseguiria ficar sóbrio. Parti, cheguei na estação de Liverpool Street e telefonei para minha mãe. Ela tinha acabado de voltar da Espanha e estava furiosa, disse que havia vodca e drogas por toda a casa, que não queria me ver mais, e desligou. Anos depois, me contou que havia 37 garrafas vazias de vodca em sua casa.

Eu estava perdido de novo. Até minha *mãe* não queria ter nada a ver comigo. Eu já tinha começado a ficar em hotéis quando meu alcoolismo estava muito grave. Sentia tanta vergonha de mim mesmo que me escondia e me obliterava; fumava escondido na janela e me perguntava que diabo havia acontecido com minha vida. Eu esvaziava o minibar e então pedia seis copos de uísque ao serviço de quarto. Gerentes vinham à minha porta querendo saber se estava tudo em ordem. Acabavam me chutando para fora, receando que eu fosse me matar ali. Pagar contas de hotel era o que eu fazia com meu novo adiantamento.

* * *

Os dias se amontoavam num só borrão, os acontecimentos eram como retalhos de sonhos. Eu e Amy ainda morávamos em Prowse Place, esporadicamente, entre hospitais e hotéis, em nossos caminhos separados, mas entrelaçados como sempre. Naquele agosto ela devia se apresentar em dois eventos no V Festival, ficou no hospital se desintoxicando antes dos shows, e me pediu que cuidasse dos gatos. Minha única lembrança é de ter surtado quando os bichanos saltaram sobre a mesa da cozinha, suas patas pousando diretamente em meus montes de cocaína. Tudo se tornou mais desfocado. Fui a um dos shows do V Festival, rodei por lá num carrinho de golfe, Lily Allen sentou-se no meu colo sugando o polegar. Outra noite eu estava no apartamento de Adele em Notting Hill, provavelmente sendo bastante inconveniente: eu adorava seu cover de "To Make You Feel My Love" e implorei muito a ela que a tocasse no seu piano, o que ela fez. Havia lampejos de visões de Pete Doherty. Havia flashes de um incidente em que alguém deu a Amy uma pílula duvidosa, não intencionalmente, Mitch ficou sabendo e a levou correndo a um hospital. Eu nem estava lá na ocasião. Havia ainda muito caos e eu não era capaz de fazer o que vinha fazendo antes, ser para ela o amigo que sempre tinha sido, porque eu mesmo precisava de ajuda. Eu corria para Amy e depois fugia de Amy, indo e vindo, tentando e lutando. Porque eu não conseguia mais arcar com aquilo: a responsabilidade me esgotara, finalmente. Os rapazes, no entanto, estavam sempre lá e eu falava com eles, onde quer que estivesse, onde quer que ela estivesse, para saber que ela estava bem, ou *ficando* bem.

Então, de repente, eu fiquei sóbrio de novo, morando num hotel em Liverpool Street, sentado à janela fumando, procurando respostas que jamais encontraria.

* * *

No começo de setembro, Mark Ronson deu uma festa de aniversário no Jazz After Dark, e aquela noite, depois de um bom período de sobriedade, eu simplesmente decidi que ia beber. Pensei: posso beber e vai ficar tudo bem. Não estava sequer me sentindo ansioso, o alcoolismo é insano assim. Todo mundo sabia que eu tinha ido à reabilitação, todo mundo sabia que eu devia permanecer sóbrio, então eu agi sorrateiramente, procurei um pequeno bar, tomei uma dose e voltei à festa sem um copo na mão. Em pouco tempo eu estava cheirando carreiras de coca, tomando um monte de doses de bebida, e ainda conseguindo esconder aquilo de todo mundo. Adele estava lá e ela soube de cara. Num salão cheio de gente se gabando de como se orgulhava ao me ver abstêmio, ela podia ver que eu não estava sóbrio. Disse:

— Não sei como ninguém mais vê, mas eu notei e você precisa parar com tudo isso, Tyler, não te faz bem.

Ainda era tão jovem e já tão sábia.

Nas poucas semanas que se seguiram, eu entrei e saí da sobriedade. Falava com minha mãe ao telefone e ela ainda não queria me ver. Ela disse:

— O que foi que aconteceu com meu menino que ia ser o meu orgulho?

Aquilo me matou, era amor implacável, uma adaga no meu coração. Chantelle era meu anjo então. Desde Henley, ela havia ficado comigo em hotéis, cuidando de mim — às vezes eu nem sabia que ela estava lá, cuidando para que eu não sufocasse no meu vômito, cuidando para que eu continuasse respirando. Era tudo para mim, assim como eu fora tudo para Amy. Estávamos num hotel quando ela sugeriu que eu telefonasse para meu pai. Ele não andava muito bem, com uma depressão severa, mas sua mulher, Helen, trabalhava com cura espiritual. Especializava-se em meditação, acupuntura, fisioterapia e também ajudava viciados em drogas. Na ocasião em que fui surrado, foi Helen quem tratou de minhas costas.

Fiquei com eles três semanas. Eu tinha um plano em mente: se eu conseguisse ficar sóbrio eu poderia voltar à clínica de reabilitação sem sofrer os males da abstinência forçada e seguir o programa. Helen me ajudou: queimava incenso, me fazia tomar poções, eu acordava encharcado de suor, expelindo toda a bebida e as drogas, eu e a cama ensopados por litros d'água. Eu meditava e corria na floresta, vomitando durante a corrida, expulsando as toxinas.

O dano já feito à minha cabeça era aparente: eu ouvia vozes me atazanando, dizendo que eu ia morrer, que ia beber até morrer e não havia nada que pudesse fazer. Eu via constantemente um velho junto a uma árvore no jardim, ficava aterrorizado. Helen me disse que era uma entidade do mal, um mau espírito. Parecia um velho alcoólatra escocês sem teto. À noite, assim que fechava os olhos, ele estava lá, em cima de mim, olhando-me nos olhos, me provocando, bafejando sobre mim. Acredito em entidades e acredito que quando você está fraco elas se colam a você. Por isso, me ajudava o fato de saber que, se eu ficasse mais forte, as entidades me deixariam. Helen me contou que eu já tivera entidades antes. Segundo ela, Amy tinha *cinco* entidades.

Às vezes, quando o velho estava lá, eu me via caminhando até a loja de conveniência e tomando apenas uma bebida. Não para me embriagar. Eu comprava uma garrafa miniatura. Depois voltava e comprava uma garrafa de um litro. Meu pai percebeu o que estava acontecendo e me ajudou. Fiquei sóbrio de novo, liguei para minha mãe, disse a ela que ia voltar para a reabilitação. Daquela vez ela ficou ao telefone.

— Não desisti de você — falou para mim. — Você é meu filho. Eu morreria por você, faria qualquer coisa por você, você está se saindo bem, vá para aquela reabilitação, vai ser sua salvação.

Desliguei o telefone e fiquei sóbrio. Pensei: "Minha mãe me ama de novo, estou legal de novo, tudo vai ficar bem e eu vou poder cuidar de Amy de novo." Telefonei para Mitch e ele me disse que ela estivera no hospital e agora estava em Santa Lúcia, uma ilha no meio do Caribe. Eu não tinha nenhuma ideia. Depois dos horrores de Henley, depois da altercação de Glastonbury, depois do V Festival, ela não tivera mais compromissos de trabalho e podia finalmente se recuperar, a milhares de quilômetros de distância das manchetes no Reino Unido. Era o sinal verde de que eu precisava: Amy não requeria cuidados, não estava sequer no país, então eu podia ir para a reabilitação e quando saísse iria vê-la. Telefonei para a clínica e marquei uma data.

Passei a noite anterior na casa de minha mãe. Era uma grande ocasião, como se eu fosse fazer uma viagem ao redor do mundo. Estávamos deitados na minha cama e ela me disse:

— Você é mais forte do que pensa, isto vai fazer de você um homem.

Foi bonito. Fui dormir.

* * *

Sayed viria me pegar às cinco da tarde. Depois de ter sido tão positiva na noite anterior, minha mãe me dizia como se sentia contente com aquilo, porque tinha sofrido tanto. Ela disse:

— Tem sido tão difícil para mim.

Aquilo tocou num nervo. Era o tipo de coisa que eu via acontecer em Amy. Era quase como o momento em Henley depois que ela jogou a chaleira em mim.

Eu disse:

— Difícil para você? Não está acontecendo com *você*. Está acontecendo *comigo*!

Danny estava lá também.

— Vocês são meus pais, vocês me criaram! Se sou assim, a porra da culpa é toda *sua*!

Danny parecia a ponto de me bater. Eu repassara minha criação a fundo na minha cabeça, esperando encontrar algum trauma, algum abuso, qualquer coisa para explicar por que eu era como era, e não havia nada. Era tudo eu e minha composição química. Eu não passava naturalmente de uma pessoa fodida da cabeça. Talvez estivesse assustado naquele dia. Talvez estivesse buscando uma desculpa. Peguei minha mala e caminhei até a porta. Estávamos no meio da tarde. Olhei por cima do ombro e eles estavam lá, me observando, seus rostos tomados pelo medo. Cheguei ao fim da rua e liguei para Sayed.

— Sei que vem me pegar dentro de duas horas. Acabei de ter uma briga, vou direto à loja de bebidas comprar uma garrafa de brandy, tem uma valeta no fim da rua atrás de um banco. Vou estar lá.

Comprei o brandy, fui até a campina, entrei na valeta, bebi meu brandy e caí no sono. Sayed me encontrou. Na manhã seguinte acordei na clínica de novo.

Tive de enfrentar novamente toda a síndrome de abstinência. Não foi tão ruim daquela vez, mas ainda foi terrível: as vozes, as alucinações, o velho, estavam todos ali. Saí daquilo, comecei o programa e fiquei lá três meses. Não era a Priory, não custava duzentas mil libras, era como um dormitório universitário. Eu dividia um quarto com dois outros garotos. Havia uma quantidade de rapazes lá recém-saídos da prisão. Era brutal, ninguém acendia velas aromáticas. Era provavelmente por isso que funcionava.

Todo dia eu sentava na sauna suando toxinas. Havia terapia interminável. Você grita para as paredes, diz às paredes como se sente, joga coisas, tem confrontações com estranhos que estão bem diante de sua cara dizendo as coisas mais terríveis sobre você e você tem de contar para eles todas suas inseguranças, sem fazer contato visual — todo tipo de jogos mentais, exercícios e técnicas. Aquilo o ensina a confrontar a si mesmo, lidar consigo mesmo e lidar com qualquer coisa. Como não se deixar afetar pelas coisas, como separar a mente do corpo. Em última análise, mantém você ocupado. Todos os seus problemas ainda estão lá, mas você volta lentamente à terra. Disseram que, quando cheguei lá, eu tinha um cachecol enrolado até a altura dos meus olhos, um chapéu enfiado na cabeça, não encarava ninguém, mas logo estava falando com todo mundo.

O menino de 13 anos que ganhou uma bolsa de estudos, que era ambicioso, que tinha cartas de juntas de exames dizendo que estava entre os cem melhores estudantes do país, que passou nas provas antecipadamente, aquele menino havia sumido. Colocara-se numa situação em que viajara por todo o mundo, assinara um contrato com uma gravadora e então todos os seus sonhos foram destroçados e tudo se fodeu. E então Amy se fodeu. Na reabilitação, eu simplesmente me levantava todo dia, tomava café da manhã e cumpria a programação. Eu era bom naquilo. Era como se eu estivesse voltando a ser aquele menino que eu era antes. Quando as coisas estavam mais difíceis, quando eu sentia vontade de largar tudo, pensar em Amy, saber que só estando sóbrio eu seria capaz de ajudá-la, me fez vencer a prova. Eu estava ficando sóbrio para ela, tanto quanto para mim mesmo.

Todo fim de semana eu podia dar telefonemas e todo fim de semana eu falava com Amy em Santa Lúcia. Toda vez ela me perguntava onde eu estava. Não tinha nenhuma memória de curto prazo, tudo tinha a ver com *agora*: não havia amanhã e não havia antes. Eu lhe dizia toda semana:

— Estou na reabilitação.

Toda semana ela dizia:

— Ai, meu Deus, quem foi que colocou você na reabilitação?! Eu vou te tirar daí!

Eu podia ouvi-la dizendo para Neville e Andrew, que já sabiam, porque tinham ouvido na semana anterior:

— Tyler esta na reabilitação, precisamos ir lá e soltá-lo! Tyler, eu vou mandar um avião! Venha para Santa Lúcia!

E toda semana eu dizia a mesma coisa:

— Não, Ame, quero ficar aqui, minha cabeça está melhorando, não estou bebendo.

— Ah, OK.

Ela ainda era tão contra a reabilitação, que para ela era como se eu tivesse sido sequestrado e colocado na prisão. Eu sentia tanta saudade de Amy. Nunca estivera tanto tempo afastado dela. Eu atravessara uma intensa jornada pessoal, tinha uma nova perspectiva — uma perspectiva completamente sóbria. Eu finalmente sabia que a dependência é uma doença cuja única cura é a abstinência. Era aquilo que eu queria.

As pessoas pensam que você vai para a reabilitação e ela o coloca em ordem. Não é bem assim. É o começo de uma jornada muito longa. Você não sai *renascido*. Você sai embotado e esvaziado como um balão murcho. Você também adquire uma apreciação real do fato de se sentir ligeiramente normal. De estar ligeiramente em controle da ansiedade, ao invés de pensar: "Estou me sentindo em pânico, é melhor beber um pouco de vodca." Aquelas coisas não largam você. Não me largaram ainda. Você aprende mecanismos para lidar com as situações. Eu nunca anseio por álcool, codeína ou Valium, mas quando coisas estressantes acontecem comigo eu tenho de sair para uma longa caminhada. Leva tempo.

Na clínica, minha mãe e Danny me visitavam toda semana e me traziam um McDonald's. Quando saí, foram me pegar e minha mãe ficou tão feliz, tão orgulhosa de mim.

— É tão bom ter você de volta — disse.

Significava: É tão bom ter *você* de volta. Eu tinha sido alguém diferente por muito tempo.

Eu estava amedrontado também: vou me safar dessa? Você precisa aprender a fazer tudo de novo na vida, sóbrio. O que realmente impressiona é como tudo é tão normal. Você percebe como a vida normal é *chata*, na verdade. Bebida e drogas lhe dão muito prazer antes de foderem com a sua vida. É como se alguém diminuísse as luzes da vida, a velocidade da vida e a cor da vida. Não sei como as pessoas fazem isso, embora eu *esteja* fazendo isso. Mas você começa a sentir baratos de novo. Baratos naturais.

Nos anos que se seguiram, meus amigos ainda estavam no caminho do excesso, mas eu ainda saía com eles. Ainda ia a festas em casa até as quatro da manhã. Às três da manhã, quando as pessoas cheiravam carreiras de coca, nunca pensei em aderir ao esporte. Não podiam me pagar para fazer aquilo. Quando me perguntavam, eu dizia que era alérgico a álcool. Porque sou. Tornei-me um viciado sério em Red Bull. Dei-me conta de como era chato aquilo tudo, o drama, as pessoas bêbadas. Mas pelo menos eu tinha um foco à minha frente, de voltar a cuidar de Amy. Se não tivesse aquele foco, talvez eu sofresse uma recaída. Mas eu queria *tanto* ficar sóbrio. É como diz Russell Brand, um gênio na teoria do vício: a única decisão que você tem que fazer é não tomar o primeiro gole. Simples. Depois daquele ponto, a coisa não está mais dentro do seu controle. Um gole e você já se ferrou. Ele diz que é como entregar suas chaves ao lunático.

Na reabilitação, você é encorajado a ficar longe do que chamamos de ambientes de gatilho. Dizem que você não pode mais ser amigo das pessoas com as quais costumava fazer estas coisas. Nunca entrei nessa. Amy era minha alma gêmea e eu não iria perdê-la. Não dependíamos um do outro para alimentar nossos vícios.

Contra o conselho de todo mundo, eu estava pronto para embarcar num voo rumo a Santa Lúcia.

26

Fui apanhado no aeroporto de Santa Lúcia e levado de carro por duas horas e meia; é uma ilha grande. Eram poucas semanas depois da minha reabilitação e há meses eu não via Amy. Mas eu tinha clareza e paz mental em relação a tudo o que havia acontecido no último ano e meio. O carro me deixou diante de uma mansão imensa onde encontrei a zeladora.

— Bem-vindo — disse ela. — Qualquer coisa que precisar, por favor, me avise.

— Cadê a Amy?

Ela estava na praia a poucos segundos dali, você pegava uma estradinha que dava para a praia principal, uma grande área de alimentação e um bar. Caminhei até lá e olhei para a enseada — éramos cercados por montanhas. Lá estava Amy, rodeada por um bando de crianças.

Por anos eu soube que quando as pessoas pensavam em "Amy Winehouse", elas pensavam naquela personagem com a cabeleira em forma de colmeia. Fui apresentado ali a alguém que eu não via há anos. Amy de shortinho, sutiã de biquíni, descalça, mas a coisa principal — e eu nunca vira aquilo antes, porque ela sempre tivera cabelos escuros grossos e compridos, até a metade das costas — era o cabelinho escuro, encaracolado e cortado na altura do queixo. *Ne-*

nhuma colmeia. Parecia-se até com Janis. Eu nunca havia sequer *pensado* naquilo antes. A personagem tinha sumido. Ela parecia livre.

Olhou para mim, atônita, congelada contra o pano de fundo do mar turquesa. Ela sabia que eu ia vê-la, mas obviamente tinha esquecido. Eu a ouvi falar.

— É o meu Tyler?

Caiu em lágrimas, correu para mim, pulou nos meus braços, colocou suas pequenas pernas ao redor da minha cintura e eu a segurei pelo que parecia para sempre. Eu havia sentido tanta saudade! Ela tocou no meu rosto.

— Estou sonhando?

Era bonito, só eu e ela e nada mais, nenhuma estupidez, nenhum paparazzo, só Amy de pés nus, sem maquiagem, sem delineador. Mas eu podia ver como ela estava frágil.

Agarrou-me pela mão, levou-me para dar uma volta no resort e apresentou-me a todo mundo.

— Este é o meu garoto!

Era a garota que sempre quisera ser: normal; podia fazer amizade com as pessoas, tomar uma xícara de chá com os vizinhos, e ela fizera amizade com todo mundo. Havia um lugar na estradinha chamado bar da Marjorie, frequentado pelos habitantes locais, nada parecido com nossa cara e luxuosa estância turística. Toda manhã, Amy se levantava e saía direto do resort para o bar da Marjorie. Ela me levava para lá, como uma mãe orgulhosa exibindo o seu filho. Conheci tia Marjorie, que tomava conta do bar e cuidava das crianças órfãs, cerca de catorze, a maioria abaixo dos 12 anos de idade. Uma garota mais velha, talvez com 15 anos, estava olhando para mim, e Amy riu.

— Eu sei, ele é uma graça, não é?

Conheci os meninos de Santa Lúcia, de apenas 17 ou 18 anos, que orientavam todas as atividades esportivas que Amy começara a praticar, como equitação.

Não falamos sobre Henley, seu hospital, minha reabilitação — nada exceto o presente. Ela estava muito fragilizada: "Não vamos balançar o barco", pensei. Também notei que tinha adquirido um sotaque caribenho; falava como uma garota local. Era assim que falava com "os rapazes", seus seguranças, Andrew e Neville, que também estavam lá, e eles *têm* sotaques caribenhos, falam entre si em patoá. Assim como fizera com a gíria cockney rimada de Blake, Amy tinha pegado tudo, mas aquilo ali ia mais fundo, era como se ela não soubesse mais quem realmente era. Sua identidade, eu descobriria depois, fora perdida.

Estava claro que a bebida se tornara uma coisa importante. Ela não estava emborcando garrafas inteiras de vodca como eu — aquele era um nível que ela *nunca* atingira —, mas estava claramente de férias. Seu café da manhã, geralmente ovos, vinha sempre com um Bloody Mary. Às nove da manhã. Aquilo não era ridículo, pessoas de férias comportam-se assim o tempo todo. Ela bebia de tarde, apagava por umas três horas, se levantava e começava tudo de novo. Era óbvio que tinha trocado as drogas pelo álcool.

O estereótipo da história do viciado em crack e heroína é que ele atinge o fundo do poço, decide reconstruir sua vida, vai se desintoxicar num templo nas montanhas e emerge renascido. Isso não aconteceu com Amy. Ela enfrentou o processo de abstinência da droga num hospital, com sucesso, saiu e foi informada de que iria passar um ano em Santa Lúcia. Ela nada teve a ver com aquela decisão também. Estava lá por vários motivos: para ficar a salvo do seu mundo maluco, recuperar-se das drogas, desfrutar da luz do sol — tudo tendo em vista escrever o próximo álbum.

Os impostos também eram um fator. Depois do Grammy, Raye disse a Amy que ela deveria pensar em ir embora do país logo, porque haveria grandes cobranças de impostos. Toda estrela importante na história da música pop havia feito isso: se você conseguir passar muitos meses do ano fora do país, ocorre um alívio substancial nos impostos, às vezes até *nenhum* imposto. Era uma artimanha toda paga pela Island com a intenção final, compreensivelmente, de que ela compusesse um novo álbum. Fazia dezoito meses desde que *Back to Black* fora lançado e a indústria musical estava obcecada por artistas femininas com um som "retrô", fossem a efêmera Duffy ou o recente fenômeno de Adele. E *houve* tentativas musicais: ocasionalmente Amy ia ao estúdio com Salaam Remi.

Santa Lúcia foi um ardil em outro nível, também: precisavam colocá-la num local onde não houvesse nenhuma droga. Disseram-me que foi o que aconteceu com os Happy Mondays lá no início dos anos 1990, quando a Factory Records os mandou para Barbados para arrancar Shaun Ryder da heroína e tentar fazê-lo compor um novo álbum. Aconteceu que ele criou uma dependência de crack ainda pior. Mas não havia crack em Santa Lúcia. Nem heroína. O que havia era muito álcool.

A mansão de Amy tinha cinco quartos de dormir, com quartos para Andrew e Neville, que estavam constantemente com ela. Era um grande alívio: outras pessoas estavam tomando conta dela, não apenas eu. Eles estavam se tornando membros da família. Só pensei naquilo muito depois, mas aqueles rapazes tinham mais ou menos a nossa idade. Eu imaginava que eram homens maduros na casa dos trinta. Eram ex-fuzileiros navais, treinados para machucar pessoas, e eu me sentia seu irmão caçula. Também cuidavam de mim muito bem. A mansão era limpa todo dia, os quartos tinham pequenas sacadas, havia uma piscina nos fundos. Era tudo muito civilizado.

Violetta estava lá também, a nova amiga que ela fizera através de Neon em Prowse Place, e, embora fosse muito jovem, era o elemento estabilizador. Quando Amy bebia uma margarita na praia e queria tomar alguns tragos no bar, Violetta falava para ela:

— Não, Amy, você não precisa beber outra coisa, você já tem sua margarita, é uma da tarde, amiga.

Amy lhe dava ouvidos.

Eu entendia o desejo de beber de Amy. Eu pensava: "Ora, você fuma crack há um ano, você se tornou estupidamente famosa, você entrou numa relação destrutiva, você se cortou em pedaços, provavelmente nem mesmo lembra que se casou, agora está atravessando um divórcio. Se precisa de algumas bebidas para atravessar o dia, vá em frente, querida."

Os procedimentos para o divórcio estavam em andamento enquanto ela se encontrava em Santa Lúcia e ela nunca mencionou o fato. Não tivemos uma única conversa sobre Blake. Não estou seguro de que o divórcio tivesse algo a ver com Amy. Seu pai provavelmente disse a ela que precisava se divorciar; ele podia ter até dito a Blake para alegar adultério, qualquer coisa para tê-lo fora da vida de Amy. Houve relatos nos tabloides sobre um acordo de divórcio da ordem de 250 mil libras, e talvez fosse verdade, mas eu não soube nada a respeito. Amy não teria deliberadamente omitido aquilo de mim, mas não é o tipo de coisa que teria comentado também. Porque ela cagava para dinheiro. Podia não ter sabido de nada. Ou podiam ter mencionado a ela e ela teria dito "seja o que Deus quiser". Mas eu acredito que Mitch fez um acordo para pagar Blake e se livrar dele. Eu não o culparia, levando em conta o rumo que as coisas tinham tomado. Amy não teria apreciado que ele mantivesse aquele nível de controle sobre sua vida, mas ela não estava presente o bastante para ter controle sobre qualquer coisa.

Amy era uma pessoa muito danificada em Santa Lúcia, genuinamente perdida, mal sabia quem era ou metade do que tinha passado. O dano estava escrito em todo o seu rosto e ainda a assolava, mas ela estava tentando seguir através dele e ir em frente. Tentando com afinco. Eu me sentia muito orgulhoso dela por aquilo. Mas ainda estava muito errática, mesmo sem as drogas. O segundo em que acordava era *bang!* como um fogo de artifício, explodindo pelo resort, pela praia, seus pezinhos descalços pisando por toda parte, visitando este ou aquele, até que ficava exausta ou desmaiava depois de ter bebido tantas horas. Não fora tranquilizada pelo Caribe, era como se ainda estivesse na correria, em ação o tempo todo, ainda fugindo de si mesma.

Havia também um lado normal que eu não via há anos. Quando cheguei lá, Amy abriu minha mala, que, é claro, tinha sido feita por minha mãe — eu ainda era um menino e o fui até os 29. Eu tinha levado meus novos shortinhos e camisas polo, tudo Fred Perry. Amy pegou todas as roupas recém-passadas e dobradas e as colocou no guarda-roupa. Poucos dias depois ela entrou o quarto começou a remexer no meu guarda-roupa, dizendo:

— Aqueles meninos não têm nada.

Trouxe um dos rapazes instrutores de equitação, que foi tomar uma chuveirada, e ela pegou todas as minhas roupas, procurando o que ficaria bem nele. Ela o arrumou com calças Calvin Klein e camisas Fred Perry e ele ficou uma elegância só. Fiquei mais do que feliz de me desfazer daquelas roupas, sempre poderia comprar mais.

Amy não se misturava com o pessoal do resort, misturava-se com as pessoas negras e os locais, sempre indo ao bar da Marjorie, onde os órfãos moravam. Era como o Flautista de Hamelin, criancinhas grudadas nela o tempo todo, nos seus calcanhares. Ela ensinou os movimentos de braços que costumava fazer no palco com suas cantoras de apoio, como The Supremes, um braço de cada vez. As crianças formavam uma fileira, Amy no meio, dirigindo-as.

— Um... dois... um pouco mais de atitude!

Elas adoravam! Ela fazia tudo por aquelas crianças e se meteu em encrenca por causa delas. Levou-as ao Clube das Crianças no resort, onde mamãe e papai desovavam seus filhinhos mimados enquanto ficavam no spa cobertos de óleo de lótus. Levou os órfãos ao bufê, que era grátis para os hóspedes, achou que eles deviam forrar o estômago, estavam famintos. Amy recebeu um olhar do cara que servia ovos e disse:

— Estou pagando por isso!

Pensava: "Se é tudo o que preocupa vocês, vou pagar dez vezes o preço para que estas crianças possam comer alguns ovos cozidos." A mulher encarregada perdeu a paciência um dia e expulsou a turminha toda. Amy reagiu em alto estilo. Na frente de todas as crianças, gritou:

— Vocês todos são uns filhos da puta do caralho! Só querem cuidar das crianças brancas mimadas e ricas! Vão se foder!

Bateu a porta do Clube das Crianças com tanta força que a estrutura toda tremeu. Abaixei a cabeça tentando não rir. "É isso aí!", pensei. "É a minha garota."

Amy costumava sentar-se no bar com um coquetel na mão e conversar por horas com tia Marjorie, sobre coisas sérias. Tia Marjorie tinha uma ideia de quem ela era e da merda toda que atravessara. Perguntava a ela sobre Blake, sobre drogas e Amy falava abertamente, como fazia com minha mãe.

Ela estava se desintoxicando. Fazia parte do tratamento andar a cavalo ao longo da praia, cabelos ao vento. Um novo lado dela emergia nessa dedicação à saúde física. Todo dia íamos de carro até um resort próximo que tinha uma academia de ginástica ao ar livre na forma de um circo, com um trapézio e coisas do gênero. Eu me sentava na praia, café gelado na mão, observando Amy andar na corda bamba. Uma corda bamba de verdade! Amarrada a postes a um metro e vinte de altura, com almofadas de segurança abaixo. Ela era capaz de fazer acrobacias, como espacates e cambalhotas, curvando-se para lá e para cá. Era um espanto, ela tinha talento! Mas Amy nunca fazia as coisas pela metade. Era boa em tudo o que tentasse fazer. A partir de então sempre tivemos uma sala de ginástica em casa. Era como se ela estivesse se reconstruindo depois da maior derrocada de sua vida, depois daquele "sonho" maluco de dois anos em que ela se tornou uma superestrela, cujas últimas memórias nítidas eram de compor *Back to Black* e gravar o clipe de "Rehab". Era como se ela tivesse despertado finalmente, mas era também como se ela não soubesse mais quem era. Ela estava procurando uma nova identidade.

À noite, às vezes, depois de um dia em que ela zanzava por toda parte, bebendo sem parar, exausta, ouvíamos o álbum do Soweto Kinch, como fazíamos muitos anos antes em Jeffrey's Place. Falávamos sobre coisas de que nunca falávamos quando Amy estava sóbria. Ela disse para mim:

— Não sei mais quem eu sou, não tenho a menor ideia de que porra sou eu, o que foi que aconteceu?

Ela me devolvia as perguntas que eu fazia. Perguntava a ela:

— Você é feliz, Ame?

Ela respondia:

— E você, é?

Eu ficava em silêncio e então ela dizia:

— Tá respondido, então.

Aí eu dizia:

— Mas posso dizer uma coisa: não quero mais beber.

Ela não respondia nada.

Encorajei-a relaxar, a ir ao spa, fazer uma massagem, desintoxicar-se. Cada vez que íamos ao spa, ela fazia uma limpa de todos os produtos esfoliantes e cremes que podia, dizendo:

— Isso é por conta da gravadora, quem paga tudo é o Darcus.

Mas nunca se sentia feliz lá, porque não havia chance de conseguir uma bebida. Estávamos lá, os rostos cobertos de lama, cheirando a ovo podre, e eu sabia que ela preferia estar na praia com uma margarita.

Havia também palhaçadas. Uma noite, ela e Violetta estavam bêbadas e decidiram fazer máscaras faciais. "Halo", da Beyoncé, acabara de ser lançada. As duas pulavam na cama, com máscaras de lama, cantando "Halo" e trocando a letra para "Posso ver seu *falo*!", se mijando de rir, como crianças.

Havia uma pequena órfã que estava sempre com ela, como se fosse sua filha, com 6 ou 7 anos, alta e magrela; Amy não era muito mais alta que ela. Encontravam-se no bar da Marjorie toda manhã e passavam o dia inteiro juntas até Amy a levar de volta. Ela amava Amy e Amy amava ela — outra coisa que ajudava Amy a atravessar o dia. Dizem que é uma tragédia que Amy nunca tenha composto outro álbum, mas a verdadeira tragédia é que ela nunca foi mãe. Vou sempre acreditar nisso. Cuidar daquela menina era um mecanismo de compensação — ter responsabilidade, estar cercada pela inocência e ingenuidade, a antítese de tudo por que Amy passara. Ela evitava sempre ficar embriagada na presença da menina.

Um dia Amy veio a mim aos prantos, inconsolável, com o coração partido. A garotinha dissera a ela:

— A tia Majorie falou que você vai me levar para a Inglaterra, vai me adotar e cuidar de mim.

Amy sabia que aquilo não era possível. Soluçava sem parar.

— Eu não posso fazer isso, posso? Me sinto terrível, ela não tem mãe.

Não sei se tia Marjorie disse realmente aquilo ou se a garotinha inventou a história, mas Amy ficou arrasada.

Juliette e Lauren também tinham estado lá, antes da minha chegada, por arranjo da firma, na tentativa de requentar ligações antigas. Amy disse que a coisa não tinha funcionado:

— T, nem sei por que elas vieram, não temos mais nada em comum. Lancei dois álbuns, rodei pelo mundo, porra, até casei *e* divorciei desde que as vi pela última vez! Acho que só aporrinhei elas, mas acabaram ganhando umas férias de graça.

Qualquer que fosse a motivação para Juliette e Lauren irem visitá-la — talvez na esperança de reencontrar aquela amizade —, Amy era radical.

Mitch, que tinha assinado um contrato com um canal de TV, apareceu na esperança de que Amy pudesse gravar a certa altura para um documentário que estava sendo feito. Amy não o queria lá. Discutiram, ele tentou fazer com que ela assinasse autógrafos para fãs que estavam lá de férias, mas ela não estava a fim de se mostrar para uma câmera.

— Estou sem maquiagem, meu cabelo está um horror...

Ele havia aparecido lá com ar de estrela.

Mitch nunca foi um homem horrível ou malicioso. Amy amava seu pai e ele a amava, mas eu sentia que seu amor por fama, espetáculo e glamour exercia um efeito prejudicial sobre ela. Ele gostava de dinheiro, gostava de brilho, gostava de comandar e ter o controle das coisas. Ele amava a atenção que vinha do sucesso de Amy, enquanto ela detestava, especialmente, a fama. Não sei se alguém como Mitch entenderia. Estava tão enredado no sucesso dela que eu sentia que ele não via mais a filha pelo que ela era, e talvez a si mesmo também, como se houvesse se transformado num personagem, "o pai de Amy Winehouse". Não era mais o chofer de táxi comum que eu conhecera na adolescência, que fincava o pé e dizia não a Amy quando ela precisava ouvir um não. Acho que ele não sabia confrontar os vícios e problemas de Amy, não sabia o que fazer com aquilo.

Mitch se tornara uma celebridade também e se acostumara com as vantagens da fama. Eu quisera pagar meu voo a Santa Lúcia, eu tinha condições, mas ele disse, como sempre dizia:

— Deixa com a gente.

Nunca era "Deixa *comigo*", embora ele tivesse um contrato com uma gravadora, um contrato com a TV e estivesse rodando pelo mundo, tudo nas costas do sucesso da filha. Era uma coisa da classe operária dizer, também, "Deixa com a gente, filho", e no fundo eu pensava: "Não, você não vai pagar a conta, Mitch... Amy é quem vai pagar." Não era o dinheiro dele e aquilo me incomodou durante anos.

O mundo de Amy tornou-se o mundo dele. Eu acho, em última análise, que Mitch era um taxista londrino que não acreditava na sua sorte. Aquilo não significava que ele não a amasse, porque ele a amava. Mas Amy ficava frustrada com ele; ele amava muito todo aquele glamour. Aquilo a incomodava, mas ele era seu pai. Quando Mitch partiu de Santa Lúcia, ele a deixou perturbada.

* * *

Fiquei lá cinco semanas, tempo suficiente para ver que ela estava inclinada a colapsos nervosos, porque o excesso de bebida piorava tudo o que tinha passado. Algumas noites ela se irritava, quebrando copos de coquetel. Certa noite, ela exagerou *mesmo* com a bebida. A mansão tinha uma sala de estar espaçosa com uma escadaria de cada lado para os quartos de dormir. Eu estava sentado na sala de estar quando ouvi Amy gritando. Geralmente eu subia correndo, mas tinha acabado de sair da reabilitação, estava fragilizado e não reagi. Sentia-me inútil sentado ali, mas sabia que não era capaz de lidar com a situação. A coisa piorou, eu ouvia tudo, ela dava socos nas paredes, quebrava um monte de coisas, provavelmente dava socos no próprio rosto — ela fazia muito aquilo. Eu não podia ignorar. Subi correndo e ela havia cortado os braços de novo, quebrado pratos e tigelas. Eu a enfaixei, dei-lhe Valium, tentei acalmá-la.

— Ame, relaxa, você só está bêbada.

Eu não queria dar muita importância àquilo. Desci as escadas e aquilo realmente me derrubou. Vê-la automutilar-se daquele jeito de novo, ter que lidar com aquele problema de novo. Fazia meses que eu não vivia nada daquilo. Na minha cabeça pós-vício, pós-colapso nervoso, só recentemente recuperada, algo se encaixou. Assim que soube que Amy estava bem, que estava com Violetta e os rapazes, pensei: "Não posso ficar aqui, preciso sair, ir para algum lugar, fazer algo diferente." Saí da mansão.

Eu estava prestes a entregar minhas chaves ao lunático.

27

Uma tripulação da British Airways estava hospedada na ilha em sua própria mansão perto da nossa, eram da nossa idade e tínhamos ficado amigos. Estavam dando uma festa, que eu ouvia de casa. Apareci por lá.

Eu estava me refrescando numa espreguiçadeira ao sol nos fundos, à beira da piscina, bebericando minha Coca Diet, tão aliviado por estar distante do colapso de Amy, sabendo que ela estava segura com os rapazes. Havia uma garrafa de rum sobre a mesa e eu não afastava os olhos dela. Sentia-me muito bem por ter passado tanto tempo sem álcool. Pensei: "Quer saber de uma coisa, não quero ficar bêbado, não preciso me destruir. Mas vou tomar uma bebida apenas. Eu posso tomar um copo, qual é o problema?" Eu só queria um momento de paz no meio de todo aquele caos que vinha se prenunciando, com Amy um pouco mais bêbada a cada dia. Morando ali, eu não podia fugir daquilo.

"Uma porra de uma bebida." Que mal podia fazer? Servi uma dose de rum puro, cauteloso. Não tinha intenção de me embriagar. Sabia o que o álcool fazia, sabia que ele me relaxaria e eu voltaria à mansão para dormir. Beberiquei o rum debaixo do sol na espreguiçadeira. Três segundos depois eu o senti queimando meu estômago, eu o senti correndo por minhas veias, aaaaaah, me acalmou fundo. Era tão forte, como se eu tivesse injetado vodca no corpo. O calor, a familiaridade, era como voltar para casa depois de meses distante no mar. O trauma que eu acabara de presenciar evaporou no ar rarefeito. Pensei: "Isso, sim... O que eu estava pensando, acordando todo dia e encarando minha ansiedade? Quando poderia sentir isso aqui? Estou bem agora! Nada está tão ruim, Amy vai ficar bem, vou voltar à mansão, vou dormir, dias felizes."

Voltei, e não estava bêbado. Amy estava dormindo, então fui para a cama. Não conseguia dormir, porque a culpa de ter bebido se alastrava em mim. Tive outro pensamento: "Só preciso de outra bebida para me ajudar a pegar no sono. Só mais uma. Uma noite bem dormida e estarei ótimo de manhã, amanhã vai ser outro dia." Sabia onde havia uma garrafa de rum com teor alcóolico de 80%, do mesmo tipo que tínhamos tomado em Mustique. Desci as escadas tateando para apanhá-la e não lembro mais nada. Simplesmente bebi da garrafa no quarto até cair inconsciente, bebendo para esquecer que eu estava bebendo. Tenho uma vaga lembrança de acordar na manhã seguinte e pegar uma Coca Diet, de querer que Amy e Violetta saíssem para eu ir ao bar e botar uma dose de vodca no refrigerante. O que se seguiu durou oito dias, dos quais só tenho flashbacks.

Fiquei longe das pessoas. Imediatamente voltei aos velhos hábitos. Escondi duas garrafas de rum atrás de um arbusto perto da piscina. Escondi uma garrafa na mala no meu quarto. Escondi uma garrafa atrás da água sanitária num armário da cozinha. Passei a maior parte da semana desmaiado, acordado por só umas três ou quatro horas por dia. Era como Amy sempre dizia: "Tyler bebe até a ambulância."

Muito depois, me contaram que os rapazes removeram a garrafa que eu agarrava no meio da noite. Que acordei uma manhã na cama de Neville e o pobre coitado estava se certificando de que eu ainda respirava. Tenho vagas memórias de ir ao bar da Marjorie na calada da noite. Estava fechado. Eu o invadi, quebrei as portas, pisei por cima do bar, agarrei uma garrafa e a levei de volta para casa. Fiz o mesmo com o bar do nosso resort. Foram ações perigosas, especialmente no bar da Marjorie — os locais teriam sabido quem eu era, mas se algum habitante qualquer de Santa Lúcia visse um cara branco invadindo o bar no meio da noite, poderia ter quebrado minha cabeça.

Reconheci a certa altura que estava mal. Da cama, liguei para a moça encarregada da casa; ela sabia que eu era um alcoólatra em recuperação.

— Tive uma recaída, preciso de um médico.

Encontrei um médico e pedi Valium — e então eu voltei ao Valium, bebendo rum de 80% de teor alcóolico e sem comer. Dei algum jeito de ir até o aeroporto, devo ter telefonado e reservado um voo. Subi os degraus até o avião sentindo-me meio nervoso, ocupei o assento e a realidade me atingiu. Eu saltei fora de um verdadeiro blecaute: a última coisa que lembrava era estar na cama na mansão. Entrei em pânico: "Eu tive uma recaída, estou cego de tanta bebida, não posso voltar a Londres assim, minha mãe vai me matar! Me tirem deste avião, como foi que entrei aqui?!"

Levantei-me e gritei:

— Eu preciso sair deste avião!

Uma comissária de bordo disse:

— O senhor precisa se sentar.

Eu insisti:

— NÃO. Vocês têm que me deixar sair!

Fui escoltado pela segurança pela alfândega e colocado numa cela do aeroporto — uma salinha minúscula com uma mesa e um sujeito fazendo perguntas. Todo mundo na ilha sabia que havia uma celebridade hospedada lá e eu estava tentando explicar que precisava voltar até ela — Amy, Amy Winehouse, a cantora, eu precisava de um carro, eles podiam contatar o resort?

— Que resort?

— Não sei!

Finalmente saí. Me deram minha mala e havia uma minivan de aluguel à espera. O motorista *sabia*.

— Eu sei onde ela está, todos nós sabemos onde ela está...

Claro! Saquei um monte de dinheiro, devo ter dado mil libras a ele.

— Meu amigo, por favor, me leve até lá, só quero que dê uma paradinha em algum lugar antes. Preciso de uma bebida.

Paramos num posto de gasolina, onde eu sabia que podia comprar alguma bebida. Era de noite, eu estava naquela minivan com um cara legal de Santa Lúcia, ele fumava, eu também, e nós dois bebericávamos rum. Isso! Estou indo para casa! Até perguntei a ele se havia algum lugar onde a gente pudesse comprar coca. Felizmente não havia. Entrei e desabei na cama.

Talvez fosse alguns dias depois quando ouvi o som dos pés descalços de Amy subindo até a porta do meu quarto. Ela caminhou diretamente para mim e começou a gritar. Fiquei assustado. Eu sabia que tinha feito merda, era como se minha *mãe* estivesse no quarto.

— Você está bebendo de novo! Quer que eu ligue para sua mãe? Quer que eu comece a fumar crack de novo? Devo começar a fumar crack de novo, Tyler?

Ela fez com que eu me sentisse *terrível*. Fez-se de superior pra cima de *mim*. Aquilo tinha acontecido algumas vezes naquela semana, pelo que ela me contou depois — eu não lembrava. Eu não bebia nada havia treze horas, estava tremendo e o que ela disse me pegou. Tentei me levantar e não conseguia colocar a porra de minhas pernas trêmulas no chão, eu não conseguia ficar de pé. Os rapazes me carregaram para baixo e eu caí numa convulsão violenta, no meio do chão da sala de estar. Com aquele nível de alcoolismo, se você não toma nada, você tem uma convulsão. Eu tinha tido aquilo antes, espasmos, ataques. Amy estava se esforçando para que eu não engolisse minha língua. Alguém chamou uma ambulância. Amy estava aos prantos; Andrew, Neville e a garota do resort estavam todos perturbados. Neville estivera no exército, na Guerra do Iraque. Contou-me depois que vira pessoas passarem por episódios traumáticos, mas nunca alguém com um ataque daqueles.

A ambulância ia demorar muito, então me colocaram num carro, os rapazes na frente, pisando fundo. Eu estava no banco traseiro com Amy, que chorava, passando as mãos nos meus cabelos.

— Vai ficar tudo bem, garoto.

Eu uivava e chorava, eu simplesmente *sabia* que ia morrer. Estava deitado com a cabeça no colo dela olhando para o céu pela janela, sabendo que esta era a última vez que eu *veria* o céu. Ainda com tremores e espasmos, tudo o que eu conseguia pensar era: "Não vou poder mais ajudar Amy, nunca mais vou ver minha mãe de novo, tudo o que ela vai ficar sabendo é que tive uma recaída e morri."

Os rapazes me carregaram para a porta da emergência. Fui jogado numa cama, agulhas e bolsas de soro colocadas por toda parte, meus braços enganchados em todo tipo de máquinas. Tiraram minhas roupas cortando-as com tesouras, até as calças. Havia quatro enfermeiras trabalhando na velocidade máxima. Desmaiei.

Acordei no dia seguinte num quarto de uma brancura ofuscante. Eu estava congelado. Ouvia as vozes das enfermeiras. Estou vivo! Um homem velho, *velho* mesmo, entrou, o diretor do hospital, examinando meus olhos com uma lanterna. Pediu-me que olhasse pela janela para as palmeiras, registrasse onde eu estava, naquele pequenino hospital no Caribe. Eu não podia acreditar que ainda estava aqui. Ele era muito gentil.

— Você vai ficar bom — falou.

Reparei que era um hospital particular, e Amy já tinha estado ali, o pessoal a conhecia bem. Sabia que iam me dar o que eu quisesse e implorei que não me dessem nenhuma droga. Eu sabia que não tocaria mais em nada, *nada*, nunca mais. O velho olhou para mim como que dizendo, ora, *por favor*, você não faz ideia do que tivemos de lhe dar para mantê-lo vivo. Eu vestia um avental cirúrgico, não tinha nem mais cueca, minha bunda estava exposta. Ele sentou-se e disse que eu tivera a pior convulsão que até *ele* já tinha visto.

— Não quero assustá-lo, mas você não devia estar vivo, com aqueles níveis de álcool. É um rapaz de muita sorte. E sua amiga ama você muito.

Amy provavelmente havia berrado com ele:

— Faça a porra que tiver que fazer para que ele fique vivo! Não me importa quanto vai custar!

* * *

No dia seguinte, Amy veio e me deu um abraço muito forte, tranquilizou-me, disse que iriam cuidar bem de mim ali. Descobri depois que eu tinha bebido entre quinze e vinte garrafas daquele rum naquela semana, que eles soubessem. Depois que ela partiu, fiquei tão paranoico com a abstinência do álcool que estava convencido de que a tinha ouvido falar com Violetta do lado de fora. Eu ouvia a voz de Amy, muito calma.

— Violetta, é tarde demais para ele, não vai sair dessa, nunca vai ser capaz de ficar sóbrio, não é justo para a mãe dele, para ninguém. Ele é meu amigo e eu o amo, por isso vou matá-lo.

Aquilo era verdade para mim. Eu sentia O Pavor, as alucinações mais realistas que já tive na vida. Eu acreditava naquilo e entendia o raciocínio. Claro. Estaria fazendo um favor a mim e a minha mãe. Surtei total: "Estou para morrer, Amy vai me matar." Arranquei cada peça do equipamento de intubação, agulhas e tubos de soro, tudo que estava atrelado ao meu corpo. Com o avental todo manchado de sangue, de bunda para fora, corri ao banheiro, me tranquei e empurrei uma cadeira contra a porta.

Ouvi "Amy" indo embora. Abri a porta aterrorizado. O médico sênior entrou. Eu o fiz me levar ao redor de todo o hospital para encontrá-la. Ele me disse que eu estava tendo alucinações. Eu gritei:

— Não minta para mim, todo mundo está do lado dela, me deixe sair, ela mandou vocês me prenderem aqui!

Ele disse que ia me dar algo.

— Não, não me venha com uma injeção fajuta!

Ele abriu cada armário, cada banheiro, as portas dos quartos dos outros pacientes até que finalmente me convenci de que aquilo não era verdade e que ela não iria me matar.

No dia seguinte, Amy e os rapazes vieram me pegar. Eu estava sentado num banco do lado de fora do hospital, fumando um cigarro atrás do outro. Amy aproximou-se e eu *ainda* estava apavorado. Meu corpo recuou tanto que eu caí do banco ao chão. Eu balbuciava para ela:

— Ame, você estava do lado de fora do quarto dizendo que ia me matar para minha mãe...

Ela se mijava de tanto rir, mas eu ainda estava nervoso — para mim aquilo não tinha nenhuma graça. Fazia anos que eu não a via tão calma, obviamente ela tinha achado o estoque de Valium que eu conseguira com o médico. Mas eu podia ver no seu rosto que ficara assustada com o que me acontecera, embora houvesse de certa forma causado aquilo. O episódio a trouxe à realidade; fora forçada a se dar conta de que havia outras merdas acontecendo e ela não era a única pessoa no universo.

Voltamos à casa. Eu sabia que os dias seguintes de abstinência seriam difíceis. À noite, ouvi "Amy" quebrando coisas, gritando, e estava tudo na minha cabeça. Fechei os olhos e via minha mãe e meus amigos se transformando em esqueletos, degradando-se, morrendo. Eu não podia ficar sozinho e, assim que o sol aparecia, caminhava na praia com Andrew e Neville. E eu sabia que, assim que melhorasse, deixaria Santa Lúcia. Também sabia que eu nunca, *nunca* voltaria a beber.

E eu nunca voltei a beber.

Não sei como foi possível e, se pudesse dizer às pessoas como, eu me tornaria um multimilionário. Talvez seja apenas autopreservação. A força vital. Algo na natureza humana que vem da aurora dos tempos e nos força a ficar vivos. Seja o que for, ainda sou grato por ter ficado sóbrio.

Amy salvou minha vida. Não fosse eu seu amigo e levado com tanta rapidez para um hospital particular caro, eu provavelmente não estaria aqui. Eu tinha todos aqueles pensamentos até naquela ocasião. Custou dinheiro para salvar minha vida. E Amy pagou a conta. E eu acho que foi legal.

Raye veio a Santa Lúcia para verificar as coisas. Ele me disse a mesma coisa que me haviam dito na clínica de reabilitação: quando as pessoas se livram do vício, elas não podem mais continuar amigas das mesmas pessoas. Senti que era o que ele preferia que acontecesse.

— Não — falei. — Vou dar um jeito. Fodi com a minha vida, mas não vou perder minha amiga, não depois de tudo o que passamos juntos.

Eu o fiz saber que era mais forte do que ele achava. Ele não gostou.

Salaam apareceu. Finalmente havia alguma coisa para Amy fazer. Violetta sentia saudade da mãe e não queria voltar para Londres sozinha, por isso voltou comigo. Eu só queria voltar para casa, afastar-me de todas aquelas associações. Deixei Amy em bom estado. Era como sempre funcionava: quando ela me via em perigo, tinha de dar um jeito, sair de si mesma. E vice-versa. Sempre cuidávamos um do outro. Quando lhe dei um beijo de despedida, ela estava sentada com Salaam, ele com uma guitarra, ela com caneta e papel. Boas coisas estavam acontecendo de novo. Talvez até nova música.

28

Amy voltou de Santa Lúcia sem um álbum novo. Fizera tentativas de gravar com Salaam, mas ela não gostou de nenhuma composição, embora algumas tenham sido incluídas no álbum *Lioness: Hidden Treasures*, depois de sua morte. Ela teria *odiado* isso. Depois de oito meses no sol, exercitando-se, cuidando de pessoas, completamente livre das drogas, ela não era exatamente uma moeda recém-cunhada reluzente, mas estava muito mais forte em todos os sentidos. Havia também uma disposição de aceitar quem e o que ela havia se tornado: uma estrela pop muito rica e com muito sucesso. Era como se tivesse finalmente *se dado conta*. Ela declarava, rindo:

— Sou uma milionária que ganhou a própria grana!

Era o começo de 2009 e uma nova casa tinha sido organizada por Mitch e Raye — nada a ver com Amy, como de costume. Era uma mansão alugada em Hadley Wood, uma área elegante logo além do norte de Londres, onde banqueiros ricos e milionários vivem. Eu vinha morando na casa de minha mãe, ou na casa de Chantelle, ou em Jeffrey's Place. Em Hadley Wood havia quartos para Amy, para mim e para os rapazes, e ainda um quarto extra para Violetta, que vivia lá esporadicamente. Era afastado do centro de Londres, quase no campo. Onde Amy nunca desejara viver. Para mim, era uma casa-fachada: como ela era uma estrela pop de verdade, devia morar numa grande mansão no campo. Aquele arranjo era o sonho de todo mundo, mas não o dela.

Quando nos mudamos para lá, estava nevando muito. Caminhamos pelo bosque de Hadley e eu joguei bolas de neve na cabeça dela, porque ela as jogou na minha primeiro. Amy usava saltos altos e um vestido Pringle na neve, cambaleando e tentando ser aquela milionária que ganhou a própria grana, nós dois rindo como crianças grandes.

Sua nova realidade era civilizada: nada de drogas, nem de festas. Mitch vinha visitar, assim como as irmãs de Mitch, a bonita tia Mel e a glamorosa tia Rene, muito parecida com Cynthia. A chaleira estava sempre acesa. Amy bebia, mas não o tempo todo, não era como em Santa Lúcia, era uma coisa normal. Seu assistente, Jevan, trazia comida, fazendo as compras toda segunda-feira e havia garrafas de champanhe rosé para ela e engradados de Red Bull para mim. Por volta da uma da tarde, ela tomava uma taça de champanhe rosé. Mitch reprovava.

— Ame, é um pouco cedo para beber.

— Pai, sou uma porra duma mulher crescida, uma milionária que ganhou a própria grana, está dizendo que não posso aproveitar a vida? Não posso tomar uma taça de champanhe de tarde? Não estou bêbada, não estou apagando, não estou fumando drogas.

Mitch e eu trocamos olhares: *Isso vai se tornar um problema?* Ela tomava o café da manhã, ovos mexidos e salmão, vestia-se em alto estilo, dominando aquele bonita casa de gente grande. Não *parecia* um grande problema. Sua vida não podia ser apenas ioga e suco verde, embora ocupassem boa parte de seu tempo, também.

Ela comprou um Land Rover, embora não soubesse dirigir. A vida havia mudado, ela tinha o próprio carro, a própria entrada de automóveis e seus seguranças pessoais passaram a ser também seus motoristas. Mudaram Amy para Hadley Wood a fim de mantê-la fora de Londres, mantê-la longe de encrenca, mas não foi uma solução completa. Todo dia, por volta das seis da tarde, ela embarcava no Rover e era levada na jornada de quarenta minutos até Camden, ao reaberto Hawley, ao Mixer, à casa de alguém. Ela estava tentando se encaixar naqueles sapatos de diva pop e ao mesmo tempo queria chutá-los fora e sair vagabundeando por Camden Town. Enfiá-la em Hadley Wood não tinha sentido.

Foi a primeira vez que os paparazzi não tiveram permissão para viver diante da casa: havia uma ordem judicial que os impedia. Mas eles nos seguiam da saída de Hadley Wood pelas ruas até Londres e de volta para casa. O retorno a Hadley Wood era hilário; nós conhecíamos todos os atalhos, à esquerda, à direita, que eles desconheciam. Deliberadamente pegávamos o caminho errado, suas motos derrapavam na autoestrada. Desgarrávamos deles e os rapazes no banco da frente vibravam.

— Fodam-se, seus babacas!

Foram alguns dos momentos mais divertidos que vivemos.

Camden nunca muda, mas não estávamos vendo Pete Doherty, ou a turma realmente *da pesada*, e só passávamos poucas horas lá, Amy estava só tentando encontrar o chão de novo. Ninguém foi a Hadley Wood, nós não deixaríamos aquilo acontecer. Se subíssemos ao quarto do Hawley, eu não tinha medo de ela procurar drogas, mas o que me deixaria nervoso eram outras pessoas oferecendo-lhe drogas quando ela já havia largado o vício. Ela não fumou crack ou heroína nos últimos três anos de vida.

Bebida era o suficiente para ela agora. Na maior parte do tempo, Amy era uma pessoa normal que saía para beber até se embriagar. Estava tentando viver sua velha vida normal antes da fama, mas descobrindo que ela não existia mais. Quando deixávamos o Mixer havia sempre paparazzi e fãs amontoados do lado de fora. Ela ficava amedrontada e perturbada. Era como se estivesse vendo tudo aquilo pela primeira vez. Quando acontecia antes que ela tivesse sofrido o seu colapso mental, ela não dava atenção ou não sentia nenhum temor. Agora reagia como uma criança: ficava no fundo do carro, no meu colo, chupava o polegar e começava a chorar.

— Por que todas estas câmeras e pessoas estão aqui? Detesto tudo isso, por que estão sempre aqui?

Ela não ia a Camden para se destruir, ia para ser uma jovem normal — ainda tinha 25 anos, ia completar 26. Não estava mais usando drogas, a loucura tinha acabado. Nem era mais "Amy Winehouse", porque não estava se apresentando. Mas, em última análise, não podia ser normal porque *era* Amy Winehouse. Ainda era o alvo número um dos tabloides e os paparazzi estavam sempre ali, à espreita. Via as fotos no dia seguinte — ela folheava os jornais todo dia — e lá estava

uma foto sua piscando, com a legenda: "Amy bêbada em Camden."
Aquilo a incomodava.

— Estou mais bêbada *agora*, sentada em casa de moletom!

Simplesmente não a deixavam em paz.

Ficava muito em casa. Às vezes feliz da vida, na cozinha com sua mãe e sua tia, na companhia dos gatos que trouxera de Prowse Place, e amava os rapazes e eu. Mas a casa não lhe agradava. Mitch disse a certa altura:

— Quer comprar essa casa?

— De jeito nenhum! — desdenhou Amy. — Não quero morar em Chipre.

Era como uma mansão grega — uma imensa casa em pedra vermelha com tapetes nos quartos, mas o piso de cada quarto era de mármore bege-branco. Havia vasos de mármore gigantescos nos cantos, quase do tamanho de Amy. Um corredor com o piso de mármore ia até os fundos, onde existia uma extensão enorme. A imensa sala de jantar era do comprimento da casa, com belas cortinas e uma mesa comprida à qual se sentaria um rei, embora nunca entrássemos lá. Aquela sala de jantar se tornou a residência dos gatos; havia filhotes também e eles escalavam as cortinas todo dia e as estraçalhavam em tiras. Eram cortinas caríssimas e ficavam largadas nas caixas de areia dos gatos, roçando no cocô. Quando Amy partiu, ela riu daquilo. Trocar as cortinas custou mais de cem mil libras.

Às vezes um gatinho recém-nascido morria e Amy ficava devastada. Chorava muito, um ressurgimento de suas emoções, como se o seu coração estivesse voltando à vida. Ela subia, esvaziava uma caixa de sapatos Louboutin e eu tinha de colocar os gatinhos mortos nas caixas e cavar buracos no jardim. Era um ritual; encenávamos pequenos funerais, ela dizia:

— Temos de enterrar os bichinhos direito.

O jardim nem era dela!

Uma equipe de limpeza vinha duas vezes por semana: dois poloneses, seis polonesas. Aquilo não funcionava para Amy. Ela adorava limpar e arrumar as coisas, precisava fazê-lo, mas nunca conseguiria limpar a casa sozinha, era grande demais. No terceiro e último andar havia outra sala espaçosa, com claraboias retráteis, quatro sofás em forma de L e uma televisão maciça. Era onde passávamos a maior parte do tempo. Tinha uma saleta lateral com equipamento de gravação. Ela cantou a versão de "Don't Look Back In Anger" por Carleen Anderson muitas vezes lá. Achei que acabaria lançando em disco.

Não tinha trabalho algum na agenda, fez talvez dois shows particulares, mas estava começando a compor música. Uma canção chamada "You Always Hurt the Ones You Love", sobre ela e Blake. Para mim era a melhor música que ela havia composto na vida. Ela também achava. Era Amy típica: letra esperta, uma balada, como "Love Is A Losing Game", mas dez vezes melhor. Ela pegava uma declaração que você ouvira um milhão de vezes, como "você sempre machuca as pessoas que ama", e a cravava, expressando como era realmente aquele sentimento, melhor do que ninguém. Com uma melodia de gênio. A canção era tão bonita, referindo-se a Blake como um leão, Amy como a leoa, uma reflexão sobre o amor animal entre a entidade macho e fêmea.

Havia também uma canção chamada "Sailor's Pride" sobre Blake — ela sempre o chamava de marinheiro. Uma canção intitulada "Four Wheel Drive" descrevia a relação dos dois como uma colisão de automóvel. Ela passou por tanta coisa com Blake mesmo depois que compôs *Back to Black*.

Salaam visitava também, mas nunca conseguiram colocar esse material no papel. Ela tocava piano enquanto cantava e algumas músicas acabaram em *Lioness*, mas era tudo muito disperso. Ela ficava nervosa e bebia demais antes da chegada de Salaam, embora tivesse ficado sóbria nos quatro dias anteriores. E então se sentia esvaziada quando nada realmente acontecia. Havia um medo nela — de que não tivesse o que costumava ter, que houvesse perdido a sua magia. Havia também frustração e perda de confiança.

Ela recusou algumas ofertas de trabalho. Eminem queria gravar um dueto, mas Amy não se entusiasmou. Odiou o último álbum dele, *Relapse*.

— Quando ouvi aquele álbum me deu vontade de ter uma recaída!

Claro que a Island queria outro álbum e Amy sentia a pressão. Mas para mim não era importante naquele momento. Ela deveria estar no terceiro andar com o violão, usando a música como terapia, concentrando-se em ficar sóbria, e não pensando se iria ganhar cinco Grammys ou não. Era o começo da pressão exterior para os próximos dois anos. A última vez que ela compôs um álbum, ela estava *normal*. Uma jovem com o coração partido, com uma caneta e um violão, bêbada no chão da cozinha. Mas depois ela precisava encarar aquele desafio.

— Sobre o que devo escrever agora? — me perguntou. — Não tenho mais uma vida normal. Devo escrever sobre como sou famosa e quero que me deixem em paz? Preciso me apaixonar e ter meu coração partido de novo para que arranquem alguma coisa de mim.

Eu era uma pessoa sóbria tentando permanecer sóbria, e ainda estava com dificuldades. Embarquei para valer na cozinha. Fazia grandes jantares de assados como uma maneira de encorajar a normalidade, fazendo coisas de família para mim, para Amy e os rapazes. Amy não participava de nada daquilo, só fumava seu cigarrinho Vogue e tomava champanhe rosé. Quando a comida ficava pronta ela dizia:

— Leve para os rapazes!

Era sua maneira de ser a mãe judia que sempre quisera ser.

Eu sempre me preocupara com a silhueta desde que assinara meu contrato para gravar e me vi em vídeo; o fato de as pessoas estarem constantemente preocupadas com sua aparência é de enlouquecer. Aquilo acontecia com Amy também, naturalmente, debaixo de um refletor muito mais possante que o meu. Agora era uma preocupação diária minha não comer carboidratos e simplesmente não comer em excesso. Nunca fui criticamente magro, era apenas um garoto magrelo e gostava de continuar assim.

Quando você sai da reabilitação e começa a comer adequadamente, você começa a engordar. As pessoas diziam para mim:

— Você está ótimo, tem até uma bunda.

Se você tem problemas com comida e imagem corporal como eu tinha, tudo o que pensa é: "Espera aí, todo mundo tá dizendo que tô gordo? O que insinuam com 'está ótimo' — querem dizer gordura?" Se você é um viciado, geralmente troca um vício por outro. Eu não podia beber, eu não podia tomar drogas, o que podia fazer? Então eu comia e desenvolvi bulimia. E, sendo quem sou, entrei realmente fundo.

Conhecíamos tantas pessoas com transtornos alimentares, bulimia, anorexia. Antigamente era visto como "problemas de garotas", mas todos conhecemos melhor a questão hoje em dia. A bulimia é nojenta, se forçar a vomitar é horrível, você escova os dentes depois e a única coisa que quer é esquecer que aquilo aconteceu. Eu fizera aquilo uma vez antes e agora estava fazendo muito. Fazia escondido, no banheiro do último andar da casa.

Uma vez Amy me ouviu.

— Você está vomitando. É um jeito genial de ficar magro, não?

Ela estava me cutucando. Eu me sentia terrível porque sempre a encorajara a privilegiar uma alimentação saudável.

— Por favor, não coma toda essa porcariada e depois vá vomitar.

Eu era supostamente a pessoa que dava o exemplo, o garoto-propaganda miraculoso da abstinência. Fiquei constrangido e me senti uma fraude. Disse a ela que nunca mais faria aquilo de novo, porque não queria que ela fizesse. E nunca mais fiz. Simplesmente parei.

Mas aqueles problemas nunca pararam para Amy.

A bulimia é complicada. É não só uma forma de autocontrole e de ter algo com que se obcecar, é um modo de automutilação. A bulimia é como um ritual, ela pontua o seu dia e existe toda essa emoção que a acompanha: uma exaltação extrema quando está comendo e então a sensação de alívio quando se livra da comida. Antes do alívio vem o pânico — você enfiou toda aquela comida no corpo e sabe que só tem certo período de tempo para vomitar, caso contrário começa a digerir. E vomitar dói. As pessoas podem romper o esôfago com o esforço.

Era uma coisa esporádica com Amy, mas em Hadley Wood estava muito presente de novo. Os rapazes saíam para comprar baldes de KFC, ou salsicha empanada e batatas fritas com jarras de maionese. É uma coisa muito pessoal e eu nunca discuti com ela a respeito; só dizia, esperançoso:

— Amy, você precisa mesmo dar um jeito nisso.

Ela sabia, de qualquer maneira. Bebida e bulimia andavam juntas e, quando eram ambas críticas, ela ficava muito frustrada. O que sempre a levava a algum quebra-quebra. Ela jogava o laptop do outro lado da sala. Destroçava um laptop por semana.

Uma noite, Amy tinha bebido demais e Violetta estava com ela na cozinha. Eu estava deitado na cama e podia ouvi-las gritando uma com a outra.

— Amy, por que você está bebendo tanto?!

— Não estou bêbada, porra!

— Que merda, está mentindo pra você ou mentindo pra mim?!

Foi um barraco infernal. Saí do quarto e espiei pela porta. Neville estava espiando pela porta. Subitamente, ouvimos *Crash! Crash! Crash!* E Violetta gritando:

— Ah, é, você acha que sabe quebrar pratos? Vou mostrar a você como se quebra pratos!

Crash! Crash! Crash!

Eu e Neville descemos para a cozinha e as duas estavam se mijando de rir, rolando pelo chão e jogando pratos, xícaras e pires pela cozinha como num casamento grego. Na manhã seguinte eu desci para fazer o café da manhã e todo o chão estava coberto de cacos de porcelana. Não sobrou literalmente nada — pratos, xícaras. Tudo teve de ser comprado de novo.

Nos fundos da casa em Hadley Wood havia o que Amy chamava de Casa do Kebab, uma cozinha externa de verão no final do jardim. Estávamos sempre lá preparando o jantar. Amy fazia a melhor salada de batata que já provei. Éramos jovens, precisávamos ver pessoas; Amy queria ser sociável, então convidávamos pessoas, Naomi, Catriona, Chantelle. Eu ia até o mercado Waitrose com os rapazes, comprava tudo o que precisávamos. Amy ficava muito empolgada, porque era normal.

Grimmy apareceu, tinha acabado de arranjar um novo emprego na Radio 1, por isso Amy quis abrir imediatamente uma garrafa de champanhe. Qualquer pretexto valia. Ela sempre acabava bebendo um pouco além da conta, mas era uma tentativa de ser civilizada.

Kelly Osbourne apareceu algumas vezes, nunca sumiu da vida de Amy. Sentávamos na gigantesca sala de estar e, como uma viciada recuperada, Kelly ficou feliz com o ambiente sadio — as drogas tinham desaparecido, eu estava sóbrio. Ela dizia:

— Amy, estou tão orgulhosa do que você fez, e Tyler, veja só, você está tão *bem*.

Amy começava a refletir sobre sua vida passada de uma maneira que nunca havia feito antes.

— Não posso acreditar que tudo isso aconteceu comigo — dizia.

— Não posso acreditar que fui casada e divorciada.

Começou a rir, histérica.

— Quer dizer, que porra, eu era uma crackuda!
— Eu sei, Ame, confie em mim que eu sei!
— Sério, Tyler, sem piada, eu não era *uma autêntica crackuda?!*

Era como se ela não tivesse genuinamente nenhuma lembrança de uma parte da história. Dava uma olhada na internet, lia os jornais, via a si mesma gritando com os paparazzi e dizia:

— Deus do céu, o que foi que eu tinha tomado?!

Decididamente não se preocupava que aquilo acontecesse com ela de novo.

— Éramos jovens, rolava muita loucura, não era, Tyler? Lembra quando você bebia vodca como se fosse água?

Ela ainda tinha altos e baixos, passava de durona a chorona num segundo. Certa vez começou a chorar mesmo, falando sobre nossos tempos de viciado.

— Tyler, eu lamento tanto, não posso acreditar que nos coloquei naquelas situações com aquelas pessoas, algo poderia ter acontecido com você, comigo.

Especialmente com aqueles marmanjos que fizeram o vídeo de Amy fumando crack — podiam ter-me apunhalado num piscar de olhos. Eu disse a ela que não importava, que já tinha passado. Ela falou sobre os fornecedores de drogas, havia um monte de filhos da puta escrotos e aquilo realmente a perturbava, as coisas que me fizera passar. O que ela fizera sua família passar. Havia um remorso genuíno.

— T, eu gastei quinhentas mil libras em drogas, é uma roubada, eu podia ter comprado uma casa, eu podia ter comprado uma casa para *você*.

As pessoas de fora acham que ela nunca melhorou. A maioria das pessoas nem sabe que ela passou anos sem usar drogas, porque os tabloides mentiram. Ela não conseguia ver aquilo com clareza em Santa Lúcia. Foi no Caribe que ela acordou do pesadelo, mas ainda num estado letárgico. Ali, ela estava plenamente acordada, chegando mesmo a falar sobre Blake como uma pessoa adulta.

— Nós nos amávamos demais, coloquem Blake e eu num quarto, as bombas começam a explodir.

Havia o reconhecimento de que as drogas arruinaram a ela e Blake. Não sobrou nada.

* * *

Blake tinha saído da prisão, tinha um filho, e ela se sentia genuinamente feliz por ele. Falava com ele no Skype às vezes. Blake estava sóbrio e Blake sóbrio era um cara legal. Eu e ele conversávamos também. Ele dizia:

— Como vai, T? Você não bebe mais, muito bem, filho, eu também. Nós temos a mentalidade do tudo ou nada, você, eu e Amy. Com a gente é vá fundo até morrer, ou simplesmente não vá.

Amy foi visitar Blake no norte por uns dois dias; os rapazes foram com ela. Ela reservou um hotel. Pensei que talvez visse aquilo como uma despedida. Então ela o trouxe a Hadley Wood. Eu não estava lá naquele dia, estava voltando quando Amy telefonou.

— Blake esteve aqui, nada estava acontecendo e meu pai apareceu e teve um ataque! Gritou com ele, mandou se foder e sair da casa, aprontou uma cena, pode crer. Blake ficou muito constrangido.

Ela achou aquilo engraçado, seu pai mandando embora o garoto malcriado, sendo um pai das antigas, coisa que ela sempre quisera. Adorou que ele tivesse feito aquilo e comentou durante dias. Para ela, ser expulso era uma prova de amor, um sinal de que alguém se importava. Jogo limpo de Mitch.

Às vezes ela se chateava em Hadley Wood, quando ninguém de fora aparecia. Por isso, em busca de algo para fazer, ela visitava os vizinhos elegantes sem anunciar.

29

Amy estava tentando manter o pé no chão, como se não fosse famosa. Na sua cabeça, era uma dona de casa dos anos 1950. Depois de sua taça de champanhe da hora do almoço, anunciava que estava saindo para "visitar os vizinhos". Eu ia com ela.

Os vizinhos de Hadley Wood eram muito elegantes e suas casas, muito chiques. Amy sentava-se na ilha das cozinhas pretensiosas. Às vezes levava uma garrafa de vinho de presente. Ou pedia uma bebida. Eles sabiam quem ela era, sabiam que não ia querer um chá ou café, mas a gente podia vê-los pensando: "Ofereço uma bebida? Não ofereço uma bebida?" Eu queria *morrer*. Às vezes ela já estava um pouco bêbada, tropeçando ao entrar e sair de suas casas com seus saltos altos e seu vestido curto. Eles definitivamente pensavam: "Por que Amy Winehouse está sentada em minha casa?" Às vezes ela levava um presente, geralmente um dos grandes vasos de mármore da casa que nem eram dela porque a casa era alugada.

Nas proximidades havia uma família com uma filha da nossa idade e Amy aparecia lá todo dia. Devia incomodá-los — ela simplesmente chegava lá. Eu os puxava para um canto e implorava:

— Por favor, *por favor*, parem de dar bebida para Amy à uma da tarde.

Era uma família adorável, havia um filho e Amy acabou tendo um casinho com ele, o que não foi muito sensato. Ela estava tentando fazer amigos, ser boa vizinha, convencendo a si mesma que estava bebendo "socialmente", como uma pessoa normal.

Seu aniversário de 26 anos aconteceu em setembro. Ela ainda odiava aniversários, qualquer um que a conhecesse de verdade saberia. Chegou uma avalanche de flores, os buquês mais extravagantes, presente da Island Records. Coisa do nível de Mariah Carey, alguns em grandes vasos caros e modernos, quadrados, de vidro, cerca de vinte deles. Nós os colocamos na sala de jantar com os gatos e o cocô. Até que apareceu uma van com ainda *mais*.

— Quem eles acham que eu sou? A Princesa Diana?

Tudo o que Amy queria era beber champanhe o dia todo até que acabasse.

Mitch apareceu para lhe desejar um feliz aniversário e ralhou com ela, como fizera nas férias em Mustique.

— Amy, tem cerca de dez mil libras em flores aqui, devia apreciar que as pessoas mandem estas coisas bonitas para você.

— Fique com elas, então, papai. Pode levá-las! Ou vou lhe dizer o que pode fazer com estas flores...

Ela foi até a sala de jantar e arremessou dois ou três vasos de flores contra as paredes, cacos de vidro por toda parte. Mitch ficou *realmente* puto. Era ele que amava toda aquela palhaçada do *showbiz*. Amy cagava para tudo aquilo. Nada disso era normal. E o que Amy precisava mais do que tudo era normalidade. Ela não precisava compor um álbum; ela precisava fazer compras, limpar a própria casa e ir aonde quisesse de transporte público igual a todo mundo.

Um dia, disse para mim:

— Sinto saudade de andar de metrô.

Estava cansada de ficar presa no trânsito até Londres sentada no seu Land Rover de oitenta mil libras. Eu achei que valia a pena tentar — o que de pior poderia acontecer? Fomos levados à estação mais próxima, Cockfoster, eu, Neville e Amy. O metrô não estava cheio, ela parecia Amy, seus cabelos estavam para cima, sem nenhum disfarce. Ao nos aproximarmos de Londres, o vagão foi se enchendo. Amy era tão famosa que toda pessoa olhava duas vezes e eu podia ver em seus rostos: obviamente não é ela, *não* pode ser ela.

Amy estava rindo, sussurrou para mim:

— Eles não acreditam que sou eu! Incrível, eu posso mesmo andar por aí!

Neville era quem se sentia nervoso, por ser o responsável. Chegamos a Camden Town, saímos do trem e as pessoas ficaram transtornadas, gritando, correndo na sua direção, não a viam em público havia tanto tempo. Amy não se amedrontou, achou aquilo hilário, mas Neville teve chiliques:

— Precisamos sair daqui, vamos causar um acidente!

Subimos correndo pelas escadas rolantes e chegamos ao alto com nossas passagens. A saída estava aglomerada e Amy simplesmente saltou a barreira, como um rapaz. Eu e Neville não tivemos outra escolha senão fazer o mesmo, atrás dela. Corremos para fora, onde havia mais gente gritando. Amy estava entre nós dois, de mãos dadas comigo e com Neville, correndo através de Camden. As pessoas gritavam, riam e tiravam fotos, correndo atrás de nós. Chegamos ao Hawley e Amy desabou num assento.

— Incrível!

Havia semanas que ela não se divertia tanto.

* * *

Funcionamos bem juntos em Hadley Wood. A família dela estava muito feliz de nos ver morando juntos depois de tanto tempo. Sabiam que eu cuidaria dela. Eu era um bom cozinheiro e ela sempre me pedia:

— Querido, pode me fazer uns ovos mexidos?

Um dia Mitch estava lá observando e disse:

— Por que vocês dois não se *casam?*

Eu e Amy sorrimos: aquilo não era para nós, éramos irmão e irmã. Mitch falou naquilo algumas vezes e eu sabia o que ele estava pensando: "Ela é louca, você é louco, mas por algum motivo quando estão juntos tudo funciona bem e se vocês se casassem o resto de nós não teria mais de se preocupar com ela."

Uma noite, já no final de nossa época em Hadley Wood, Amy tinha bebido muito e estava no banheiro, chorando, sentindo-se perdida naquela prisão dourada.

— Tyler, eu odeio este mundo, só quero que as coisas sejam normais. Por favor, *por favor*, não podemos eu e você simplesmente casar e ter filhos e ter uma vida sem toda esta merda?

Aquilo me tocou. Ela estava desesperada, tentando resolver seus problemas. Não estava mais brincando sobre Marlon e Brandon, os gêmeos gângsteres. Falava sério.

— Ame, você sabe que eu te amo, mas não posso ter filhos agora. Ainda nem sei o que vou fazer da vida. E não tenho tanto dinheiro quanto você.

— T, isso não importa, eu *tenho* dinheiro, tenho uma casa...

— Mas nada disso é meu! Eu quero ter filhos um dia, mas preciso ser um homem primeiro, um provedor.

Eu não gostaria nunca de ser conhecido como "o cara que vive às custas da Amy Winehouse": eu voltaria à bebida dentro de poucos dias. Ela sabia disso. Pensei no assunto durante dias, depois. Se ela tivesse filhos, teria ficado tudo bem? E se não ficasse? Então se acrescentava toda uma nova dimensão, a de não estar ela bem o suficiente para ser uma boa mãe. Os problemas nem sempre vão embora quando se tem um filho. Às vezes é o oposto. Eu não tinha dúvida de que ela seria uma mãe ótima, nascida para aquilo, mas ela ainda não estava pronta.

Fiz as pazes com isso agora, mas na ocasião aquilo me perturbou muito. Faria tudo por ela, mas aquilo era pedir demais: desistir da vida para ser marido e pai. Eu tinha 27 anos e estava aprendendo a ficar sóbrio, que dirá o resto. Mal começava a descobrir quem eu era e o que queria fazer. Talvez compor de novo. Talvez cantar de novo.

Tinha até trabalhado num estúdio em Nova York com o produtor Benny Blanco, amigo de Neon. Amy me havia encorajado a aceitar o trabalho.

— Você precisa compor — dissera.

Tudo correu bem, havia muita oportunidade lá, Benny tinha acabado de assinar um contrato de dez milhões de libras. Homens do departamento artístico iam me contratar. Era minha segunda chance. Telefonei para Nick e ele ficou muito animado.

— Você está de volta!

No entanto, o tempo todo eu estava preocupado com Amy. Liguei para os rapazes: ela não estava muito bem. Disse a Benny que precisava voltar e ele ficou atônito. Amy não estava me pedindo para voltar, foi ela quem me encorajou a viajar. Às vezes me pergunto aonde minha vida teria ido parar se eu tivesse ficado em Nova York. Mas já fiz as pazes com isso, também. Já sabia, então, que fama não era o meu negócio. Se algo importante tivesse acontecido comigo, eu provavelmente teria acabado bebendo de novo, consumindo drogas e ficando louco.

* * *

 Algumas pessoas começaram a voltar à vida de Amy; o casulo protetor começava a se romper. Às vezes, se estávamos em Camden, acabávamos dormindo num hotel. Certa vez, estávamos diante do espaço de galerias de arte Proud Galleries e Sheridan Smith estava lá também. Ficamos felizes, achávamos a sitcom *Two Pints of Lager and a Packet of Crisps* genial, nós a víamos sempre e Sheridan era nossa preferida. Amy se apresentou e ficou logo aparente que ela era uma de nós, da classe operária; não sabíamos antes, podia ter sido uma atriz elitista. Nos amontoamos todos na casa de alguém e pedimos a Sheridan para fazer esquetes de *Two Pints*. Amy dizia a ela insistentemente que era a maior e Sheridan não acreditava.

 — Você está me gozando, você é Amy Winehouse, eu não passo de uma atrizinha de TV num programa engraçado.

 Sheridan começou a visitar Hadley Wood e elas fizeram uma amizade genuína, tinham conversas sérias. Era bom para mim também, eu podia ir para a cama sabendo que Amy estava segura.

 Mesmo assim, as coisas estavam ficando confusas. Amy estava começando a emborcar o tônico relaxante Night Nurse para dormir, como eu fazia quando bebia. Eu dava a ela uma dose às vezes porque não queria que ela tomasse a garrafa inteira. Notei que ela tinha começado a bebericar Night Nurse no meio do dia. Night Nurse é um perigo se você não o usa adequadamente. Você entra em alucinações. As pessoas se tornam sonâmbulas. É da família dos opiáceos e cheio de paracetamol, com cerca de dezesseis doses por garrafa. Uma overdose pode causar insuficiência hepática; dá para se matar por acidente.

 Eu estava na cama, dormindo, quando Sheridan me sacudiu para que acordasse.

— Tyler, você precisa levantar, tem algo errado com a Amy...

Pulei da cama e desci correndo. Amy estava na cozinha e todas as seis bocas do fogão a gás estavam acesas. Quando Sheridan subiu para me chamar, as bocas de gás ainda não estavam acesas, ela só pensou que Amy estivesse errática. Mas agora Amy segurava pratos de jantar sobre as bocas de gás, "secando-os", chamas alaranjadas e azuis lambendo os pratos, um pano de prato pegando fogo. Joguei o pano na pia, puxei Amy para trás. Ela derrubou os pratos, estava zangada, a fala pastosa, tropeçando.

— Vai se foder, T, estou lavando os pratos.

Pedi a Sheridan para verificar seu quarto, procurar o Night Nurse. Ela desceu com uma garrafa vazia.

Amy estava completamente incoerente, deitada no chão, espumando pelos cantos da boca. Sheridan acordou os rapazes e eles chamaram uma ambulância. Eu fui na traseira da ambulância com ela e o paramédico queria saber o que ela havia tomado.

— Ela bebeu, talvez tenha tomado alguns Valiums, mas tomou um monte de Night Nurse.

— Quanto?

— Pelo que sei, toda a garrafa.

Era tudo o que ele precisava saber. Ela foi direto para a unidade de tratamento intensivo na London Clinic, na Harley Street. Fiquei na sala de espera com Neville e Andrew. Não achava que Amy estivesse para morrer, mas estava chocado, nada como aquilo acontecia havia tanto tempo, talvez um ano e meio. Quando ela acordou e se estabilizou, eu entrei.

— Amy, pelo amor de Deus, você bebeu mesmo tanto Night Nurse?

— Não lembro.

— Você não pode continuar fazendo isso!

— Estou bem, acalme-se, T, você está sendo dramático...

— Você está em tratamento intensivo, não está entendendo a situação!

Foi o começo de Amy sentindo-se invencível. Porque, não importava o que acontecesse, ela acordaria na própria cama ou no hospital e estaria tudo bem. A seriedade da situação nunca lhe passou pela cabeça porque havia sempre alguém tomando conta dela — eu ou os rapazes. Lá estava ela no tratamento intensivo dizendo:

— Ora, estão apenas sendo extracautelosos.

Havia situações em que ela era levada às pressas para o hospital e não tinha nenhuma lembrança do que a levara até lá. Ela nunca pensava que qualquer daquelas situações pudesse se tornar muito grave.

Pode acontecer a qualquer um, mas quando você é famoso e tem guarda-costas, você é *muito* bem cuidado. E começa a aprender, como viciado, que não há consequências. Você é resgatado de situações. Você não precisa literalmente *cuidar de si mesmo*. Porque outras pessoas estão cuidando de você. Eu me incluo nisso, mas que escolha tinha? Ela era minha amiga de toda uma vida, eu não podia *deixar* de cuidar dela. Mas quando você coloca todas estas coisas no devido lugar, você afasta toda responsabilidade pessoal. Quando você não é responsável sequer por ir *dormir*, isso se torna perigoso.

As coisas organizadas para salvar Amy foram parte da razão pela qual ela não foi salva, no fim.

30

Você não pode dizer a um viciado o que fazer. Em última análise, só eles podem se ajudar. Amy continuava insistindo em não ir para a reabilitação porque não se considerava alcoólatra. Sua ideia de alcoólatra era *eu*. "Rehab", a canção, a assolava, a perseguia por toda parte. De certa forma a definia.

A London Clinic em Harley Street não é um centro de recuperação, é um hospital particular, um hospital de verdade, mas é também muito parecido com um hotel. A maioria das pessoas lá está internada em função de cirurgias plásticas. Amy esteve lá várias vezes para abstinência alcoólica, mas só uma vez na unidade de tratamento intensivo, depois do pesadelo do Night Nurse. Aquele hospital não demorou a se tornar seu segundo lar. Depois de dois dias em casa bebendo no sofá, era ela quem sugeria ir até lá para se cuidar — tornou-se seu cobertor de segurança. Novamente, era apanhada toda vez que caía. Os executivos não queriam que as pessoas soubessem que ela estava frequentando a clínica, então ela ia discretamente com os rapazes no Land Rover.

Ela adorava a clínica. Tem um spa. Uma academia. Tem serviço de quarto, como um hotel cinco estrelas. Cardápio fino, bebidas finas, você pode pedir álcool. Ela fazia isso quando melhorava. Ficava lá por uma semana, dez dias, às vezes três semanas. Era enganchada numa bolsa de soro e se acostumou com essas técnicas profissionais.

Quando estava deitada no sofá em casa, bebendo, eu lhe dizia que ela estava destruindo seu *corpo*, não apenas sua mente, e ela dizia:

— Por que eu não posso receber soro em casa?

Falava sério. Se eu dissesse "OK, vou organizar isso", a coisa teria sido organizada. Fama e privilégio de novo. Como quando o craque de futebol George Best fez um transplante de fígado e voltou a beber: ele tinha sido "consertado", então podia continuar bebendo. Existem pílulas e poções para ajudar a se tornar um alcoólatra melhor. Pílulas para azia. Amy tomava um sachê de reidratação Dioralyte todo dia para compensar a desidratação da bulimia, que pode levar a insuficiência cardíaca.

Ela começou a criar um relacionamento com o hospital. Mais proteção. Já tinha os rapazes, que eram pagos para ficar com ela, e agora tinha aquele lugar aonde podia ir a hora que quisesse — novamente fugindo do ambiente de casa. Os rapazes iam com ela para o hospital também, sentavam-se em cadeiras na frente do quarto.

Ninguém precisa ficar num hospital três semanas para desintoxicação alcoólica. Ela fez daquilo a sua versão da reabilitação. Nos dias iniciais de abstinência, que são horríveis, nunca teria passado por sua cabeça beber. E, naturalmente, não lhe teriam dado álcool. Mas às vezes ela ficava lá tanto tempo que, ao final da sua estada, trataria o local como um hotel, como se passasse férias no hospital. Costumávamos sair para almoçar no restaurante de peixes em Marylebone High Street. Íamos até mesmo ao Hawley, não muito, quatro ou cinco vezes, mas ela se embriagava — e voltava para o hospital.

Aquilo não era divertido para mim. Eu estava sóbrio, ela estava no hospital *para se abster do álcool*, mas não podia ser refreada. Passei umas duas noites no hospital, dormindo na cadeira em seu quarto. Ela se sentia segura ali — um hotel onde recebia tratamento médico. Às vezes era apenas o lugar onde dormia.

* * *

Barbara Windsor morava pertinho do hospital, numa casa de vila. Amy a conhecera através de Mitch e elas se deram muito bem. Nós íamos visitá-la saindo do hospital por uma porta lateral e caminhando até sua casa, onde ficávamos cerca de uma hora. Era como dar um pulo na casa de uma tia no Leste de Londres. Havia uma grande sala de estar quadrada com uma mesa de café no meio. Amy sentava-se num sofá, Barbara no outro, e elas batiam papo, enquanto eu ficava na cozinha com seu marido, Scott. Amy dissera a ele:

— Tyler é um alcoólatra recuperado como você.

Então ele falava comigo de vício e sobriedade.

Barbara sabia que Amy tinha vindo do hospital, estava bem a par de seus problemas e nós todos comentávamos que Amy se tornaria como eu e Scott, que ela chegaria lá também. Barbara dava muita força à ideia. Os dois faziam sanduíches para nós, Barbara sempre insistia para que eu tomasse uma xícara de chá e às vezes Amy pedia uma bebida. Barbara era abstêmia também, mas eles tinham bebida na casa para visitas. Ela perguntava a Amy:

— Tem certeza? — E me perguntava em seguida: — Ela pode beber? — quase pedindo minha permissão porque não queria assumir a responsabilidade.

Eu dizia simplesmente:

— O que a gente pode fazer?

Amy podia beber em qualquer lugar se quisesse. Não estava ali para se embriagar, longe disso, era sempre uma dose, ou meia taça de vinho. Embora fosse estranho às vezes. Estávamos sentados lá falando de sobriedade, Amy dizendo como se orgulhava de mim, Barbara dizendo que se orgulhava de Scott e os dois se orgulhando de mim, enquanto Amy tomava seu vinho! Mas Amy tinha pedido educadamente e eu também sou educado. Se estou na casa de uma mulher madura que está me preparando um sanduíche e uma xícara de chá, não iria aprontar uma cena e fazer Barbara Windsor se sentir constrangida, iria?

Barbara era uma veterana experiente que conhecia os fatos da vida e Amy tinha tanto respeito por ela que podia realmente se abrir. Eu ouvia Amy dizer:

— A mídia nunca me deixa em paz.

Barbara concordava com ela:

— Ora, eu sei bem como é, Amy!

Dava aquela sua gargalhada, ela era incrível. Às vezes Barbara pegava seus roteiros de *EastEnders* para ensaiar um pouco e Amy sempre queria fazer o papel de Peggy Mitchell, a personagem de Barbara. Barbara adorava, e fazia o papel de Pat Butcher. Amy, sendo como era, com seus sotaques e imitações, pegava logo o espírito da coisa.

Havia uma forte ligação entre elas, eram pessoas semelhantes — não só porque eram mulheres pequeninas com grandes colmeias. Barbara sempre parecia de bem com a vida e era muito maternal com Amy; eu sempre pensava que Amy se pareceria com ela dali a quarenta anos. Lembrava Amy com a avó. Quando saíamos, Barbara sempre me dizia:

— Cuide dela, Tyler.

Amy estava vivendo na própria realidade alternativa. Era uma autêntica adoradora do sol e sempre que fazia sol ela ia até um pequeno pátio nos fundos do hospital para um banho de sol. Nem chegava a ser parte do hospital. Para chegar lá você atravessava a cozinha. O pessoal colocava uma espécie de maca do lado de fora e Amy se deitava sobre ela com uma taça de champanhe para tomar banho de sol, coberta de óleo de amêndoas. De vez em quando um sujeito da cozinha saía para fumar um cigarro e via Amy deitada lá, sem camisa, encharcada de óleo. Ela pedia:

— Me dá um fogo, querido...

Ele nunca sabia para onde olhar. Para os não famosos, aquele comportamento seria totalmente inaceitável. Anos antes, Amy teria achado aquilo ultrajante.

Certa vez ela foi ao Hawley e bebeu tanto que se esqueceu de voltar para o hospital e acabou em Camden, em Jeffrey's Place. O apartamento tinha se tornado o maior clube noturno de Camden e estava caindo aos pedaços, o papel de parede esfrangalhado, um buraco infernal. Ela voltou ao hospital à uma da manhã caindo de bêbada, vestida nos trinques, com maquiagem completa, com aquela *entourage* que a cercava, eu e os dois guardas de segurança parrudos, ninguém podia deixar de nos ver. E foi para a cama. Depois daquela noite, eles disseram que ela definitivamente precisava voltar para casa.

Todo mundo sabia quem ela era. As enfermeiras a amavam, especialmente as enfermeiras irlandesas, eram suas amigas de hospital. Amy criou um pequeno mundo para si mesma lá, uma boa vida; era como uma mãe dos anos 1950, pendurando a roupa no varal e batendo papo por cima da sebe do jardim. Era tudo o que ela sempre quisera. Ela chegava até a lavar as roupas de baixo na pia e pendurar sutiãs e calcinhas chiques pelo quarto.

Com o tempo, ela começou a dizer que queria melhorar, ficar saudável, engordar cinco quilos. Ia à academia e malhava para recompor a musculatura. Quando saía, estava tinindo. Existem fotos de paparazzi da época em que ela exibe uma aparência de um milhão de dólares. E ela estava *no hospital*.

Certa vez fui visitá-la e não a achei no quarto. Entrei em pânico e procurei as enfermeiras irlandesas.

— Ela está na cirurgia.
— Que quer dizer?!
— Não, não, não, ela está ótima!

Amy apareceu no corredor num carrinho, com duas bolsas de sangue suspensas de cada lado do corpo. Fiquei horrorizado.

— O que aconteceu?
— Calma, só acabei de refazer minhas tetas!

Ela não tinha mencionado aquilo. Nos últimos dois anos ela enfiava filés de frango no sutiã, aquelas próteses de plástico parecendo filés de frango, para modelar seus seios. Amy tinha peitões e ficou chateada quando sumiram, ela perdeu muito peso com as drogas. No final de uma noitada, às vezes encontrava Amy caída no sofá, a sala de estar coberta por uma colmeia desgarrada, um par de sapatos de saltos altos e dois filés de frango caídos do sutiã.

Parecia estar viajando — tinham dado a ela morfina. Fiquei furioso, ainda era uma viciada em heroína em recuperação. Ela ainda estava coberta de ataduras, não dava para ver nada, mas ela queria me mostrar os resultados. Tentei impedi-la.

— Você acabou de sair da *cirurgia*.

Estava muito chapada por causa da morfina, a maioria das pessoas estaria deitada na cama babando. Pulou da cama com as bolsas de sangue ainda de cada lado, arrancou as ataduras e me mostrou os peitos.

— São legais, não?

Ainda tinha tubos ligados às bolsas de sangue e aquilo parecia um filme de terror zumbi.

— Amy, são maravilhosos, volte para a cama, tem sangue pingando no chão, você precisa ficar deitada...

Amy típica, fez aquilo num capricho enquanto estava lá. Custou uma fortuna. Mas teve o efeito que se espera de uma cirurgia plástica, lhe deu confiança. Saímos para comprar sutiãs quando ela voltou para casa. Eu a vi espiar-se em espelhos e ficar feliz consigo mesma. Por muito tempo as pessoas a viam horrorosa nos jornais, doente, caótica, e aquilo lhe causava uma reação. Dizia:

— As pessoas me acham feia.

Ela mesma se chamava de feia. Certa vez estávamos nós dois no banheiro feminino no Hawley e Amy e outra garota refaziam a maquiagem diante do espelho. A garota disse:

— Meu Deus, você é a cara escarrada da Amy Winehouse. — Obviamente achando que a tinha insultado. — Mas obviamente muito mais bonita.

Amy não falou nada, mas aquilo a chateou de verdade.

Depois da cirurgia, ela começava a se sentir confortável com sua aparência. Finalmente.

* * *

Voltamos para Londres. Amy tinha deixado claro que seu sonho não era suburbano, era ter a própria casa em Camden. Mitch se encarregou de encontrar uma, ela não se envolveu em nada, o que me deixou puto. Se a deixassem se encarregar de achar a casa dos seus sonhos ela teria adorado, como qualquer pessoa. Por isso, enquanto os executivos da gravadora estavam à procura da casa e planejando a reforma, nos mudamos para um apartamento em Bryanston Square, em Marylebone. Era um apartamento convertido numa elegante praça de casas geminadas, quase na esquina da loja de departamentos Selfridges. Não era enorme, três quartos — para Amy, para mim e para um dos seguranças —, cozinha americana, sala com janelas de guilhotina. Ela gostou bastante — era mais intimista e ela mesma podia fazer a limpeza.

Como sempre acontecia quando nos mudávamos para um lugar novo, as coisas começaram a melhorar. O apartamento estava sempre em ordem, ela voltara a ser uma faxineira obsessiva. Colocava as revistas sobre a mesa de centro: *Hello!*, *OK!*, palavras cruzadas e *Vogue* — há anos ela assinava a revista. Ainda ia a Camden, mas estava menos rebelde, mais calma e equilibrada. Estava cuidando da saúde, incluindo um tratamento dentário, porque tinha destruído os dentes com o crack e a heroína. Voltara a fazer listas de compras de toda a parafernália feminina que adorava: banhos de espuma, esfoliantes faciais, xampu de morango e cremes de abricó. Frequentava a academia no Langham Hotel, ali perto, comprava rosbife numa delicatéssen judaica, Reubens, logo ali na Baker Street. Passava um bom tempo vendo TV, especialmente *Misfits*, a série sobre garotos de reformatório com superpoderes — nós amávamos. Havia um esforço consciente para não beber o tempo todo.

Amy tinha uma relação adequada com seu médico a esta altura e estava tomando betabloqueadores, assim como o sedativo Librium, uma droga para o alcoolismo que mantém o paciente equilibrado e impede a ocorrência de convulsões. Não se deve beber quando estiver tomando Librium, a combinação pode não só causar tonteiras severas, como provocar um apagão quando se está em plena consciência. Pode até matar.

Amy estava tentando com afinco e, a maior parte do tempo, conseguindo. Ficava sóbria por duas, três semanas — um período longo em comparação com a época de Hadley Wood. Parecia reconhecer agora que bebia demais. Sempre dizia sobre ficar sóbria:

— Se você consegue, Tyler, então eu também posso conseguir, porque ninguém bebeu tanto quanto você.

Eu sabia que era o modelo dela em relação à sobriedade; eu não havia me tornado um catequizador fanático de ioga pós-vício, ainda era o mesmo, apenas não bebia mais. Ela nunca admitira que houvesse qualquer problema nos tempos de Hadley Wood, portanto aquela era uma nova perspectiva. Estava pensando talvez em se tornar como eu.

Ainda assim, estava isolada. Ficava geralmente em casa, só comigo e os rapazes. Quase não havia compromissos profissionais e, quando algo aparecia, ela sofria de ansiedade social, o que lhe dava vontade de beber. Teve um contrato de patrocínio com a marca Fred Perry e se envolveu com o design dos produtos — eu vi os rascunhos; ainda é possível encontrar os projetos de Amy nas lojas da cadeia Fred Perry. Ela amava Fred Perry e nunca endossou produtos de qualquer outra marca. Havia uma sessão de fotos para o lançamento da coleção na casa de Bryan Adams perto de King's Road. Embora o conhecesse de Mustique, a caminho de lá estava realmente nervosa.

— Preciso de uma bebida.

— É melhor não ir, então. Se não se sente bem hoje, eles podem remarcar.

Eu a acalmei, tentei fazê-la ver que não era um bicho de sete cabeças — era Bryan, era na casa dele, não era uma grande produção em estúdio. Chegamos e Vicky, da casa de Bryan em Mustique, estava lá. Não tínhamos nenhuma ideia e ela estava maravilhosa como sempre.

— E aí, garotos, como vão?!

Amy acalmou-se imediatamente. Então fomos levados a outra sala e havia lá uma *equipe* de oito ou dez pessoas. Amy simplesmente congelou. Saímos da sala.

— Preciso de uma bebida.

Todo mundo estava com medo de que ela surtasse. Em vez disso, ela recuou. Eu sabia que a única maneira para que aquilo funcionasse seria todo mundo sair. Falei com Bryan, ele esvaziou a sala e começou a tirar fotos. Amy estava junto ao peitoril de uma janela com um ar ansioso, parada como um manequim, sem nada da personalidade de Amy. Estava toda produzida, os cabelos e a maquiagem perfeitos, naquelas roupas elegantes que ela mesma havia desenhado, e parecia aterrorizada. Senti pena dela. Tive uma ideia: vou usar sua tática e fazer o nosso jogo.

Pedi a Bryan para colocar um disco de Frank Sinatra. A música começou, fui até a janela, estendi a mão e ela soube imediatamente o que eu queria. *Vamos dançar.* Começamos uma dança lenta, meu braço ao redor da sua cintura, valsando. Da porta, Vicky observava e sorria. Aquilo era tão distante de Mustique dois anos antes, quando nós dois estávamos perdidos. Não estávamos mais caóticos. Eles não tinham ideia do que aquele momento representava para nós. Bryan aumentou o volume da música, realmente alto, e dançamos ao som de Frank Sinatra por vinte minutos, "I've Got You Under My Skin", "Cheek to Cheek", com sua cabeça pousada no meu ombro. Era tão especial, só Amy e eu dançando como amantes, como marido e mulher na primeira dança em seu casamento.

Bryan aproximou-se.

— Vamos fazer as fotos?

Fizemos as fotos.

* * *

Mark Ronson visitou Bryanston Square algumas vezes. Gostou de vê-la tão controlada, nunca mencionou Henley ou o tema de Bond, era sábio e sabia que não valia tocar naquelas coisas. Daquela vez eles estavam de volta à sua praia de costume, dois nerds sentados para conversar sobre música por horas, sobre bandas dos anos 1960 das quais nunca ouvi falar. Amy falou sobre o próximo álbum, o que eles iriam fazer. Aquele som retrô que tinham criado para *Back to Black*, Amy definitivamente queria fazer aquilo de novo. Aquela ainda era a música em que ela vivia e respirava. Ela estava voltando ao hip-hop também, como estava voltando a si mesma, ouvindo Nas e Mos Def. Falou com Mark sobre formar um supergrupo: ela, Mos Def, o rapper americano Common e o cara do hip-hop americano Questlove, da The Roots. Falava muito com Mos Def pelo Skype. Ficaram todos afim, ela estava tão entusiasmada, Mark seria o produtor. A ideia era brilhante. Eu ficava animado com aquilo, ouvindo seus planos — aquele gênio musical cujo talento ficara adormecido tanto tempo. Era um sinal importante de que ela estava a caminho da saúde plena.

Então, do nada, Amy e eu tivemos uma briga colossal.

31

Saí um dia para um Starbucks e uma caminhada, voltei a Bryanston Square e Amy estava sentada no sofá embriagada de vinho. Nunca começava a beber na minha frente, esperava que eu saísse. Fiquei muito frustrado. Ela começava a se recuperar, frequentar a academia, compor música, colocara os dentes em ordem. Eu ficara otimista de novo.

— *Ame*, o que aconteceu, por quê?

Sua resposta não foi novidade.

— Estou entediada, Tyler. Estou deprimida. Me deu vontade. A vida é chata, não é?

Alguma coisa deu em mim.

— Fala sério, por que não é capaz de *apreciar* a porra de vida que tem?

Era a primeira vez que eu dizia aquele tipo de coisa para Amy. Eu estava puto, botando tudo pra fora.

— Está lembrada quando éramos garotos? E amávamos música? E tínhamos nossos sonhos? Você *conseguiu*, Amy. Você arrasou! É uma superestrela global, vendeu milhões de álbuns, você ganhou Grammys... Porra, você é tão *ingrata*!

Quando revejo a cena, como adulto, sei que estava errado, ainda que ela não devesse beber. Aquilo tinha mais a ver comigo e com meus problemas. Segui em frente.

— Estou aqui o tempo todo, tentando ajudá-la a ficar sóbria, ajudá-la a chegar aonde *eu* cheguei. E você vem dizer *a mim* que a vida é chata? Vem dizer *a mim* que está deprimida? Sou eu quem não está bebendo, sou eu quem não realizou o seu sonho, mas eu vou levando, não? Eu queria ser um artista. Se estivesse sentado aqui no seu lugar, alguém que tem tudo o que sempre quis, eu seria a porra da pessoa mais feliz no mundo. Nunca consegui chegar a fazer tudo isso porque estava *ocupado demais cuidando de você*.

Ela olhou para mim, calma como se nada tivesse acontecido.

— Bem, Tyler, você devia ter pegado num violão pelo menos uma vez na vida.

Eu perdi o controle.

— Vai se foder, Amy. *Vai se foder.*

Tínhamos quatro seguranças em rodízio àquela altura e o que chamávamos Vovô, que devia ter 60 anos, morava conosco. Estava lá, num canto, falando:

— Ei, calma aí, crianças, vocês não estão brigando a sério, o que está acontecendo? Vocês se amam!

Eu já vira Amy ser malvada, já a ouvira dizer frases de cortar a garganta do interlocutor, mas ela nunca fizera aquilo comigo. Se fosse um garoto, levaria um soco bem no meio da cara. Saí porta afora, desci ruidosamente as escadas, quando cheguei ao térreo já tinha ligado para Tom Wright, meu chapa de Camden. Eu queria me destruir por alguns dias. Sabia que a bebida não era uma opção para mim, então partiria para a cocaína, e sempre achava cocaína em Camden. Normalmente não se cheira cocaína sem beber, porque é como cheirar uma carreira de ansiedade, mas eu estava determinado. Fiz questão de que todos ao meu redor soubessem onde eu estava, para que Amy soubesse e se preocupasse, achando que tinha causado uma situação catastrófica. Ela havia queimado um fusível em mim que guardara bem protegido por tanto tempo.

Tom estava promovendo uma noitada no Koko, por isso eu fui lá. O nome de Amy aparecia em meu telefone a cada três segundos, ela me mandava mensagens de desculpas, mas ignorei todas, porque queria sofrer, queria machucá-la.

No dia seguinte percebi: "Eu sou o garoto-propaganda da sobriedade, o que foi que fiz?" Liguei para Chantelle e Naomi, me disseram

que Amy estava arrancando os cabelos de preocupação. Liguei para ela, falei:
— Ame, estou bem — E desliguei.
Depois me senti tão fodido que liguei de novo.
— Amy, me desculpe.
— Eu peço desculpas também.
Disse a ela que não tivera a intenção de dizer aquilo, eu só não queria que ela bebesse mais e agora o que queria era simplesmente voltar para casa, botar o pijama e assistir a *Misfits*.
Voltei para casa. Nos abraçamos. Amy preparou um banho para mim e me deu um Librium. Vovô me disse depois que nunca a vira em tal estado. Ela não tinha recomeçado a beber para me machucar, minha cabeça sensata sabia daquilo. Eu tinha colocado minha vida à disposição dela, mas *escolhera* fazer aquilo. Estava tão cansado de ouvir "Estou entediada". Ela havia feito tudo o que *nós* sempre desejamos fazer e as probabilidades de que acontecesse a alguém eram de uma em cem milhões. Aquele desabafo estava contido em meu peito havia muito tempo. Porque eu nunca mencionei nada que tivesse a ver comigo, jamais, ou o que eu fiz por ela.

* * *

Amy ainda tinha o seu selo fonográfico, Lioness, mas não o levava a sério. Dionne, sua afilhada, era uma das contratadas. Juliette também. Todo mundo sabia que a voz de Juliette era ótima, mas acho que Amy a contratou também por um sentimento de culpa, porque Juliette se sentia banida da vida de Amy. Foi por isso que nunca me envolvi em negócios com Amy. E aquilo tudo era *cem por cento* negócios.
Certo dia ela começou a telefonar aleatoriamente para pessoas, como os bêbados geralmente fazem. Era a Amy capeta com seu telefone no viva-voz. Ligou para Juliette, que não atendeu, e Amy ficou chateada.
— Parece que e a gente agora só se fala quando o assunto é o disco dela.

Ligou então para Lauren, com quem não falava havia três anos. Lauren não tinha o número do novo telefone de Amy, houve tantas trocas de números, ela simplesmente atendeu a chamada.
— Quem fala?
— É Amy.
— Amy?
— É, Amy. Como vai, Lauren?
Lauren começou a berrar com Amy, injuriada porque ela não a procurava havia tantos anos. Ouvi a conversa pelo viva-voz.
— Como você ousa me ligar, Amy? Você não existe mais na minha vida! — gritou Lauren.
Comecei a gritar também:
— Desligue o telefone!
Eu sabia como Amy reagiria. Agarrei o telefone e desliguei. Ela pulou do sofá e correu para o banheiro. Eu estava dois passos atrás dela. Entrou como um raio, bateu a porta, ouvi o trinco fechar e o quebra-quebra: *Crash! Crash! Crash! Crash! Crash! Crash!* Eu estava com Neville do lado de fora da porta. Ficamos em pânico.
— Abra a porta!
Quando ela silenciou, acabamos pegando chaves de fenda e arrancamos a porta inteira. Ela estava caída sobre o vaso, tinha retalhado os braços.
Depois, Amy passou dias bebendo até cair. Finalmente eu a carreguei no meu ombro, com Neville, até um táxi e a levamos ao hospital. Ela estava se comportando tão bem até então... Lauren não fazia ideia das consequências do que dissera; como faria? Naquela época, já estava muito distante da vida de Amy.
Foi difícil para Lauren e Juliette ver a melhor amiga desaparecer e só saber dela pelos jornais. Liam sobre "A melhor amiga de Amy, Kelly Osbourne". Eu sabia que aquilo as magoaria e as mágoas foram se acumulando com os anos. Juliette era também uma ótima cantora, com uma boa voz de R&B, e tinha aspirações de ser artista. Assistir ao que tinha acontecido com Amy deve ter sido difícil para ela: todo aquele sucesso e, na cabeça de Juliette, jogado fora.
Amy não as deixou conscientemente, mas quando você se envolve com a indústria fonográfica, a fama e o vício, sua vida muda completamente.

Tinham tentado ajudá-la anos antes, mas depois se afastaram. A situação era confusa e todo mundo tinha sua impressão. Mitch sentia que elas nunca estavam presentes para ajudar Amy, e eu concordava, mas soube que elas se sentiam ignoradas, afastadas de Amy. Não acho que era o caso. A verdade, como de costume, é mais complexa. Elas amavam Amy e minha impressão é que elas não aguentariam o nível diário de drama e dor que vinha com a nova vida de Amy. Não as culpo, porque até eu mal aguentava.

Foram mandadas para Santa Lúcia, mas não conheciam mais. Amy me disse:

— Por onde andam elas? Não tenho visto elas.

Para ser justo, elas podiam argumentar que não queriam estar por perto quando ela estava drogada, talvez achassem que daria a impressão de que elas endossavam aquilo. Eu também me preocupava com a questão. Perguntava a mim mesmo se estava dando meu aval a ela, pelo simples fato de estar ali. Não, porque eu dizia constantemente a ela que aquilo a estava matando. Eu passava o diabo com aqueles pensamentos. Com o vício, você pode simplesmente deixar alguém apodrecer, sozinho, esperando que aquilo o leve a recuperar a razão. Mas você corre o risco de que o viciado possa morrer. Eu não assumiria aquele risco. Juliette e Lauren escolheram o que elas julgavam ser o amor durão, deixando-a, e eu escolhi ficar o mais perto dela possível. Amy não era o caso de alguém simplesmente bebendo demais, era uma dependência tóxica de crack e heroína. Eu não podia conviver com o pensamento de que, deixada à sua própria sorte, Amy não conseguisse sobreviver.

Como viciada, Amy tinha forças opostas dentro de si, batalhando pela supremacia. Ela lutava constantemente contra sua natureza propensa ao vício. Isso não é típico de uma pessoa que *não está* tentando melhorar. Ela estava *sempre* tentando. Só houve três vezes em Bryanston Square em que ela sofreu uma recaída. Era mais provável que estivesse ajudando outra pessoa. Ela apanhava Dionne na escola para ajudar Julie. Encontrou uma menina em situação de rua numa de suas saídas e a trouxe para o apartamento.

— Ela não tem nenhum lugar para ficar, não se droga, quero que ela fique até que resolva sua vida.

Fiquei desconfiado: uma aleatória sem casa? Vai vender reportagens sobre você. Era muito quieta, não era viciada, dormiu dez dias no sofá, saía durante o dia e então simplesmente não voltou. Amy deu dinheiro a ela.

Éramos amigos de Kavanagh, o astro pop dos anos 1990 que tínhamos conhecido alguns anos antes em Omega Works. Fora contratado por Simon Fuller, assim como eu, um rapaz bonito, um grande cantor, e estava pirado, um alcoólatra grave. Era dez anos mais velho que nós, no meio da casa dos trinta, ainda queria ser um artista, mas tinha perdido o rumo. Procurou Amy por acaso um dia e eu fiquei horrorizado.

— *Por favor*, não o receba, é um garoto adorável, mas está um caos!

Ela o convidou a entrar, mesmo assim. Ela não estava bebendo, eu não estava bebendo e ele bebeu até apagar. Ela o ajudou, arranjou uma consulta com seu próprio médico, levou-o à clínica, ele foi posto sob medicação e ela pagou tudo. Amy sempre se compadecia por alguém que estivesse louco, porque ela mesma era louca, tinha uma empatia natural por problemas de saúde mental. Não eram ações de uma pessoa voltada para a autodestruição.

Quando estava sóbria, ela ainda queria sair e fazer coisas. Não ia ficar sentada em casa de moletom vendo *Misfits* para o resto da vida. Íamos até o Soho e ela bebia coquetéis sem álcool e adorava. Ela dizia que era maravilhoso se arrumar e sair, ser uma jovem de novo.

Eu a encorajei a desfrutar do seu dinheiro. Adorava fazer compras, era uma garota ligada em moda. Íamos ao Selfridges com uma *personal shopper* e ela gastava 15 mil libras, enchia a sala de estar de sacolas de sapatos e de roupa de baixo. Ela ainda nada sabia a respeito do seu dinheiro. Ganhava sempre amostras grátis de cosméticos e de produtos para a pele — era *tudo* grátis, no valor de centenas de libras. Amy adorava uma amostra grátis, ela dizia:

— Limpe as prateleiras, Tyler.

Acabávamos carregando sacolas cheias de produtos grátis da Clinique e da Dermalogica. Às vezes ela insistia em me comprar uma camisa. Eu dizia que não queria, ela nem me ouvia.

— Vai ficar uma beleza em você, vou levar!

Mitch aparecia, via as sacolas e ficava furioso. Tirava da sacola a camisa que ela havia comprado para mim.

— Trezentas libras, é uma bela camisa, Tyler.

Via os produtos de limpeza da pele para homens e aprontava um escarcéu e eu nunca disse a ele que eram amostras grátis. Ele sabia que eu não era um aproveitador, eu sabia que ele não me via como tal. Sabia que se eu pedisse cem mil libras a Amy, ela simplesmente transferiria o dinheiro para mim, coisa que nunca fiz. Ele só não gostava de ver aquele dinheiro sendo gasto. Achava frívolo, desnecessário.

Certa vez ela estava tomando uma taça de champanhe na cozinha, jogando conversa fora, e Mitch a criticou.

— Talvez você não devesse tomar outra taça, Ames.

Ela olhou para ele.

— Talvez você não devesse mais estar na folha salarial, papai.

Foi um momento tão constrangedor, aquilo o deixou sem fôlego. Ela não devia ter dito aquilo na minha frente. Ele não disse nada. Quando alguém está pagando algo a você, é muito difícil confrontar essa pessoa. Especialmente no caso de uma pessoa viciada. Mesmo que seja o pai dela — e não era do feitio de Mitch confrontar Amy na frente dos outros. Mas se aquilo acontecesse entre mim e minha mãe, não teria havido um silêncio e sim "Você pode enfiar o seu dinheiro no rabo!" e "Você pode jogar essa bebida na pia!".

Amy detinha o controle, tinha todas as cartas na mão, e isso gerava pressão. A pressão de um novo álbum depois de *Back to Black* era uma coisa, a pressão de pagar toda uma equipe era outra. Eu era uma das poucas pessoas próximas a ela a quem Amy *não* pagava, porque corromperia tudo entre nós.

O dinheiro pode foder com a vida das pessoas tanto quanto a fama. Ele deturpa toda a vida, muda as pessoas ao seu redor. Divide as pessoas, causa ressentimento, abala a confiança, cria paranoia e altera a realidade em todos os sentidos. Amy era ainda tão jovem e tinha que lidar com tudo aquilo.

Ela colocara sua mãe e seu pai como assalariados, coisa que qualquer um na sua posição faria: se você tivesse recursos para ajudar sua família, por que não o faria? Sua mãe sofria de esclerose múltipla, não estava bem de saúde, Amy não gostaria que ela tivesse de trabalhar. Ela justificava o salário de seu pai para si mesma:

— Ele não pode mais ser taxista.

Eu dizia a ela:

— Você devia se orgulhar por fazer isso, Ame.

Acreditava nisso, mesmo que Mitch tivesse se tornado o Pai Famoso de Amy, e fosse ele mesmo um cantor em turnê, com seu próprio contrato e seu próprio dinheiro. Seu pai, sua mãe e sua família tinham acesso aos cartões corporativos de Amy, tinham acesso a táxis pagos em sua conta.

Viver a vida de "Amy Winehouse", porém, custava uma fortuna. Ela pagava a Raye, aos seguranças e ao assistente. Todos os membros da banda estavam sob contrato, eram pagos para ser a banda de Amy, mesmo que não houvesse trabalho de banda a ser feito. Tudo isso é muito caro. Significava também que, além de não estarem trabalhando com Amy, não tinham permissão de trabalhar com mais ninguém. Por isso, não só ela sentia a pressão, como sentia culpa, sabendo que era responsável por aquilo, e sabendo como aquilo que ela fazia, ou deixava de fazer, afetava tantas pessoas.

Os executivos da gravadora começaram a insinuar que Amy precisava de dinheiro, o que eu achava que era uma armação — os royalties de *Back to Black* estavam sempre entrando —, mas eles se preocupavam com o ritmo em que ela o estava gastando. Embora sua vida fosse básica, ela vivia principalmente na solidão e não viajava para lugar algum. Excetuando as incursões para compras no Selfridges, Amy não saía torrando dinheiro toda noite em restaurantes como The Ivy. Na verdade, ela *nunca* foi a The Ivy, mandava os rapazes saírem para comprar tortas salgadas e purê de batata. Mitch sempre lhe dizia:

— Você tem dinheiro suficiente para o resto da vida, se for sensata.

Ainda que a palavra "sensata" nunca se aplicasse a Amy. Mas, quando se pensa a respeito, mesmo além dos salários: os consertos em Omega Works. As cortinas em Hadley Wood. London Clinic. Os aluguéis daquelas propriedades enormes. E ela não estava trabalhando. Mas, como não estava gastando muito dinheiro em si mesma, não se dava conta de que sua vida custava tanto. Fiquei com a impressão de que ela nem mesmo pensava nisso.

O dinheiro se tornara outro problema sério.

32

Mitch começou a se desabafar para mim. Ele estava preocupado: e se Amy nunca mais trabalhar? Nunca mais fizer turnês? E se ela nunca compuser outro álbum? Certa vez Jevan trouxe as compras do mercado Waitrose como de costume. Todo o presunto e demais itens do mercado eram da seção básica, de marca genérica. Amy se irritou:

— Este presunto é uma merda!

Jevan obedecia ordens:

— Seu pai mandou cortar os custos.

Eu pensei: "Sério?!" O que você vai economizar em cinco pacotes de presunto quando você tem toda uma aldeia na folha de pagamentos? Amy poderia ter dinheiro suficiente para viver pelo resto dos dias se morasse no apartamentinho em Jeffrey's Place e cuidasse da vida sozinha, em vez de passar cada dia de três, quatro anos pagando por dois seguranças em tempo integral e morando em casas insanamente luxuosas que ela nunca escolheu.

Raye apareceu em Bryanston Square com uma papelada e tentava, pela primeira vez, forçar Amy a assinar alguma coisa — normalmente ele tateava levemente ao redor dela. Amy estava fazendo almôndegas.

— Amy, você *precisa* assinar isto.

Seu contrato de gravação e seu adiantamento de direitos autorais tinham acontecido muito tempo atrás, mas esse era um novo adiantamento de direitos da EMI, através de Guy Moot. Amy olhou para o pedaço de papel.

— Tenho dois milhões de libras de adiantamento.

— Sim, eu sei, não é? Mas precisamos assinar em função do fluxo de caixa.

Até onde eu sei, quando Amy morreu, ela deixou quase três milhões de libras: os jornais indicavam, excluídos os impostos, ativos da ordem de 2,94 milhões. Ela não deixou testamento e todos os seus bens foram para Mitch e Janis. Eu não tinha ideia daquelas cifras então, mas sempre achava que, quando os executivos diziam que ela precisava do dinheiro, estavam falando em alimentar a imensa máquina que a cercava — e na qual eles mesmos também estavam incluídos. Eu pensava: "Não, *você* precisa do dinheiro, *todo mundo* precisa do dinheiro." Vi tantas pessoas se beneficiarem financeiramente de Amy. Ela pagou para que Dionne estudasse na escola Sylvia Young, Pagou pela reabilitação de Alex Foden. Quando Amy estava mal, alguém entreouviu, numa mesa de jantar, a esposa de um dos executivos de sua equipe dizer:

— Estou cagando se ela cair morta, eu só quero aquela porra de mansão na França.

Mitch brigara com Amy por ficar tanto tempo no hospital, "usando-o como um hotel!".

Então nós nos mudamos para um hotel *de verdade*.

O contrato de Bryanston Square tinha terminado. Mitch havia encontrado para Amy a casa dos seus sonhos em Camden Square, mas ela ainda não estava pronta para ser habitada e, por isso, Amy precisava de uma casa provisória. Ela frequentava a academia do Langham Hotel, então nos instalamos lá por dois meses. Também não era exatamente barato.

Ela estava basicamente saudável, embora ainda se achasse obcecada em ficar magra. Ao levantar, tomava um café da manhã com suco de limão e ovos cozidos. Passava umas boas três horas na academia, de costas na bicicleta para fortalecer os músculos do estômago durante o tempo de projeção de um filme. Começou a comprar equipamentos de ginástica. Às vezes ela corria na esteira o dia inteiro e dizia:

— Se eu não correr oito quilômetros vou ficar maluca, a corrida limpa a minha cabeça.

Ela ia ao spa, fazia uma massagem, uma limpeza de pele, arrumava os cabelos, fazia as unhas — estava se reconstruindo, a Amy feminina que eu não via desde Jeffrey's Place. Estava aprendendo sobre mecanismos de compensação para permanecer sã. Em última análise, beber até o estupor acaba ficando chato.

Mesmo assim, ainda não queria abrir mão do conceito de álcool. Ela falava:

— Não estou dizendo que nunca mais vou tomar uma taça de champanhe, mas não quero beber neste momento.

Legal. Estava brincando com a ideia de tomar uma taça de champanhe como uma pessoa normal, o que não levaria necessariamente a uma situação terrível, como sempre acontecia comigo, mas sempre a levaria a se embriagar. Ela dizia:

— Ah, tive um dia tão legal, posso tomar uma taça de champanhe, não, Tyler? Não quero ficar bêbada, só tomar uma taça e escutar aquele novo álbum...

Tomava muito mais do que uma taça, mas aquilo não levava a um quebra-quebra.

Quando descíamos ao bar do hotel, ela tomava uma taça de vinho com o jantar, uma tentativa de ser civilizada. Não queria abrir mão completamente. Só uma vez, no Langham, ela perdeu o prumo, em relação a uma visita de meus pais.

Amy amava minha mãe e Danny, para ela representavam o que todo homem e mulher deveriam ser. Eles vinham a Londres nos fins de semana, nós já estávamos no hotel e eu queria que eles passassem algum tempo com Amy. Queria exibi-la também — vejam como ela está bem, fabulosa —, porque me orgulhava muito dela.

Estavam a caminho quando Amy recebeu um telefonema.

— Minha mãe está vindo agora, quer me ver, com sua outra metade, como é que isso vai funcionar?

Minha mãe e Danny e a mãe dela com sua outra metade eram como água e vinho. Janis era adorável, mas falava sobre coisas superficiais, conversa banal, coisa que Amy nunca fazia. Eram tão diferentes. Ela dizia para mim:

— Amo minha mãe, mas não consigo falar com ela como falo com sua mãe; se eu fosse tão aberta assim com minha mãe, ela simplesmente não conseguiria lidar.

Sentamos todos juntos à mesa de jantar e Amy estava ansiosa. Era tudo tão esquisito que até *eu* queria beber. Eu falava mais com Janis do que com minha mãe, tentando distraí-la do que eu podia ver, que era Amy o tempo todo saindo da mesa, saindo da mesa e saindo da mesa. Toda vez que voltava estava mais e mais bêbada. Depois de ficar sóbria por semanas. Aquilo estava deixando minha mãe ansiosa e *ela* estava ficando cada vez mais bêbada também. Amy estava bebendo às escondidas no bar, doses inteiras. Janis nem parecia notar. Acompanhei Janis até o carro, voltei e Amy tinha desabado sobre a mesa. Falei que era melhor levarmos Amy para o quarto, que eu ia chamar os rapazes. Danny disse:

— Porra nenhuma, vamos lá, Ame.

Ele jogou Ame sobre seu ombro e a carregou para cima até o seu quarto. Amy começou a rir.

Nós a fizemos sentar na cama, ela escorregou até o chão. Danny insistia em perguntar:

— Ela está bem?

Eu lhe disse que ela estava ótima, mas ele não aceitava aquilo.

— Como assim, está ótima? Ela está deitada no chão, não está ótima!

Ela estava *realmente* bêbada, mas não inconveniente, apenas arrastando a fala. Aquilo me fez perceber como eu estava distante da realidade, porque era normal para mim se uma pessoa desmaiasse no chão. Mas *era* um progresso, comparado a como estavam as coisas antes, com o crack e a heroína e ela se cortando em tiras. Ela só precisava ir dormir e ficaria boa. Mas, no dia seguinte, ela estava péssima. De volta à bebida em tempo integral. Aquilo a levou de volta ao hospital. Mas foi uma vez em dois meses. As semanas antes de deixarmos o Langham se resumiram a academia, suco de limão, sobriedade e uma ida a um restaurante legal em Marylebone High Street com os rapazes. Desfrutando o verão.

O verão de 2010.

33

A casa em Camden Square estava quase pronta — uma bela casa geminada branca com um estúdio e uma academia de ginástica no andar térreo, toda reformada. Amy estava entediada um dia no Langham; eu podia ver que ela estava pensando em beber, por isso a distraí.

— Vamos ao Selfridges, sua loja preferida, comprar alguns pratos, pires e xícaras Le Creuset e um cinzeiro bem chique.

A coisa mais importante era o cinzeiro, um daqueles grandes cinzeiros antigos de pub, em cristal lapidado, no qual você pode enfiar quatrocentos cigarros. Sempre dizíamos que tomar uma xícara de chá e fumar um cigarro era a maneira certa de abençoar uma casa.

Amy comprou panelas, frigideiras, torradeiras legais e dois daqueles grandes cinzeiros de cristal. Estávamos com uma *personal shopper* como de costume e, daquela vez, ela encaminhou uma mensagem para Amy.

— Usher está fazendo compras também e gostaria de conhecê-la.

Quando éramos adolescentes, amávamos R&B e Usher era um Deus para nós. Ele estava na seção de roupas masculinas, nos aproximamos e ele começou a cantar "Rehab" para Amy. Então Amy começou não só a cantar, mas fazer a dança do primeiro single dele, "You Make Me Wanna...", no meio da loja, os dois olhando um para o outro, rindo.

Foi um grande dia. Amy estava muito empolgada com sua casa em Camden e ficava insistindo:

— Gostaria que a gente pudesse mudar agora.

A casa estava pronta, mas todas as suas coisas estavam em caixas, tinham estado em caixas desde Santa Lúcia. Eu disse:

— E você vai ter necessidade de suas pinças agora? A casa está pronta, é a sua casa, vamos nessa!

Ela ligou para Mitch e ele disse para esperar por causa das caixas, como se ela precisasse de um bando de funcionários para colocar seus livros nas estantes. Por que não iria querer fazer aquilo ela mesma? Aquilo lhe tirava a alegria de tudo. Ela nem pôde escolher a própria cozinha e estava saudável e em forma. Amy ignorou o pai.

— Vamos nos mudar!

Mandamos o Selfridges entregar as compras lá, pegamos as chaves e entramos. Amy ficou em êxtase. Nunca tinha visto a casa pessoalmente, não esteve envolvida no processo da compra, apenas Mitch. Mas era o verdadeiro sonho de Amy, aquela casa grande em Camden com um porão. Caminhamos ao longo do corredor, vimos a cozinha primeiro, com piso quadriculado em preto e branco, um grande fogão a gás, mesa com tampo de mármore, janelas dando para a frente e *duas* geladeiras SMEG lado a lado. Mais adiante no corredor, à esquerda ficava a sala de estar, que era deslumbrante — janelas de guilhotina dando para Camden nos fundos, uma lareira imensa, uma TV imensa sobre ela, prateleiras embutidas de cada lado, uma estante pequena e dois sofás enormes. Os sofás eram idênticos, azul escuro e aveludados, bem confortáveis. Um ficava junto à janela, o outro na sala com a melhor vista da TV.

Então ela parou no meio do caminho, radiante como uma criança no Natal. Ali, numa parede toda sua, estava o jukebox. Era como se ela nunca a tivesse visto antes; não se lembrava de quando a comprara em Prowse Place. O jukebox AMI vintage, branco e vermelho, com a parte superior de vidro e metal cheia de singles em vinil dos anos 1950 e 1960. Era maior do que ela. Amy o beijou e o abraçou, seus pequenos braços mal conseguindo enlaçar a máquina pela metade.

Numa extremidade do corredor havia escadas que desciam para a academia de ginástica e para o estúdio, a outra extremidade com escadas que subiam para os quartos. Havia caixas por toda parte, marcadas "Sala de Estar", "Cozinha", "Equipamento da Banda", "Quarto".

Pegamos um dos novos cinzeiros, sentamos, tomamos uma xícara de chá e fumamos um cigarro. Eu queria que ela apreciasse o momento.

— Veja! Veja o que você fez. Você é dona de uma casa imensa em Camden, como sempre quis, tem um estúdio no andar de baixo, uma sala de ginástica, tudo o que precisa.

Ela se emocionou, ficou comovida. Tinha mencionado Blake quando caminhávamos pela casa, ela mal chegava a falar nele. Não se emocionou porque estava preocupada com ele, emocionou-se porque tinha se afastado dele, de todo aquele mundo. Era o seu recomeço. Tinha morado em todos aqueles lugares onde não queria morar e agora *nesta casa*. Tudo tinha se ajeitado muito bem para nós dois.

Ela sempre falava sobre "nós". Falava de "nossa casa em Camden". As pessoas poderiam facilmente achar que eu estava vivendo a vida dela, mas nós éramos daquele jeito. Era sempre nossa casa e ela me fazia sentir aquilo mesmo, ela acreditava naquilo. Camden Square era aquela maravilhosa vida nova que nós dois íamos desfrutar. Com um estúdio no porão onde podíamos tocar juntos. Exatamente como era quando tínhamos 17 anos. Aquele foi o dia em que dei a ela o livro de culinária de minha avó judia, a avó que eu nunca conheci, morta quando eu tinha seis meses de idade. Era a única coisa que minha mãe tinha dela e sempre me dizia:

— Você devia dar isto para Amy.

Ela ficou exaltada, viu aquilo como algo muito importante... e acabou na sua estante ao lado do livro sobre meu avô gângster assassino!

Ela começou a arrumar as plantas da casa, eu voltei a arrastar as caixas — e estourei minhas costas. Dale tinha vindo ajudar, o diretor musical da banda de Amy, e ela disse que Dale podia consertar minhas costas:

— Ele faz esse tipo de coisa, ele é o maluco.

Eu estava deitado na sala de estar, caixas por todo lado, e Amy disse:

— Faça aquela coisa, Dale, em que você caminha nas costas das pessoas.

Dale começou a caminhar sobre minhas costas. É um cara grande, mas eu me sentia ótimo, ele estava trabalhando todos os nós com seus pés. Mas quando tentei me levantar de novo eu não conseguia me mexer. Comecei a chorar. Dale praticamente quebrou minhas costas e tivemos de chamar uma ambulância. Naquele primeiro dia em Camden Square eu tive de deixar a casa numa maca e ir para o hospital. Com Amy sentada ao meu lado, se mijando de rir. Eu estava em agonia e ela me fazia rir, o que tornava a coisa pior! Típico de Amy, ela achou aquilo *hilário*.

Nos primeiros dias em Camden Square, Amy ficou empolgada para compor de novo. Sem ser "Amy Winehouse", apenas uma compositora.

— Vou até a academia, depois vou me sentar no estúdio e compor. Não sei se vai ser um álbum ou coisa parecida, mas apenas escrever sobre a vida, como eu fazia.

Estava colocando seu alcoolismo sob controle. Não estava saindo muito, apenas curtindo a casa nova, curtindo o novo quarto elegante no ultimo andar, com sua própria pequena sala de estar e uma espreguiçadeira vertical no patamar antes da entrada. Era ali que ela cantava.

As pessoas dizem que o crack e a heroína arruinaram a voz de Amy. Não estava arruinada ali. Sua voz era espetacular, melhor do que jamais fora. Ela ficava na espreguiçadeira cantando velhos standards do jazz como fazia anos antes. Cantava Sarah Vaughan, cantava notas grandes e longas, tentando redescobrir a voz. Na maioria das vezes, as pessoas nunca ouviam *realmente* Amy cantar na sua melhor forma, porque ela era uma viciada vivendo no meio do caos. Quando ela estava saudável, era tecnicamente perfeita, com a capacidade pulmonar perfeita cheia de emoção bruta. Ela estava *ouvindo* a voz, cantando as canções do tempo em que aprendeu a cantar. Na espreguiçadeira, longe do constante zumbido e ruído, a acústica era fantástica, havia reverberação e eco. Ela estava encontrando prazer em sua voz de novo, depois de *anos*.

Nos primeiros dias em Jeffrey's Place, Amy se levantava de manhã, enrolava um baseado e escrevia sua lista da tarefas do dia: lavanderia, comprar xampu de morango, limpar a cozinha. Aquela pessoa estava de volta. *Muito* metódica. Levantava-se, eu tinha feito para ela ovos mexidos e salmão e ela vestia sua roupa de ginástica. Engolia seus verdes, eletrólitos e espirulina. Ela malhava com uns pesinhos cor de rosa. Amy amava cor de rosa. Ainda tinha sua jaqueta das Pink Ladies do filme *Grease: Nos tempos da brilhantina*, na qual ela praticamente vivia quando era mais jovem. Ia à academia, suando de camiseta e legging, assistindo a *O meu nome é Earl* na TV que ficava sobre a esteira por duas, três horas ao dia. Embora ainda mantivesse o cigarro Vogue em ação. Aquela fase poderia durar um mês, cinco semanas. Então ela sofria uma recaída, enchia a cara de comida e bebida, botava tudo para fora e voltava à sua fase saudável. Ela sempre tinha intenções de melhorar.

Amy passou anos sem menstruar por causa da bulimia e a única coisa que a fez cogitar parar foi temer que não pudesse ter filhos. Agora que estava saudável, ela descia as escadas para me contar que estava menstruada. Aquilo a deixava tão feliz que ela chorava. Eu a habituei aos suplementos de saúde, encomendei potes de Green Vibrance em pó do tamanho de latas de tinta e comprei água com prata coloidal de um médico de Harley Street para o sistema imunológico. Os armários da cozinha estavam cheios de compostos caros, as gavetas cheias de comprimidos de eletrólitos. Ela estava se recompondo. Nossa vida era ordem, limpeza e organização.

Amy ainda era um nome conhecido internacionalmente. Apareceu nos *Simpsons* e foi referência em *Family Guy* e *American Dad*, o que ela nem sabia até notarmos por acaso em um episódio. Ela apareceu numa cena de *American Dad* com a mãe de Kelly, Sharon Osbourne — nós dois gritamos diante da TV, porque Seth McFarlane, o criador da série, era um deus para nós, dizíamos que desejávamos que Roger, o extraterrestre em *American Dad*, fosse real para que pudesse ser nosso melhor amigo. Amy dizia:

— *Poor favoor!* Quero que ele apareça, pode até experimentar meus sapatos...

Ela gostava de Stan em *American Dad*, o porco chauvinista. Dizia:
— Se ele fosse real, eu *pegava* ele!

Amy ficava em casa quase toda noite e isso a deixava muito contente. Ficava na cama vendo televisão, cabelos presos por uma rede, usando uma bela camisola, imaculada. Ia para a cama com uma máscara facial. Eu amava aquilo. Por mais que dedicasse minha vida a ela, eu precisava fazer algo também em relação à minha vida. Ela estava fazendo tanto por mim, simplesmente ao permanecer esta máquina sadia e eficiente todo dia, sem me causar nenhum estresse, nenhuma preocupação. Começava a falar sobre o futuro, sobre criar uma editora musical para compositores.

— Por que fundei a Lioness? Não tenho nenhum interesse em fazer discos e vender discos. O que me interessa mesmo é composição.

Ela sempre dizia que era, antes de tudo, uma compositora; não apreciava tanto apresentar-se, era público demais e a deixava nervosa. Sem bebida e drogas era uma introvertida, muito mais adequada para a vida solitária de um escritor, como era o meu caso. Falava até de me contratar como compositor, assim eu não teria de lidar com os horrores da fama.

Nem sempre era tudo perfeito. Ainda havia incidentes em Camden Square, tempos em que as coisas ficavam ruins. Era por isso que ainda mantínhamos os rapazes morando conosco. No primeiro período, Amy sofria uma recaída a cada cinco semanas, por três dias. Já era um progresso significativo. Havia geralmente um motivo, um fator externo. Talvez uma visita da mãe. Ela me deixava com Janis na cozinha, nós batíamos um papo amável durante uma hora e meia, Amy voltava à cozinha de vez em quando e eu via que ela havia emborcado mais uma taça de champanhe. Para diminuir a tensão. Ou talvez seu pai aparecesse, ou Raye. Ela achava difícil conversar sobre trabalho. A pressão. Embora estivesse cantando, embora passasse muito tempo no estúdio. Às vezes, quanto Mitch ou Raye apareciam, ela até *fingia* estar bêbada para que eles fossem embora. Nós sentávamos no sofá da sala de estar e ela via vídeos de si mesma se apresentando, digamos, no programa de TV de Jools Holland. Ela ficava perplexa.

— Tyler, por favor não ache que estou sendo cabeçuda, mas não posso acreditar que eu fazia aquilo. Como é que eu *fazia* aquilo? Como é que eu tinha *coragem* pra fazer aquilo? Eu era *boa*. Preciso voltar a fazer isso...

Pressão. Ela pensava: "Quem sou eu? Quem eu era antes de todo esse caos?" Ela não se observava fazendo suas próprias canções ou vídeos, nunca faria isso; nunca ouvi Amy cantar uma de suas próprias canções, a não ser no momento em que a compôs, fora da obrigação de cantá-la em público, nunca. Mas, quando ia ao programa de Jools Holland, ela fazia geralmente standards do jazz e covers. Fez com Paul Weller um cover incrível de "Don't Go To Strangers" de Etta Jones e ela não podia acreditar que fosse capaz de fazer aquilo, também. Às vezes descia ao estúdio e tentava compor ou cantar, se achava péssima e literalmente socava a própria cabeça. Continuava a nerd insegura de sempre.

Ainda não havia nada normal na sua vida cotidiana. Mitch aparecia toda segunda-feira de manhã com dinheiro num envelope pardo para os rapazes. Sempre que íamos a algum lugar ou fazíamos qualquer coisa, o dinheiro vinha daquele envelope. Amy *ainda* não tinha um cartão bancário. Pelo menos os paparazzi não podiam viver do lado de fora de Camden Square porque a ordem legal do tribunal referente a Hadley Wood persistia em vigor. Mas, se íamos a algum lugar, eles sempre nos perseguiam.

Amy sentia ainda mais saudade de ser uma pessoa normal por causa da sobriedade. Ela escrevia a lista de compras e eu podia vê-la quase esquecer que não iria ao mercado pessoalmente. Eu saía com a lista dela, ia até a garagem do Tesco mais próxima e me sentia terrível, como se tivesse ganhado um bilhete para a Disney e ela não tivesse permissão de ir. Uma noite consegui levá-la escondida através de uma viela dos fundos. Pedi aos rapazes para não irem conosco. Aquilo a deixou tão feliz, simplesmente virar a esquina com seu amigo, como dois vagabundos, sem segurança, sem paparazzi. Ela estava discreta, o capuz para cima, entrando no Tesco às onze horas da noite. Não estava cheio. Ela mesma foi pegando as coisas. Ficou muito empolgada. Nenhum paparazzo nos viu e foi um dos melhores momentos do ano. Esqueçam jatinhos fretados e turnês, aquele foi um momento especial: quando Amy escolheu a porra da carne moída no Tesco.

Dentro de casa ela tentava construir um mundo para si mesma. Tinha cruzado caminho com um dos filhos de George Foreman e andava conversando com ele pela internet. George Foreman agora era mais famoso por sua grelha elétrica do que pelo boxe, por isso Amy chamava o sujeito de Cara de Grelha. *Todos* os filhos de George Foreman se chamam George. Ele era saudável, muito educado, bonito, como um modelo da Ralph Lauren, e os dois estavam sempre no Skype, flertando. Ela se produzia num visual perfeito.

— Vou falar pelo Skype com o Cara de Grelha!

Ele estava nos Estados Unidos. Havia planos de se encontrarem, mas ela ainda não podia ir para o país. Nunca se encontraram. Gostaria que tivessem.

Ela começou a ver Reg Traviss na vida real. Ela o conheceu em algum lugar; seus pais dirigiam um pub em Marylebone. Era um rapaz bonito, charmoso, vestia-se bem, tinha um bom emprego, era a antítese de Blake. Era um diretor de cinema — tem sempre aquilo de "um novo diretor britânico da moda" e ele era o mais recente. Ficou mais conhecido graças a Amy. Ela ia às estreias dele e na época eu me perguntava se ele estava realmente apaixonado por ela ou apenas gostava dela porque levantava o seu perfil. Não aparecia muito na casa. Dizia sempre que ainda estava na sala de edição e a deixava na mão. Quando aparecia, ficava a maior parte do tempo falando comigo. Tive a impressão de que não se sentia muito à vontade na presença dela. Por isso nunca entrei na dele. Mitch e Raye, sim. Reg era um grande alívio depois de Blake e eles encorajavam a impressão, à maneira de relações públicas, de que estar na sua companhia significava que Ame estava recuperada, que eles iam casar e ter filhos. Mas ele era apenas outro cara. Não mais importante do que Alex Clare.

Eu sabia que Amy não estava se apaixonando por ele. Ela estava vivendo uma vida mais saudável e parte daquilo era começar a sair com alguém de novo. Desde que Blake fora para a prisão ou mesmo depois que se divorciaram, ela quase não cultivou aquele lado de sua vida: teve flertes, mas nunca outro namorado de verdade. E havia aquela confiança renovada na sua aparência. Reg era cheio de dedos em relação a ela, aquilo nunca funcionaria com Amy. Ela queria o tipo de homem que — disse isso anos antes —, quando você bebeu além da conta no pub e está querendo aprontar confusão, vai falar sério com você, pegá-la, jogá-la sobre seu ombro e levar para a porra da casa. Aquele não era o estilo de Reg. Ela só sentia atração por ele.

Havia ocasiões na cozinha em que ele ainda estava falando comigo uma hora e meia depois.

— E como foi gravar seu álbum, Tyler?

Eu nunca o considerei muito inteligente, também. Amy estava sentada no seu colo, olhando para ele. Eu pensei: "Por que ainda está falando comigo? Não é óbvio? Você precisa subir as escadas, meu amigo!" Era como se ele estivesse evitando intimidade e eu sempre sentia que havia um motivo oculto, mas talvez ele só quisesse parecer na dele. Noventa por cento das vezes, quando Amy me disse que ele estava subindo, ele não aparecia. Ela ficava sentada na cama, toda maquiada, toda ajeitada, sexy. Eu acabava subindo e perguntava a ela o que estava acontecendo.

— Ah, ele não vem.

Ela parecia esvaziada, como uma garota rejeitada na festa de formatura. Ia para o banheiro, tirava a maquiagem dos olhos, o vestido bonito. Os cabelos subiam num coque e ela vestia o moletom. Dizia às vezes:

— É um vagabundo como todos os outros.

Ou:

— Ninguém está interessado em mim *por mim*, não é verdade?

Ele a fazia sentir-se sem graça de novo, o que derruba quem tem problemas de autoestima ao longo da vida. Às vezes a rejeição dele a levava a uma recaída. Assim como o medo dos paparazzi levavam a uma recaída, embora eu não creio que ele pudesse jamais ter conhecido o impacto daquilo.

Mas o que levava a recaídas, mais do que qualquer outra coisa, eram quando compromissos de trabalho começavam a ser colocados na sua agenda.

Quando esperavam que ela fosse "Amy Winehouse".

34

Ainda se falava de dinheiro nos bastidores. Amy não tinha nenhuma ideia de que houvesse algo com que se preocupar. Ela certamente nunca disse nada para mim. Mas por causa da sua situação financeira, qualquer que fosse, sua vida profissional estava sendo retomada, oportunidades eram aceitas. Dava para argumentar que era porque achavam que se manter ocupada ajudaria e ela concordaria com o trabalho quando lhe fosse oferecido. Mas o que eles deveriam ter entendido é que Amy queria ficar ocupada simplesmente tentando botar sua cabeça em ordem e equacionar como poderia ficar sóbria. Toda vez que um compromisso profissional era anotado na sua agenda pelos executivos, eu via que aquilo exercia um efeito prejudicial sobre ela. Qualquer show, qualquer apresentação, simplesmente a deixava à beira de um ataque de nervos.

A coisa mais importante que programaram foi uma turnê europeia, a ser iniciada em junho de 2011. Estava na agenda desde o começo do ano e sei que Amy teria dado a impressão, na época, de que se sentiria ótima fazendo aquilo. Ela sabia que era importante para muita gente ao seu redor. Mas as coisas, àquela altura, estavam mudando. Toda vez que Amy expressava alguma dúvida de que fosse capaz de fazer aquilo, Mitch dizia:

— Mas você vai ganhar seis milhões de libras nesta turnê!

Eu podia ver que ele achava que ela era ingrata, embora nunca dissesse aquilo: Ela sabia como era difícil ganhar tanto dinheiro? Tudo aquilo aumentava a pressão.

Apresentar-se num palco era algo que Amy não queria mais fazer. Se algum show ou apresentação isolada estivesse marcada, a entourage estaria no andar de baixo, executivos, Raye, e carros à espera do lado de fora A maioria das vezes, o que se esperava que ela fosse fazer não acontecia. Eu a observava mudar de um estado normal e equilibrado, correndo na esteira e comendo alimentos saudáveis e tomando um bom banho à noite, para um colapso nervoso na manhã seguinte, provocado por ter de sair para ser "Amy Winehouse". Eu sabia que ela não estava pronta porque conversávamos sobre aquilo e ela dizia:

— Simplesmente não estou preparada, não quero mais fazer isso.

Mas ela sentia que *tinha* que fazer. Pressão. Então ela fazia a tentativa. Subia para o quarto, se arrumava, tentava ser a pessoa que costumava ser.

Eu descia e dizia a Raye:

— Ela não quer fazer isto.

Ele dizia:

— Ela tem que fazer.

Eu voltava a subir e ela estava sentada na cama, derrotada.

— Eu simplesmente não quero ser aquela pessoa.

— Então vá lá e diga a eles, *diga a eles*.

— Mas eles vão enlouquecer, meu pai vai ficar puto comigo.

Ela havia ficado sóbria por três semanas e agora tudo o que podia dizer era:

— Preciso de uma bebida.

Eu tentaria encontrar a solução: tome um Valium, um pouco de Rescue Remedy, *qualquer coisa*, por que não sentamos com as pernas cruzadas na cama e oramos para o senhor Buda e fazemos ioga? Ou, enfim, por que não descemos e mandamos todo mundo parar com esta merda?

— T, eu odeio esta vida, toda a pressão, ser responsável por todo mundo.

— Então mande todo mundo se foder. A gente vai simplesmente embora, eu e você, para o meio do nada, uma ilha deserta. Vou arranjar um emprego, você vai arranjar um emprego, nós dois não vamos beber e vamos simplesmente *ser*.

Eu estava metade brincando e metade falando sério. Porque eu mesmo era um alcoólatra recuperado e sabia que só havia uma coisa que importava para ela: ficar sóbria. E tudo o que eles queriam que ela fizesse a levaria a beber. No minuto em que ela saísse pela porta todo mundo estaria olhando para ela. Quando chegasse ao show ou à apresentação haveria a ansiedade de não querer mais ser "Amy Winehouse", ou de não ser mais capaz de fazer a "Amy Winehouse". Duvidava até que ainda fosse capaz de cantar. E ela detestava ter que cantar aquelas músicas.

— Se tiver que cantar "Rehab" mais uma vez, vou cortar a garganta.

* * *

Morávamos em Camden Square havia menos de um ano e Amy tinha sofrido sete ou oito recaídas. Não bebia o tempo todo, longe disso. Mas chegou ao nível em que eu estava antes de melhorar: quando se bebe só para buscar a inconsciência, só para *escapar*, emborcando garrafas de vodca para desmaiar no sofá. Amy vivia dias seguidos no sofá, dormindo a maior parte do tempo. Não conseguia se mexer, nem mesmo subir para o quarto. Eu a pegava no colo e dava um banho nela. É da natureza do alcoolismo, uma espiral correndo cada vez mais rápida. Toda recaída é um colapso nervoso enorme, uma decepção, uma razão para se odiar, uma razão para achar que você não é capaz de fazer o que se espera de você. O que vem acompanhado da culpa do fracasso, que se torna outra razão para beber. Assim, cada recaída fica pior, um círculo vicioso. Ela dizia, como eu costumava pensar:

— Estou bebendo para esquecer que estou bebendo.

Cada recaída acabava com Amy levada para o hospital. Com os médicos advertindo-a de que estava piorando fisicamente. Havia cartas de médicos na casa dizendo que se ela continuasse a beber iria morrer. Eu lhe mostrava as cartas quando ela surtava e me chamava de babaca.

Quando alguém atinge este nível de alcoolismo, se transforma em outra pessoa. *Realmente* outra pessoa. Como se estivesse possuída por um demônio de verdade. Eu chamava esta pessoa A Outra Amy. Eu a odiava. Ela me mantinha acordado a noite inteira. Descia as escadas e abria a porta do meu quarto com um chute. Podiam ser três horas da manhã, eu estava dormindo e ela *gritava* meu nome.

— TYYYLAAAAAAH!

Amy não era uma babaca, mas esta outra pessoa era. Quando ela gritava meu nome, um medo real atravessava meu corpo como um calafrio. Àquela altura, eu só queria que ela bebesse tudo o que era preciso para desmaiar. Às vezes eu ficava deitado dizendo a mim mesmo para ignorá-la, porque não se tratava dela.

Era manipuladora:

— Tyler, eu preciso beber!

Eu simplesmente ignorava.

— Tyler, estou com fome!

Eu brigava comigo mesmo para não sair da cama, sabia que aquilo era invencionice. Encontrava Amy naquele sofá incapaz de estender o braço e pegar a garrafa de vinho que estava no chão. Ela me testava e dizia:

— Me passe a garrafa.

Eu a ignorava. Tinha visto outras pessoas colocarem um canudinho na sua boca, tentando induzi-la a dormir, porque não a aguentavam mais. Ela dizia:

— Se você não me pegar aquela garrafa de vinho, vou beber aquela garrafa inteira de vodca.

Ela me pedia uma garrafa de vodca e eu dizia:

— Vá pegar você mesma.

Eu tomava o cuidado de encher as garrafas de vodca da casa principalmente com água. Fazia aquilo o tempo todo. Uma vez lhe dei uma garrafa de vodca de Evian. Ela me fuzilou com aquele olhar raivoso e maluco no rosto, bebendo direto da garrafa e eu sorri para mim mesmo, sabendo que era água.

Às vezes ela me chamava de babaca e dizia:

— Por que você está aqui?

Depois, quando se acalmava, ela ficava boazinha.

— T, você me faz um sanduíche?

— Claro que faço, querida, era tudo o que queria fazer, só quero que você coma alguma coisa. E depois quero que vá pra cama.

Às vezes eu fazia seu sanduíche e ela dizia que só ia comer se eu comesse com ela. Eu fazia a brincadeira do aviãozinho, uma mordida para mim, uma mordida para você, ela se transformava numa criança. Às vezes ela escolhia coisas que sabia que eu não iria comer para me testar — carboidratos puros ou açúcar. Às vezes ela começava a chorar.

— Tyler, eu te amo, não posso acreditar como fui horrível com você há pouco. Não faço por mal, você sabe que não faço por mal.

Eu dizia a ela que sabia o que o alcoolismo fazia com as pessoas, a encorajava a esquecer o episódio e a comer seu sanduíche.

Ela me pedia para fazer ovos mexidos. Eu ficava diante do fogão caprichando para que saíssem realmente bons, colocava o prato na mesa e ela olhava para mim, colocava a mão no prato e *bang*. Jogava o prato contra a parede. Ovos e porcelana se espalhavam pelo piso da cozinha.

Às vezes ela se sentava à mesa, estendia o dedinho e empurrava o prato ao longo da mesa, olhando para mim. Ficava empurrando o prato como se fosse uma criança fazendo birra e finalmente o empurrava pela borda da mesa. Às vezes eu gritava com ela, às vezes eu simplesmente saía da cozinha, às vezes eu pegava a pazinha de lixo e a escova e varria os cacos de louça porque ela podia se cortar com eles. Às vezes eu dizia:

— Vai se foder! Eu fui até o fogão fazer aquilo para você!

Ela começava a chorar, me pedia para fazer os ovos de novo e prometia que comeria. Eu fazia e ela comia.

Ela pedia desculpas toda vez. Quando se acalmava, tinha pequenos lampejos do que havia feito ou dito. Eu não lhe contava tudo porque ela se sentiria mal e aquilo a levaria a beber mais. Embora eu lhe contasse mais nos tempos finais.

— Sabe que você me chamou de babaca? Sabe que jogou isto em mim?

Ela arremessou o cinzeiro de cristal uma vez, aquele que usamos para abençoar a casa.

— Sabe que você me disse que queria que eu estivesse morto?

Às vezes eu sentava com Amy, fazendo-a comer um sanduíche no meio da noite, e chorava sem parar.

Certa noite, depois que ela jogou algo sobre mim por cima da mesa da cozinha, se acalmou e se desculpou, ela veio a mim e pegou na minha mão. Levou-me até a sala de estar, colocou uma canção de jazz no laptop e dançamos lentamente, como fazíamos antigamente. Eu a perdoei na hora. Não passou a emoção, ou a exaustão, mas ver aquele demônio desaparecer de novo era um alívio imenso para mim. Minha cabeça estava apoiada no seu ombro; ela não podia ver que eu estava chorando.

Ela falava sempre com pessoas no Skype em seu computador, nos possantes alto-falantes da casa. Quando estava bêbada seria ruidoso como num show. Da minha cama, eu ouvia Amy falando com Nas ou Mos Def ou quem quer que fosse, *a noite inteira*, absolutamente paralítica, e dava para ver que eles não queriam falar com ela.

Era torturante, eu estava exausto e às vezes não dormia durante três dias. Comecei a deixá-la pensar que eu tinha saído de casa. Não podia ter a porta do meu quarto aberta a chutes de novo. Eu dizia a ela, quando tinha uma recaída:

— Certo, vou embora.

Os rapazes sabiam que eu não ia embora. Eu desaparecia pela porta com minha mala, a colocava num canto e os rapazes a botavam de volta na casa sem que ela soubesse. Eu levava um cobertor e dormia na esteira no andar de baixo. Ela nunca ia lá. Fiquei deitado naquela esteira muitas noites e ouvia seus gritos, "TYYYLAAAH" e então ela se corrige: *Ah, ele não está aqui.*

Amy era obcecada pelo filme de zumbis de Robert Rodriguez, *Planeta terror*, e o botava a todo volume a noite inteira, repetidamente. Eu podia ouvi-la pisando forte pela sala de estar, *bang, bang, bang*, enquanto eu ficava deitado naquela esteira à espera de pelo menos uma hora de sono para que no dia seguinte, quando ela acordasse, eu pudesse tentar de novo. Fazê-la comer e parar de beber *hoje*. Depois de três ou quatro dias, aquilo acontecia, ela parava de beber.

Quando A Outra Amy estava em campo, além da esteira, eu tinha outros dois lugares para me esconder. Um eram os doze centímetros do peitoril da janela do meu quarto, no segundo andar; eu ficava sentado lá fumando um cigarro. O outro era um armário na sala de ginástica, meio cheio de caixas e papel, onde eu me trancava. Ficava sentado naquele armário no escuro, fumava um atrás do outro e me sentia seguro.

Era tudo tão difícil e desgastante. Eu só estava sóbrio havia dois anos e meio. Era uma pessoa encurralada também. Sentia a pressão de ser o último sobrevivente, a única pessoa capaz de tolerar aquilo — ou, nos olhos dela, a única pessoa que se interessava. Mesmo os amigos que a cercavam, o círculo interno, já não estavam mais por perto. Estavam enrolados demais em suas próprias confusões, na ocasião, para se esforçar em manter outra pessoa sóbria. Às vezes, entre berrar com ela raivoso ou gritar com ela magoado, eu me machucava. Eu me cortava, para valer, em todo meu peito, minhas pernas, qualquer lugar que ela não pudesse ver. Eu me sentia tão desamparado naqueles momentos e ela nunca soube daquilo.

De vez em quando, Mitch aparecia, olhava na sala de estar, via Amy inconsciente no sofá.

— Mas que porra! — dizia, e saía tempestuosamente.

As aparições de Mitch na TV começaram a incomodar Amy.

— Por que meu pai está sempre na TV? Por que está sempre falando dos meus vícios quando não fala *comigo* sobre meus vícios? Por que ele não fala comigo sobre meus problemas em vez de ir a todo programinha de entrevistas de merda e abrir a boca para todo jornal que o quiser ouvir? Está se degradando e degradando a mim. Você fugiu da minha vida, papai. E agora lançou seu álbum, tentando ser um superstar.

Tenho certeza que Mitch teria achado aquilo injusto, ele tinha tentado falar com ela ao longo dos anos, mas estava na TV porque seu primeiro álbum havia saído no verão de 2010. O comportamento dele teve um grande impacto sobre Amy.

Por um ano e meio, eu não dei uma bebida a Amy. Ela não devia ser vista fora de casa quando estava mal, então pedia a outra pessoa para comprar bebida. Pedia aos rapazes e às vezes eles se recusavam, então ela mesma ia sozinha. Os paparazzi a seguiam, ela voltava furiosa e batia a porta da sala de estar. Nós éramos os filhos da mãe que a impediam de ter o que queria. Ficávamos lá como seus irmãos mais velhos e ela dizia, fazendo graça:

— Vamos lá, o que é que eu tenho de fazer, o pau de quem eu tenho de chupar pra ganhar uma garrafa de vodca?

Para impedir que ela saísse de casa para comprar, passamos a guardar álcool em casa para uma emergência. Não estava à vista, ela não sabia onde estava, mas sabia que havia uma reserva. Às vezes, quando ensaiava uma escapada, os rapazes cediam, ligavam para Raye, diziam que Amy estava para sair e Raye lhes dava permissão, porque sabia que ela provavelmente seria perseguida pelos paparazzi. Estava provavelmente no quarto deles e Amy não entrava lá. Às vezes, quando os rapazes se recusavam a ceder, ela dizia:

— Vamos ter de entrar nessa de novo? Parem com essa perseguição e vão buscar a garrafa.

Em vez de se plantar na porta e ameaçar ir à loja de conveniência, fazer o teatro, entrar no jogo.

Os médicos de Amy estavam muito envolvidos àquela altura. Eu falava com seu médico principal o tempo todo. Às vezes Amy me pedia para dormir na sala de estar com ela, eu lhe dava uma pílula de dormir Zoplicone e ela apagava no meu colo. Eu passava noites inteiras com Amy dormindo no meu colo naquela sala de estar, com *Planeta terror* ainda rodando. Às vezes um comprimido não era suficiente e eu pensava "Será que ela pode tomar outro?" Eu tinha que pesquisar no Google, caso aquilo pudesse matá-la. Eu não me mexia; era como segurar um bebê quando ele está dormindo. Se ela acordasse às três da manhã, poderia facilmente dizer "Eu só quero uma bebida", e voltaria ao começo da história. Mas, se ela dormisse por umas boas dez horas, ao acordar estaria sóbria o suficiente e lúcida o suficiente para querer voltar a ser saudável.

Certa manhã ouviram-se batidas frenéticas na porta da frente. O médico estava ligando insistentemente para Amy e ela não atendia. Amy tinha saído do hospital depois de uma recaída de três dias e estava ótima de novo. O médico entrou correndo.

— Amy. Você tem de vir comigo agora mesmo. Nós verificamos seus níveis e você nem deveria estar viva.

O resultado de um exame tinha chegado, nada a ver com álcool, tinha relação com a bulimia. Você perde tanta substância vital no seu corpo — potássio, sódio, cloreto, eletrólito — que aquilo causa palpitações, ataques do coração. A cada nova recaída, a bulimia também piorava, e agora tinha chegado ao seu pior ponto.

Ela foi levada de volta ao hospital.

* * *

A certa altura, Amy acabava simplesmente ficando com tédio da volta à sobriedade. Então ela se viciava com seu regime de saúde e aí ficava com tédio *disso*. Tão entediada que jogava aquele joguinho do Facebook, Pet Society, em que você cria um mundo. É para crianças. Você é um personagem, tem um gato e compra coisas materiais — sapatos para o gato, uma casa maior, o que for. Depois de dois dias de jogo você ganha créditos e pode gastá-los num par de sapatos melhor para o gato, comprar uma escova de cabelos melhor, fazer melhoras na casa. Mas, se você quiser, pode simplesmente *comprar* créditos. A maioria das crianças nunca compraria créditos. Amy gastava milhares e milhares e *milhares* de libras naquele jogo. Ela jogava principalmente quando estava sóbria. Eu lhe dizia:

— Por que você não para de jogar Pet Society e vive no mundo real? Isto não é normal!

Ela ligava para Jevan duas ou três vezes ao dia e pedia a ele para mandar o contador transferir mil libras para sua conta. Finalmente ela conseguiu um cartão bancário para que pudesse comprar seus créditos da Pet Society sozinha. Aquela era uma grande parte da alegria no jogo para ela, simplesmente fazer o que todo mundo faz, que é gastar o próprio dinheiro.

Ela se refugiou naquele mundo imaginário, passando dias e dias no quarto. Pensei genuinamente: "Tem algo de errado nela?" Aquilo me deixou triste. "Por que não saímos e você pode gastar milhares de libras em si mesma? Por que não sai e compra uma escova de cabelos mais legal de verdade ou uma casa maior? Ou doa aquele dinheiro para obras de caridade?" Era sinistro.

Sua tia Mel, uma mulher adorável, apareceu. Sentou-se no sofá com Amy de um lado e eu do outro. Amy estava bebendo. Tia Mel estava calma, mas preocupada.

Tia Mel disse a ela como era perigosa sua situação. Amy não queria ouvir aquilo, mas tia Mel insistiu, dizendo a ela que precisava de ajuda séria e urgente. Tia Mel é uma pessoa maravilhosa e era difícil vê-la sentada ali com seu lencinho na mão, corajosa e controlando-se — determinada a fazer Amy entender o quanto ela estava preocupada. Estava mostrando tanta coragem e tanto amor ao mesmo tempo, era quase como se Cynthia estivesse ali. Fiquei tão contente. Porque parecia que ninguém queria se envolver, exceto eu. Amy disse a ela a mesma coisa que costumava me dizer.

— Não vou a lugar nenhum, tia Mel. Estou bebendo agora e provavelmente vou parar amanhã. Não é, Tyler?

— Sim, você provavelmente vai parar, mas, numa vez dessas — falei, embora eu não acreditasse plenamente naquilo na ocasião —, a coisa vai sair seriamente errada.

Amy ainda tinha delírios de invencibilidade. Eu agarrava seus braços e sua barriga e dizia a ela que era um ser humano incrível, mas seu corpo era igual ao de todo mundo, seu corpo minúsculo, ele poderia não aguentar. Ela sabia que tinha um grande problema e ainda continuava negando. Embora, quando estivesse sóbria, não houvesse mais nenhuma dúvida na cabeça de Amy de que ela era uma alcoólatra. Que precisava parar de beber para sempre. Na sua cabeça, ela sempre pensava: "Vou parar, mas ainda não."

Comecei a adotar uma tática diferente: comecei *realmente* a sair de casa. Disse a ela que só voltaria quando ela parasse de beber. Pensei: "Não posso ficar aqui e me exaurir, não posso dormir na sala de ginástica. Mais do que tudo, ela poderia ver minha presença como uma disposição de simplesmente aturar suas bebedeiras." Por isso eu queria que ela soubesse: não vou aguentar isso, quando você beber eu vou embora.

Ela me implorava:

— Por favor, *por favor* não vá embora.

— E então, vai parar de beber? Não? Ainda não? Pois bem, estou fora. Me ligue quando quiser parar e eu volto. E vou ajudá-la, querida. Só estou indo à casa de minha mãe, posso estar de volta dentro de uma hora.

Eu partia levando minha mala e me sentia terrível. Às vezes eu saía pela porta como um tufão. Embora nunca a deixasse sozinha, nunca. Neville e Andrew estavam sempre lá, como seus irmãos. Quando chegava na casa de minha mãe, eu ficava em tal estado que ela precisaria me aconchegar em seus braços por horas.

Havia um poder na minha saída. Aquilo levava Amy a ficar sóbria. Quando eu voltava pela porta da frente com minha mala, ela corria e se jogava sobre mim, me enlaçando com as pernas, como fez da primeira vez em Prowse Place, mas desta vez não me largava. Eu me arrastava pelo corredor até a sala de estar e ela ficava daquele jeito, as pernas ao redor de minha cintura, naquele sofá. Era assim que ela adormecia. Eu estava de volta.

Eu estava um *caco* nos dois dia anteriores. Ligando para os rapazes, verificando se ela estava bem, ouvindo-a ao telefone, bêbada, sendo uma capeta comigo. Então nossa conversa enveredava para lágrimas e remorso.

— Você vai voltar para casa?

Eu atravessava esse processo porque sei o que é o alcoolismo. Então, ela corria para mim, me enlaçava com suas pernas, chorando, e dizia:

— Muito obrigada por voltar, não posso acreditar que ainda está aqui, todo mundo desistiu de mim.

Como eu poderia não ajudar? *Como?* Eu nunca teria desistido dela, nunca. Não importava que dissesse que desejava que eu estivesse morto. Ou que jogasse um cinzeiro na minha cabeça. Os alcoólatras vão continuar aprontando até explodirem.

Na última recaída antes da recaída final, aconteceu de novo. Eu fui embora, ela parou de beber, eu voltei, ela correu para mim, me enlaçou com as pernas.

— Lembra aquele Suco do Sono que você fazia para mim? Por que você me amava tanto? Por que você me ama tanto, Tyler?

— Eu simplesmente te amo. Simplesmente amo.

Por que alguém ama alguém?

35

A lenda do jazz americano Tony Bennett amava Amy, ele a chamava de "um talento que acontece uma vez na vida". Tony estava fazendo um álbum de covers, *Duets II*, e abordou a Island: Amy cantaria com ele? Ela teve uma reação inicial específica.

— Meu Deus, meu pai vai ficar *chocado*. Vai me odiar, eu topo!

O que mostra como a relação entre os dois tinha desandado. Na cabeça dela, haveria uma parte do pai que era chegada a ela, mas outra parte que sentia ciúmes. Tony Bennett era um dos heróis eternos de Mitch. Amy queria esnobar o pai, porque achava aquilo divertido. Estava sóbria de novo havia semanas e Mitch sequer compareceu à gravação.

A sessão estava marcada para março de 2011 nos estúdios de Abbey Road. Era o único compromisso profissional que atraía Amy — ela idolatrava Tony Bennett também. Mas quando a ocasião se aproximou ela ficou nervosa. A pressão. Havia muito tempo não fazia algo assim e eu me preocupava que aquilo pudesse causar uma séria recaída. Eu sempre a encorajava a fazer aquelas coisas sozinha, mas no dia, no último minuto, como de costume, ela me pediu que a acompanhasse.

O carro esperava do lado de fora. No andar de baixo, Raye e uma nova assistente chamada Petra, indicada pelos executivos, e o gerente de turnê, estavam à espera. No andar de cima, Amy estava tendo um ataque de nervos completo no quarto. Não conseguia se aprontar.

— Não consigo, vou precisar de uma bebida.

Desci e disse a Raye que deveríamos cancelar. Ele disse que não podíamos cancelar. Amy constantemente dizia que precisava de uma bebida e eu lhe dizia constantemente que se ela precisava beber, então ela devia cancelar:

— Você trabalhou demais, você está saudável, olhe só para você.

— Só preciso de uma bebida.

Ela estava aterrorizada, ao descer as escadas, ao subir de volta, enrolando. Estávamos nos atrasando. Ela tomou um Valium para se acalmar e acabou saindo pela porta. No carro, a caminho da gravação, não conseguia se controlar.

— T, não consigo fazer isso, não podemos parar num pub para eu tomar uma dose de Black Sambuca?

— *Não*, Ame, você consegue, você faz isso o tempo todo, você sabe fazer isso até em seu *sono*...

Quando chegamos a Abbey Road, os organizadores mostravam medo dela, pisando em ovos. Aquilo ainda acontecia muito, as pessoas sempre achavam que ela era a encucada volátil sobre a qual tinham lido nos jornais anos antes. Mesmo quando ela estava tão sóbria, saudável e imaculada como naquele dia.

Descemos as escadas e Amy se encontrou com Tony Bennett. Ele foi amável, encantador e Amy também, dizendo:

— É realmente uma honra conhecer você.

Amy entrou sozinha numa cabine vocal e começou a cantar. Foi bisonho, ela sabia que tinha sido bisonho. Eu podia vê-la dentro da cabine, ela começou a dar socos na própria cabeça. A socar para valer a cabeça, afastando a boca do microfone e resmungando:

— Porra, porra, mas que porra, Amy.

Com todo mundo observando.

Ela pediu desculpas a Tony e disse a ele:

— Não quero desperdiçar o seu tempo.

Ele a tranquilizou:

— Tudo bem, Amy, temos o dia inteiro.

Fizemos uma pausa e subimos.

— Não posso fazer isso sem beber.

Ela se deu conta de que não conseguiria nada comigo ou com os rapazes, por isso se voltou para Raye. Eu a ouvia gritando com ele e colocando-o num sufoco, mas ela conseguiu o que queria, porque de repente havia uma taça de vinho em sua mão. Eu não podia arrancá-la de sua mão, não é? Eu nunca a agrediria diante de todo mundo. Eu e os rapazes nos limitamos a olhar, em desespero. Tínhamos passado três semanas mantendo-a sóbria. Sabíamos o que estava a caminho.

Depois da taça de vinho ela desceu as escadas, e estava calma. Eu estava totalmente estressado e ao mesmo tempo pensava em desfrutar aquele momento, porque seria o último momento à minha disposição. A atmosfera tinha mudado. Porque o medo de Amy tinha se dissipado, todo mundo se acalmou. Ela estava confiante. Sua voz estava uma beleza. Eu estava sentado ao lado da mulher de Tony Bennett, olhando para Amy como eu fazia às vezes, como um filhote apaixonado. Eu me apaixonava por ela só de vê-la cantar. E aquilo era jazz clássico, sem exageros como em muito da música de Amy. Cantando com este adorável e dignificado senhor, um gigante musical, um dueto que ganhou um Grammy em 2012. Todo mundo no estúdio estava sorrindo.

Também me senti triste. Eu não a via fazer o lance "Amy Winehouse" há tanto tempo e aquela interpretação era uma mentira, porque não teria acontecido sem uma taça de vinho. A glória do momento não era natural e aquilo me parecia um segredo sujo que só eu conhecia. Tudo estava uma beleza e nada seria uma beleza dali a sete horas.

Antes de sairmos, enquanto Amy se despedia de Tony, ela tomou uma segunda taça de vinho. No carro de volta a Camden tentei impedir o inevitável.

— Ame, lembra aquele filme que você queria ver, *O lutador*, vamos assistir e pedir uma comida do Nando's...

— Não, vamos ao Hawley.

No pub ela fez o que fazia habitualmente, ficou junto ao jukebox com um copo de bebida na mão. As pessoas apareceram e Amy subiu com elas para a sala particular. Quando chegamos em casa ela estava cega de bêbada, tropeçando por toda parte, botando música alta à uma da manhã, dizendo:

— Me dê uma garrafa de vinho!

A Outra Amy estava de volta, tendo prazer em arruinar sua vida. Como de costume, ela dramatizava tudo, deliberadamente batendo os pés no chão, sua maneira de dizer "Fodam-se, estou bêbada, vou beber a noite toda e vou ficar bêbada nos próximos dias e vou botar bem alto o meu hip-hop e nenhum de vocês babacas vai dormir, vocês vão ter uns dias horríveis". A absoluta antítese da garota insegura que estava apavorada demais para ir ao estúdio e fazer o que deveria ser a coisa mais natural no mundo para ela: cantar.

Voltei ao armário. E depois à esteira

Naturalmente, Raye estava numa posição difícil. Amy era uma adulta e ela era o chefe. Eu achava que ela não devia estar trabalhando, mas já que estava ali, ficara determinada a cantar com Tony. Em última análise, ela ter bebido resolveu a parada, mas aquilo só provava a ela que precisava de álcool para se apresentar. Três dias depois, no meio do inferno, aquela era a justificativa de Amy; ela a jogou de volta contra mim.

— Eu arrasei, não foi, você disse que eu arrasei, obviamente eu *preciso* beber para fazer isso.

Estava ficando claro que era assim que as coisas seriam dali em diante. Ela acreditava que não podia fazer nada sem a bebida. Aquela pessoa que ela viu no programa de Jools Holland, aquela pessoa que viu na TV como incrível e arrojada, *ela* costumava beber antes de uma apresentação, não é verdade?

Seu maior pretexto para beber era que ela estava trabalhando no estúdio. Eu voltava a casa depois de sair por umas duas horas, a encontrava com uma taça de vinho na mão e colocava a cabeça entre as mãos.

— Olha aqui, T, estou compondo, estou aqui no estúdio, não quero ficar bêbada, estou sendo criativa, estou escrevendo um álbum...

— Estou cagando para um álbum! Se você não consegue fazer sóbria, então não está pronta para fazer. Você precisa se estruturar para ficar sóbria, que se foda o resto...

Tínhamos chegado àquele estágio: o álcool não era uma opção para ela se quisesse permanecer viva. Ela sabia. Os médicos sabiam. Todo mundo sabia.

Eu tinha um mantra.

— Se você está me dizendo que precisa de álcool para ser "Amy Winehouse", você não pode mais ser "Amy Winehouse"! É melhor viver sendo Amy do que morrer sendo "Amy Winehouse".

Sua resposta era a mesma toda vez:

— T, eu não vou a lugar nenhum.

36

O dueto com Tony Bennett tinha causado uma recaída séria. Depois daquilo, as recaídas ficaram mais espaçadas, mas, quando chegavam, eram mais severas. Agora ela estava numa recaída extrema, vivendo no sofá, geralmente desmaiada. Não comia e não tinha força para se *mexer*. Não era sequer A Outra Amy, não tinha a energia, o vício a sugava toda. É o estágio do alcoolismo em que você nem mesmo quer mentalmente beber, mas construiu um apego físico como água e ar e sente que não tem escolha.

O irmão de Amy, Alex, ia se casar e ela gostava muito da noiva, Riva. Ela entendia bastante de problemas de saúde mental e Amy podia conversar com ela. Quando Amy não estava bebendo, Riva aparecia uma vez por semana e tínhamos um dia normal, fazíamos jantar. Mitch sugeria sempre que Amy procurasse um terapeuta. Ela apenas revirava os olhos. Mitch estava se familiarizando com aquele mundo; eu me submetera à reabilitação e tinha funcionado, por isso, conversando com Riva e Mitch, arranjamos uma intervenção para Amy.

Tinha havido uma intervenção antes, mas não dera em nada. Reg estava lá. Amy estava numa péssima condição, mas ainda caminhava pela casa. Vinha até a cozinha e sentava-se no colo de Reg.

— O que você acha, Reg? Acha que eu deveria ir para a reabilitação?

— Não sei, Ame. Você acha que deveria? Não sei se eu deveria decidir isso por você.

Ele precisava ser mais rigoroso com ela. Nas raras ocasiões em que apareceu, veio com uma garrafa de vinho, não tinha a menor ideia do que estava acontecendo ou de como ela estava mal. Se tivesse dito a ela para ir, ela teria ido; Amy apenas *pedira* a ele que decidisse por ela. Ela saiu da sala dizendo:

— Certo, eu não preciso ir, então.

Eu disse a ele:

— Você teve sua oportunidade e a jogou fora.

Desta vez Amy tinha passado dias no sofá e todo mundo chegou de manhã: Mitch, Alex, Riva, uma mulher e um homem da Priory, em Highgate. Eu subi de uma noite passada na esteira. Estava aterrorizado com o que poderia acontecer. Era como me senti quando Ally Hilfiger perguntou se eu queria que ela falasse com Amy sobre reabilitação. Fui educado, mas pensava: "Ela vai comer você viva!"

Fomos todos para a sala de estar. Amy estava no sofá, semiacordada. Ela olhou para o pai e então para mim e fiquei surpreso por não cair morto na hora com aquele olhar cortante. Ela nunca teria imaginado que faríamos algo como aquilo, era tão óbvio e chato. Fizéramos aquilo por suas costas e eu nunca havia feito nada às escondidas de Amy. Olhou para nós de novo e disse com a voz meio arrastada:

— Vão abrir um champanhe?

A mulher estava no comando e disse, com muita seriedade:

— Sou fulana de tal da Priory, como está se sentindo hoje?

Eu estava morto de constrangimento. Tinha vontade de dizer: "Ora, ora, como acha que ela está se sentindo? Seu irmão e sua cunhada estão olhando para ela, não toma um banho há quatro dias, o chão está cheio de garrafas vazias, está de moletom, toda descabelada." Mas eu sabia que há um protocolo numa intervenção e a mulher estava fazendo sua declaração inicial de encorajamento.

— Estamos aqui, Amy, porque todo mundo está preocupado com você e todo mundo ama você...

Era tão sincera. Amy revirou os olhos, e se tivesse a força teria jogado a mulher pela porta afora. Teria sido mais fácil carregar Mick Jagger! Todo mundo teve de dizer o quanto a amava. Seu irmão chorou, o pai também deu uma choradinha. Nada daquilo comoveu Amy. Toda a situação era uma farsa para ela.

Mitch disse:

— Estou tão preocupado com suas bebedeiras, você é minha filha e eu te amo, Amy.

Todas aquelas obviedades. Ninguém me comoveu também. Chegou minha vez. Eu não precisava dizer a ela como me sentia a seu respeito, eu lhe dizia o tempo todo. Eu não precisava fazer uma intervenção, eu intervinha todo dia.

— Ame, querida, você provavelmente quer se matar agora, isso é um monte de bobagem, né? Mas seu pai queria isso e eu também, o que mais podíamos fazer?

Amy não falou nada, mas eu comecei a sentir que isso era a coisa mais emocionante que tinha acontecido a ela em semanas. Estava de certo modo gostando daquilo, o fato de que todo mundo estava lá. Ela finalmente reagiu.

— Ora, isto é realmente uma piada, né? Primeira vez que vejo a turminha toda depois de tanto tempo...

A mulher disse a ela que todos nós achávamos que ela devia ir para a clínica de reabilitação. Amy virou-se para mim:

— Tyler, eu te amo, mas você conhece a parada, sabe que eu consigo me safar dessa.

Todo mundo continuou a encorajá-la. Ela disse:

— Talvez eu *vá*.

A mulher disse:

— Acho que você deveria vir agora.

Amy olhou para mim, riu e gritou:

— Não!

Mitch saiu num rompante da sala de estar e sua mulher Jane foi atrás para o consolar. Todos nós saímos e a mulher me levou para o lado, disse que era seu trabalho avaliar a situação e disse:

— Você é a única pessoa capaz de ter algum impacto em levá-la a fazer qualquer coisa.

Eu e Mitch voltamos à sala de estar. Ele começou a gritar com Amy, obviamente não queria fazer aquilo na frente de todo mundo.

— O que esperam que eu faça?! Sou seu pai, tenho de fazer alguma coisa!

Mas Amy não estava entrando naquela.

— Pai, eu posso resolver a parada, todo mundo está sendo superdramático. Uma intervenção?!

Eu estava num lado do sofá onde ela se sentava, seu pai do outro e Amy começou a sorrir. Ela *estava* gostando daquilo.

Comecei a argumentar:

— Tenho cartas de médicos dizendo que você vai *morrer*. Isso não pode continuar!

Ela continuava sorrindo, me provocando e disse algo que sabia iria me irritar:

— Tyler, você está tão em forma hoje, acho que devia sair para namorar.

Funcionou. Fiquei furioso.

— Você está se divertindo com isso, não?! Adora isso, eu e seu pai sentados aqui, não percebe o que estou passando todo dia e você acha essa porra toda engraçada?

Ela revirou os olhos.

— Ah, Tyler, me passa a vodca.

Não aguentei mais.

— A vodca? A *vodca?* Você quer a porra da vodca?!

A garrafa estava do outro lado da sala. Levantei-me, caminhei até lá, peguei a garrafa de vodca e a joguei, *disparei* a garrafa, logo acima de sua cabeça. Espatifou-se contra a parede, vidro e vodca por toda parte. Mitch olhou para mim, chocado. Aquilo abalou Amy, porque eu não faço coisas perigosas desse tipo. Eu choquei *a mim mesmo*. Sentei no outro sofá perto da janela e comecei a chorar. Eu não chorava muito na sua frente, por isso aquilo mexeu com ela.

— Tyler, não fique assim, venha cá, venha cá...

Fui ao sofá dela.

— Ame, por favor, por que não vai, *por favor*, simplesmente vá, por mim. Que mal pode fazer? Você vai ter que ir ao hospital de qualquer maneira. Que se foda todo mundo, por favor, por favor, por favor, por favor, *por favor*, simplesmente *vá*, por mim.

Ela olhou para mim.

— Muito bem, está certo.

Dei-lhe um beijo grande, subi ao seu quarto e preparei uma bolsa. Os rapazes nos levaram de carro, ela foi no banco traseiro comigo. Mitch dirigiu o próprio carro. Ela começou a se sentir nervosa.

— T, preciso de uma bebida.

— Ame, pelo amor de Deus, você está a caminho da Priory...

— Se alguém não me conseguir uma bebida eu não entro lá.

— Ninguém neste carro vai conseguir uma bebida para você.

— Então eu não vou!

Ela não queria ceder.

— Amy, você tem de jurar, por minha vida... se eu conseguir uma miniatura para você, e eu não vou comprar, mas acompanho você para pegá-la... no segundo em que você beber, você entra.

Ela disse que sim e eu confiei nela. Pensei: "Você já bebeu onze litros de vodca, que diferença pode fazer?" Mas foi uma das decisões mais difíceis que já tive de fazer. Nos dois anos anteriores, eu não tinha comprado seu álcool ou dado álcool para ela, tudo o que fizera foi jogar a bebida pelo ralo. Tinha visto outras pessoas darem bebida a ela e ficara furioso. O carro encostou diante de uma lojinha de bebidas perto de Highgate e tive de pagar porque era eu quem carregava o dinheiro. Ela bebeu a miniatura, aquilo a acalmou e nós fomos para a Priory.

Mitch teve de assinar a sua internação oficialmente, assinar seus direitos de permanência por uma semana. Ele não precisava da permissão dela, mas sentia a responsabilidade e precisava de mim para compartilhar a responsabilidade. Eu não tomaria aquela decisão sem o seu consentimento. Então pedi a ela. Eu estava do lado de fora com Amy. Seu pai não estava lá.

— Ouça, precisamos assinar a sua internação, seu pai não quer pedir a você, pediu a mim que pedisse a você, podemos assinar a sua internação? Não vou fazer isso se você não quiser. Mas não será diferente de ficar uma semana no hospital.

Ela apagou o cigarro.

— Certo, faço isso por você, se você ficar comigo hoje.

Acompanhantes não são permitidos, mas quebraram todas as regras para ela. Recebi permissão de ficar aquele dia. Ela estava agitada, apreensiva, assustada. Fizeram um exame e o médico disse que havia tanto álcool em seu sangue que ela não deveria estar viva. Exatamente o que todo médico lhe dizia. Ela não estava sequer bêbada, tinha chegado a um nível de tolerância incrível.

Quando cheguei em casa à noite, recebi um telefonema de Raye: o cara da loja de bebidas tinha vendido as imagens das câmeras de segurança para o *Sun*.

— Mas não se preocupe — me disse ele. — Vou fazer um acordo com eles, dar algo em troca e eles não poderão divulgar o material.

Devia ter custado um montão de dinheiro. Ele poderia ter dado a eles a história de "Amy Winehouse vai para a *rehab*". Depois de tudo o que eu tinha feito, eu poderia sair de manhã nos jornais como o cara que levou Amy para comprar bebida. Era uma coisa abjeta. Eu a fizera sair comigo para encarar o que ela estava fazendo. E aquele sujeito olhava para mim pensando: "Você está comprando bebida para Amy Winehouse e ela está péssima." Quando, na verdade, eu era o seu cuidador. Parte daquele papel de cuidador consistia em levá-la a um centro de reabilitação de verdade pela primeira vez na vida dela. E comprar aquela miniatura, naquele dia específico, foi o que a fez atravessar a porta de entrada.

Nunca acreditei que a Priory fosse resolver os problemas de Amy; você não pode resolver nada em uma semana. Eu sabia por experiência própria como alguém que passara pela reabilitação duas vezes: uma vez por uma semana, que não resolveu nada, e então a internação que funcionou, por três meses. Poderia até ter exercido um efeito prejudicial sobre Amy. Quando ela saiu, parecia como se a vida houvesse sido sugada de si. Não havia emoção, nada, como se o tratamento tivesse arrancado um pedaço vital dela. Tinha sido, para ela, um processo muito entediante. Era quase como se não fosse *adequado* para ela. Acho que ela foi para tranquilizar o pai, para marcar uma escolha pessoal, para tirar todo mundo do seu pé. Ela me disse:

— Viu, agora consegui, não foi?

Acho que ela parecia tão inexpressiva porque finalmente tinha ido para a *rehab*. Aquela canção de novo a assombrava. A única diferença entre a Priory e a London Clinic, além da terapia, era que ela não podia sair. Mas aquilo teria sido uma coisa importante para Amy. A pior forma da perda de liberdade. Um lugar do qual ela não poderia escapar. E quando você esteve na clínica de reabilitação, ainda que por uma semana, é como se um interruptor fosse ligado:

você não pode mais fingir que não tem um problema com álcool. Que a sua meta não é a abstinência. Tenha sido para calar a boca de todo mundo, ou porque precisava, *você foi para a rehab*.

Depois da Priory, ela voltou a ficar sóbria e saudável durante semanas. Mas a turnê europeia de doze apresentações, que há algum tempo ela encarava com reservas, se tornara iminente. Já tinha tentado uma turnê normal, em janeiro, mais curta, de cinco apresentações, no Brasil. Eu não fui porque ela estava indo com Reg e Amy também disse:

— Não quero estragar seu aniversário de novo!

A imprensa disse que foi um triunfo, mas eu ouvi diferente de pessoas que estiveram na turnê quando voltaram: que ela não estava bem de saúde e de cabeça. Que estava bebendo, que tinha criado problemas, mas que a equipe conseguiu segurar a barra, mal e mal. Você não pode acreditar em tudo o que lê. Acho que uma porção de pessoas estava tentando criar um retrato mais otimista de Amy na ocasião, num esforço de relações públicas, para satisfazer seus próprios objetivos. A imprensa também disse que ela faturou cinco milhões de libras naquela turnê, o que deveria ter aliviado um pouco da pressão financeira, mas, meses depois, não parecia verdade. Por isso a nova turnê ainda estava de pé.

Mas quando houve uma intervenção, cartas de médicos dizendo que se ela continuasse a beber, iria morrer, a Priory dizendo que havia tanto álcool no seu sangue que ela não devia estar viva, eu pensei que alguém *certamente* devia estar cogitando cancelar esta turnê. Se essa ideia passou pela cabeça de alguém, eu nunca fiquei sabendo, mas uma coisa era certa: quando chegasse a data de iniciar a turnê, ela definitivamente não ia querer fazê-la.

Então, ela a sabotou.

37

A turnê europeia era das grandes. Na primeira noite, em Belgrado, na Sérvia, Amy iria cantar diante de 20 mil pessoas num belo parque histórico, Kalemegdan, onde há uma fortaleza. Todo mundo estava empolgado, o primeiro show daquele tamanho que ela fazia em quase três anos. Quando a turnê foi anunciada, eu queria que ela viajasse de novo; não se pode derrotar o alcoolismo sem se ocupar. Ela estava sóbria, saudável e melhorando na ocasião. Mas agora eu estava com medo; não fazia muito tempo que ela não conseguira cantar num ambiente controlado de estúdio com Tony Bennett. Só tinha saído da Priory havia poucas semanas. Ainda estava vulnerável.

Houve um ensaio da turnê uma semana antes, Amy com a banda no 100 Club em Oxford Street — não para o público, apenas para a imprensa e a gravadora.

Estávamos no carro a caminho. Amy perguntou:

— T, você acha que vão me deixar beber hoje?

— Amy, você está louca?

Ela disse que só estava brincando. Começava a ficar agitada.

— Não quero mesmo fazer esta turnê.

— Não faça, então.

— Estou cansada de cantar aquelas músicas que compus cinco anos atrás. Por que eles querem fazer uma turnê? Por que não podem esperar que eu escreva outro álbum para que tenha algo a dizer?

As pessoas devem estar tão de saco cheio de "Rehab", eu sei que *eu* estou.

Estávamos no clube e eu a vi falando com os executivos. A vez seguinte que eu a vi de longe, ela segurava uma bebida. Como sempre, a bebida a acalmou. O ensaio foi bom, nós saímos, ela não falava no Hawley, nós acabamos indo para casa. Com a bebida daquela noite, ela poderia ter dado a impressão de que estava pronta para a turnê, mas começou a insistir comigo que não estava afim da turnê e que devia estar era no estúdio.

Ela iniciava a sabotagem. No dia seguinte, começou a beber, uma recaída completa. E eu voltei a dormir na esteira.

* * *

Todo dia os executivos apareciam e todo dia me diziam que eu precisava fazer com que ela parasse de beber. Era como uma bomba-relógio fazendo contagem regressiva, cinco dias antes, quatro dias antes... mas a cada dia ela se afundava mais naquele sofá aveludado azul escuro. Ela havia convencido a si mesma: *Se eu não for capaz de me mexer, a turnê vai ser cancelada.* Bebeu até desmaiar por cinco dias, entrando e saindo da inconsciência da vodca. Eles *teriam* de cancelar a turnê.

No dia em que ela deveria partir, o dia anterior ao primeiro show, ninguém conseguia arrancá-la do sofá. Foram embora. Mandaram o recado de que, se ainda estivesse assim no dia seguinte, eles a levariam de qualquer maneira. Seria o dia da primeira apresentação.

Chegaram na manhã seguinte, estava tudo embalado, pronto para a viagem. Os rapazes literalmente arrancaram Amy do sofá, obedecendo as ordens, e a colocaram no carro. Ela mal estava consciente. No caminho para o aeroporto, todo mundo estava em silêncio, sem dizer palavra, no limite. Sentado ao lado dela, eu pensava: "Isso está muito errado." Naomi tinha chegado mais cedo para separar os vestidos e eu disse a ela:

— Obviamente não vamos viajar.

Ela disse:

— Não, eles disseram que nós vamos de qualquer maneira.

Aquilo me lembrava uma história que Amy me contara sobre ter sido literalmente carregada numa cadeira de rodas para o aeroporto porque estava bêbada demais para caminhar nas primeiras turnês. Senti um nó no estômago. Todo mundo claramente achava que Amy subitamente sairia daquele torpor, ficaria sóbria e se apresentaria tão bem quanto a imprensa e o público achavam que tinha feito no Brasil. Amy podia estar contando a pessoas diferentes coisas diferentes àquela altura, mas para mim suas ações falavam mais alto do que palavras. Eu sabia o quanto a apavorava se apresentar no palco. Estou seguro de que algumas pessoas na turnê não se davam conta daquilo, ela talvez lhes dissesse que ainda estava na jogada porque não queria decepcioná-las. Mas aquele não era mais o caso. Se elas não sabiam que ela estava tão mal, talvez fosse o motivo de prosseguirem com a programação. Era tarde demais, as engrenagens já tinham sido postas em movimento. A indústria musical é impiedosa assim, tudo continua girando ao seu redor, a todo custo. É muito dinheiro em jogo.

Chegamos ao aeroporto de Luton, de onde decolam os jatos particulares, entregamos nossos passaportes pela janelas para a segurança e Amy despertou.

— Onde estamos, T?

— No aeroporto, Ame.

Ela não falou nada, revirou os olhos, fez cara feia e cobriu a cabeça com o capuz que vinha usando nos últimos cinco dias. Estava tão delirante e fraca dos cinco dias de recaída que os rapazes tiveram de ajudá-la a embarcar no avião, segurando-a pelos braços e orientando-a nos degraus. Mitch não estava lá, ele raramente acompanhava as turnês, mas os executivos estavam nas fileiras da frente, nós estávamos na parte de trás. Acho que eles não queriam ter nada a ver com ela naquela altura. Eu dei a Amy sua medicação de abstinência, Librium, para impedir uma convulsão. Era sempre minha responsabilidade. Ela reconheceu o que estava tomando:

— Sei que não posso beber nesta turnê.

Caso contrário, não poderiam receber o seguro. Ela estava voltando à consciência plena. Não teve chiliques nem tentou descer do avião — ela não estava lá contra sua vontade, simplesmente desistiu de brigar. Sua briga se concentrara em obliterar-se.

Observava os homens das primeiras fileiras, num mundo diferente, o avião taxiando na pista. Estavam animados, pagos para fazer o que adoravam de novo, rindo e comendo bandejas de frutas perfeitas, daquelas servidas em jatos particulares.

— Você gosta de toda esta merda, Tyler? Odeio esta baboseira de jatos fretados, isto não é real, não tem nada a ver comigo, francamente nunca teve e não quero aturar mais isto. Prefiro estar em casa ou jogando sinuca.

Chegamos ao Hyatt Hotel em Belgrado. Amy ainda não tinha ideia de onde estava:

— Onde estamos, T?

Não vimos mais ninguém por umas boas oito horas, só eu e Amy no seu quarto. Ela não estava só mal de saúde — enjoada, trêmula, desligada —, estava principalmente semiconsciente. A maior parte do tempo ficava totalmente adormecida na cama, o resultado de cinco dias de bebedeira contínua. Deveria estar num hospital. De vez em quando, ela se mexia, me pedia uma bebida e eu não precisava sequer responder, ela caía de novo no sono. Ela nem poderia ter acesso à bebida; a gravadora pedira ao hotel que o telefone fosse desligado para que ela não contatasse o serviço de quarto.

Naquelas oito horas, recebi ligações dos executivos de hora em hora.

— Ela está bem?

Eu dizia:

— Não, ela está completamente inconsciente, não tem condições de fazer um show hoje à noite, não é possível.

Ficaram o dia inteiro me telefonando sem parar. Ninguém veio ao quarto para ver pessoalmente, estavam muito ocupados preparando-se para o show. Finalmente Naomi chegou para produzir Amy, com uma nova assistente, tentando animá-la:

— Vamos, Amy, vamos nos aprontar!

Amy levantou-se e tiveram de vesti-la porque ela não era capaz, achava-se num estado letárgico. Sentou-se na cadeira em frente do espelho e foi fazer a própria maquiagem, como geralmente fazia. Seus olhos estavam praticamente fechados, seu queixo caindo e a cabeça inclinada para trás a fim de permitir uma visão dela ao espelho. Ela pegou o delineador, errou o olho e riscou um grande traço preto na testa. Não tinha nenhuma ideia se o seu olho era sua boca, ou seu nariz, ou a porra dos seus dedos dos pés. Estávamos todos compadecidos.

— Vou ajudar, Ame — disse a assistente, e começou a fazer a maquiagem para ela, lágrimas nos olhos.

Foi um dos momentos mais tristes da minha vida, minha garota estava tão mal. Liguei para os executivos.

— Isto não pode acontecer, ela nem chega a estar *acordada*.

— Não, ela vai ficar boa.

Tudo o que eu podia pensar era dar a ela um pouco de Pro Plus para a cafeína reanimá-la.

Só então Raye apareceu. Saímos todos do quarto, para o elevador, até um táxi que nos levou ao camarim externo junto à marquise antes do show. Tive de sair para mijar, afastei-me por cinco minutos, e quando voltei Amy tinha emborcado uma taça de vinho. Sei como deve ter acontecido — ela estava convencida de que precisava de uma taça para encarar o palco e discutiu com Raye até que conseguiu. Eu não estava lá quando ela bebeu; se estivesse, teria intervindo, porque não se pode beber depois de tomar Librium.

O que estava acontecendo com Amy era o que os médicos dizem que acontece quando se mistura álcool e Librium: ela estava apagando, mesmo consciente. Cinco minutos antes de entrar no palco, Raye me disse:

— O que foi que você deu a ela?

Eu queria matá-lo.

Raye pegou Amy pela mão e ajudou-a a subir os degraus de aço atrás do palco. Eu os vi, porque estava, como sempre, do lado do palco. Desta vez eu estava chorando, temendo o que poderia acontecer a seguir. Onze horas antes, Amy estava no sofá e eu a vira não tomar nenhuma decisão ou fazer nenhum movimento por conta própria. Era como se a tivessem arrancado do sofá em Camden Square e colocado diretamente no palco a mil milhas de distância.

O show foi *horroroso*. Quase cinco anos tinham se passado desde que ela lançara *Back to Black* em 2006, quando tinha acabado de fazer 23 anos, e eles a jogaram titubeante num palco tentando cantar "Rehab", que ela não aguentava mais. Ela não conseguia cantar, cambaleava de um lado para o outro, caiu de costas sobre as cantoras acompanhantes. Todo mundo via que ela vinha se cuidando, estava com um peso decente, cabelos lustrosos e pele perfeita. Apesar da recaída, ela estava uma beleza naquele dia. Mas sua mente havia apagado. *Ela* se apagara.

A plateia vaiava, embriagada, exaltada. Se eu tivesse uma metralhadora, hoje estaria na prisão. Eu teria ceifado 22 mil pessoas. Lutei contra cada instinto que eu tinha, que me mandava correr até o palco e carregá-la nos meus braços. Uma garota doente fora jogada na parte mais funda da piscina e todo o mundo assistia ao seu afogamento.

Aquelas cenas correram o mundo inteiro e faziam Amy parecer uma pateta. Completamente caótica. Eu odiava todo mundo envolvido naquilo. Seis dias antes ela estava perfeitamente normal.

Fomos tirados às pressas de lá, como se tivéssemos um presidente no carro. Ela não conseguia se lembrar de ter feito o show. Caímos diretamente num circo da mídia no aeroporto. Ela foi ajudada a atravessar às pressas a barreira de jornalistas que estavam à caça de manchetes e ninguém teve colhões de contar a ela o que tinha acontecido. Ela me perguntou como foi e eu tentei pelo menos adverti-la de que foi ruim:

— Não foi brilhante, Amey. Não foi a sua melhor atuação. Mas não se preocupe com isso, querida, *você* é brilhante.

Voamos para Istambul, Turquia, onde Amy se apresentaria a seguir, em outro parque. Ela estava exausta. Apenas doze horas antes estávamos em Londres e, desde então, tínhamos encarado dois voos e dois países diferentes. Fomos conduzidos por dois seguranças para dentro do hotel por um elevador particular nos fundos.

— Bem-vinda a Istambul, srta. Winehouse.

Ela odiava tudo aquilo mais do que nunca. Eu estava à espera de que ela dissesse, como sempre fazia, "Não sou ninguém especial, meu chapa, meu nome é Amy", mas não disse. Ela estava totalmente confusa.

— Achei que o show fosse na Polônia. Tenho de fazer a passagem de som?

Eu lhe disse de novo:

— Você já fez o show, querida. Acabamos de chegar da Sérvia. Estivemos lá primeiro.

— Jura? Merda, foi bom?

Ela não se lembrava de ter sido arrancada do sofá em Londres, embarcada num jato fretado para a Sérvia, de ter feito uma apresentação para vinte mil pessoas, nada disso. Pelo menos não se lembraria de ter sido vaiada ou de passar por uma canção inteira sem cantar.

Caminhamos pelo corredor até o nosso quarto, ambos exaustos. Raye e algumas outras pessoas chegaram e duas garrafas de champanhe apareceram, embora o show tivesse sido um desastre. "Que porra?" Todo mundo bebeu e foi embora, me deixando para cuidar de tudo, como de costume. Joguei a champanhe pelo ralo, enchendo as garrafas de água com gás, como sempre fazia. Amy estava caminhando a esmo, tive de ampará-la colocando os braços ao redor dela. Eu a fiz comer alguma coisa. Sentamos no chão, fazendo a brincadeira do aviãozinho: uma colher para você, uma colher para mim. Mas não era A Outra Amy. Era como uma criança abandonada em um mundo que não reconhecia.

Finalmente botei-a na cama e tranquei a porta. Fazia um calor insuportável no quarto — era Istambul no verão —, mas eu não abri as persianas da sacada. Se Amy saísse andando de noite, ela poderia cair da sacada; estávamos no último andar. Tomei meu comprimido de cafeína Pro Plus e passei a noite inteira verificando se ela estava respirando, segurando-a em meus braços, sabendo que ela estava segura, ouvindo a oração muçulmana pouco antes de o sol nascer pelos alto-falantes da mesquita.

Na manhã seguinte, comecei a distraí-la. É outra tática de abstinência: quando você acha que precisa de uma bebida, se você se distrair por dez minutos, aquilo vai se tornar quinze minutos, meia hora. Eu a coloquei para tomar banho de sol na sacada e comecei a ligar para todo mundo — queríamos refrigerantes com eletrólitos, Lucozade —, mas ninguém respondeu. O show só seria no dia seguinte e todo mundo estava aproveitando o tempo livre para passear por Istambul e se divertir.

Recebi uma mensagem no Facebook aquela manhã contando que um amigo em Londres, Greg, tinha morrido de uma overdose acidental. Era um cara complicado, metido com bebida e drogas; eu o conhecera muitos anos antes. Não contei a Amy, mas fiquei perturbado. Era como um presságio: isto é o que vai acontecer a Amy. Toda a minha vida tinha a ver com alcoolismo e lidar com viciados.

— Cancele a turnê — falei a Amy. — Diga a eles.

Ela estava acordada, sua mente clareava e todos os bons pensamentos estavam voltando.

— T, eu quero voltar para casa, eu quero ficar sóbria, eu quero ficar saudável, eu quero engordar três ou quatro quilos. Que se foda a turnê.

Pensei: "Ótimo! Aí está você de novo, sim, Amy, vamos lá!"

Ela teve uma ideia.

— Vamos só ficar aqui três ou quatro dias, pegar um pouco de sol, relaxar e depois voltamos para casa.

Excelente!

— Ligue para Raye — falei.

Ela ligou para Raye e disse a ele para cancelar a turnê. Inevitavelmente Raye me ligou e disse que precisávamos conversar. Desci e fui falar com ele.

— Tyler, isto é um pesadelo, cancelar a turnê no último minuto, é importante que ela faça a turnê, ela precisa do dinheiro. Você tem de falar com ela. Você tem de fazer tudo o que precisa fazer para que ela faça a turnê.

Raye sabia o que o cancelamento da turnê significaria para as finanças e sua reputação como artista, mas eu lhe disse o que ele precisava ouvir. Pela primeira vez fiz pé firme com Raye. Eu estava enjoado com toda aquela merda.

— Estou cagando. Minha melhor amiga está lá em cima, ela vai ficar sóbria, ela quer ficar sóbria, ela quer ser feliz, ela quer continuar viva, caralho, e isso é tudo o que me interessa, que se foda a turnê. Estou cagando se ela nunca mais fizer uma composição, estou cagando se ela nunca mais pisar num palco! Você não sabe pelo que tenho passado desde que ela tomou aquele vinho às seis de ontem, você não sabe o que eu vivi na noite passada, preocupando-me que ela fosse se jogar da sacada, e agora ela está no quarto, tomando um banho de sol, tudo o que ela quer é ficar sóbria e isto é tudo o que importa, portanto você pode ir se foder, Raye.

Ficou furioso que eu falasse com ele daquela maneira. Raye é enorme e eu realmente achei que ia me dar um soco. Fui embora. Eu não queria mais saber de todos eles. Eu conhecia o alcoolismo: quando você é um alcoólatra, não existe nada mais importante, não existe *mais nada*, a não ser ficar sóbrio. Esqueça-se *disso, disso e daquilo*, você só precisa pensar em uma coisa: *ficar sóbrio*.

Amy cancelou a turnê. As pessoas ficaram furiosas, dizendo por suas costas que ela era egoísta, e que elas contavam muito com aquela turnê. Amy notou. O que acrescentava à pressão, o fato de que ela decepcionara todo mundo.

Os rapazes voltaram para casa e nós ficamos por mais quatro ou cinco dias. Tudo muito civilizado. Pensei naquela terrível apresentação na Sérvia e como ela foi percebida pelo mundo, que Amy devia estar chapada, sob o efeito de drogas, ainda, naqueles últimos três anos. Mas o que eu vi naquela noite foi um autêntico colapso mental. Sempre se preocupara com sua banda, mas nada do resto tinha mais a menor importância para ela: aquelas canções, a interpretação, as milhares de pessoas. Não se tratava apenas da recaída de cinco dias, da exaustão e da medicação. Era como se simplesmente ela não se importasse mais. Como se tivesse optado pelo *foda-se*.

Em nossa primeira noite sozinhos em Istambul, estávamos sentados na sacada, era quase crepúsculo, ela havia comido e dormido bem e estava feliz. Falava sobre passar alguns dias no sol, voltar para casa, ficar sóbria, colocar sua vida em ordem e não fazer mais estas grandes turnês. Não tivera certeza em relação a isso antes, mas agora ela *sabia*. Não chegou nem a se angustiar com o fiasco da Sérvia, não havia nenhuma vergonha, sentia-se apenas feliz pelo fato de a turnê não estar acontecendo. Uma esquina tinha sido virada muito rapidamente, em menos de vinte e quatro horas; agora estava calma, em paz, inteira.

Levantou-se.

— Vou ligar para Reg.

Era tudo maravilhoso porque era tudo normal.

— Lembre-se de tomar isso — lembrei, empurrando os comprimidos.

Ela foi dar o telefonema e eu saí para uma caminhada de horas no calor sufocante. Aquilo mostrava o quanto eu estava confiante de que ela ficaria bem.

Eu nunca tinha estado em Istambul antes. Me vi sentado numa praça, sentindo-me tão bem em relação a tudo. Reg estava a caminho, todos nós curtiríamos umas férias ao sol. Depois de dias de estresse e medo, a preocupação com o que viria a seguir tinha finalmente ido embora.

Era 20 de junho de 2011.

38

De volta a Camden Square, depois de Istambul, Amy estava radiante de novo. Estava radiante *antes*: no voo de volta para casa saquei meu laptop e Amy-obcecada-por-limpeza o agarrou.

— Me dá isso aqui, está uma sujeira!

Pegou um lenço de papel e, com um pouco de cuspe, levou séculos limpando meu laptop meticulosamente. Aquilo era o que "a trágica Amy Winehouse" estava fazendo menos de uma semana depois de Belgrado, onde ela protagonizou o que a mídia estava declarando como o pior espetáculo ao vivo já visto na história da Sérvia.

Fiquei sorrindo no avião. Amy, perfeitamente saudável e linda, capaz de se recuperar como ninguém. Em cinco dias teria renascido. Não creio que as pessoas jamais tenham percebido como era bonita. Pensei: "Estamos voltando para casa, ela quer melhorar, tudo está maravilhoso."

Ficou sóbria no mês que se seguiu, na esteira, reconstruindo-se. Há meses vinha dizendo que estava se entediando com a bebida. Agarrei-me a isso. Quando eu via Amy se entediando com algo, um cara, um programa de TV, aquilo tinha acabado, estava morto, era assim a sua natureza. Não havia mais nada divertido para ela na bebida. Passar cinco dias no sofá não era divertido. Seu pensamento começava a mudar. Eu *sabia* que estávamos virando uma esquina.

Falávamos constantemente sobre o futuro, a próxima viagem juntos, sóbrios. Porque sempre fazíamos tudo juntos. Eu estava sóbrio, ela estava sóbria. Eu a encorajava o tempo todo:

— Vamos lá, entre nessa comigo! É legal, vamos lá!

Ela estava apenas alguns passos atrás de mim e encarou muito mais merda do que eu.

Nos últimos três meses, vinha dando passos para recuperar sua independência. Falou com firmeza sobre botar a empresa de volta sob o próprio nome, em vez do nome do pai, sobre telefonar para Margaret, sua contadora, para lhe mandar sem falta todos os seus cartões bancários. Falamos sobre o dia em que ela não teria de viver mais com dois seguranças. Sobre voltar a ser a pessoa que era quando saiu de casa pela primeira vez, quanto conquistou sua independência, quando estava tão viva. Antes que tudo se descontrolasse. Quando Amy ganhou a liberdade de ser ela mesma, ela floresceu.

Falamos em detalhe sobre como ficar sóbrio. Ela acreditava *plenamente* que seria capaz de chegar àquilo. Reconheceu que eram as pequenas coisas que ela precisava ter de novo. As coisas básicas. Voltar a fazer coisas para si mesma. Ela ainda nunca tomava decisões sozinha.

— Eles ainda têm o controle completo de minha vida — disse ela. — Entendo por que meu pai assumiu o controle da minha empresa, entendo por que tenho dois seguranças morando em minha casa como babás. Eu andava meio caótica, não? Jogo limpo. Mas não preciso mais disso. E não está me ajudando agora.

Ela queria compor no estúdio — não necessariamente escrever um novo álbum, apenas voltar a ser ela mesma, a música como terapia, como é para todo mundo. Se simplesmente a deixassem fazer isso, dentro de um ano, talvez, ela tivesse composto aquele terceiro álbum. Ninguém a forçou a escrever *Back to Black*, ela simplesmente viveu sua vida.

Também pensava muito seriamente em estabelecer a sua editora musical para compositores e falava em perguntar a Nick Shymansky se ele conhecia bons compositores. Pediu a Raye que aparecesse a fim de que pudessem conversar a respeito da editora como uma proposta factível. Como era uma conversa de negócios, eu saí, como de costume. Quando voltei, Raye ainda estava lá, mas foi embora dois minutos depois. O clima não estava bom. Ela me disse que Raye não concordava com a sua ideia. Não considerava um bom investimento; na sua opinião, e não queria que ela desperdiçasse dinheiro. A turnê europeia acabava de ser cancelada e provavelmente custara a Amy — e por extensão a eles — um bom dinheiro. Ela reagiu àquilo muito pessoalmente e ficou muito perturbada.

— Desta vez é algo que *eu* quero fazer. Acho que vou telefonar para Margaret e deslanchar o projeto eu mesma.

Fiquei decepcionado por ela, mas também satisfeito por ouvi-la dizer que podia fazer alguma coisa por iniciativa *própria*. Casava com tudo o que ela vinha dizendo há meses:

— Vou reassumir o controle da minha vida.

Foi ficando cada vez mais contrariada.

— Por que não tenho dinheiro suficiente para abrir uma editora musical? Eles estão sempre gastando dinheiro em merdas que não me interessam e agora me dizem que não tenho dinheiro para fazer o que quero?

Àquela altura, eu mal podia ouvir o que ela dizia, porque senti que ela tinha bebido. Na verdade, eu *sabia*. Depois de um mês de sobriedade, ao voltar de Istambul, eu não achava que aquilo aconteceria de novo. Desci e fumei um cigarro no armário da academia de ginástica, querendo ficar sozinho. Quando subi de novo, Amy estava muito casualmente tomando uma taça de vinho. Olhei para ela, horrorizado.

— Ame?

— Sim?

Então ela falou, com todas as palavras:

— É só uma taça de vinho.

Eu perdi o controle.

— Só uma taça de vinho, você ficou louca? Que se foda a editora! É este o motivo? De você achar que tem direito a uma taça de vinho? Você só está usando isto como uma desculpa!

Saí de casa e só voltei horas depois. Fui direto para meu quarto e fiz minha mala. Ela estava bêbada, mas não ainda uma bagunça. Eu me agitava no meu quarto, enchendo minha mala, e ela se aproximou da porta.

— Tyler, por favor, não vá embora...

—Não! Já disse a você, você sabe que não vou ficar aqui, não vou deixá-la fazer isso e não vou ser parte disso.

Ela pegou minhas coisas.

— Guarde de volta no guarda-roupa, eu estou *ótima*, estou lá embaixo, estou compondo, estou gravando, estou fazendo o que eu deveria estar fazendo...

— Estou cagando se você está gravando, estou cagando se você vai ou não escrever um novo álbum! Tudo o que me preocupa é que você não beba, *você não* pode mais beber. E você nem mesmo quer! Vai se entregar assim tão facilmente? Você acha que é tão fácil? Que quando tem vontade de uma taça de vinho não precisa resistir? Esta é a *natureza* dessa coisa. Você precisa encontrar um jeito de virar o jogo. Quatro semanas atrás, estava sentada comigo naquela sacada em Istambul dizendo que não queria beber mais, só queria voltar para casa, ficar no seu estúdio e em sua sala de ginástica e jogar sinuca. Era o que você queria. Então como pode estar *aqui* de novo?

— T, eu estou bem...

Acabei de fazer minha mala. Eu sabia que dentro de dois ou três dias seria um pesadelo de novo; ela estaria naquele sofá, voltando para o hospital. *Sempre* dava naquilo. Eu parti, arrastei minha mala pela rua como fazia sempre até o pub da esquina, onde chamaria um táxi para me levar à casa da minha mãe. Eram dez, onze horas da noite. Sentado naquele banco tive uma sensação. Não pensava que algo de errado fosse acontecer, mas ainda assim achei que, se eu simplesmente partisse, acabaria me arrependendo disto. Eu sempre ia embora e estava geralmente calmo quando o fazia. Quando eu disse aquelas coisas no quarto, minha voz não estava alta, eu não tinha gritado. Pensei: "Não, não é o bastante. Preciso voltar."

Peguei minha mala e voltei para a casa. Ao me aproximar, ouvi sua música a todo volume: "Ghost Town" de The Specials. E a ouvi no quarto, no último andar, cantando junto. Eu havia partido uma hora antes, ela teria pensado que eu tinha me *mandado* embora, àquela altura teria tomado algumas taças de vinho. Subi as escadas. Ela estava cantando, eu podia ver que tudo estava perfeito em seu mundo de foco suave. Fechei a tampa do seu laptop. Desligar a música de Amy teve um efeito mais poderoso do que um soco no rosto. Eu já tinha aguentado demais. Mesmo enquanto estava ali parado simplesmente olhando para ela, porque eu a amava e amava seus pequenos ossos mais do que qualquer outra coisa no mundo.

Eu disse tudo o que precisava dizer. Ela não queria ouvir, mas acabou me ouvindo. Ela me deixou falar; sabia que era importante para mim desfiar minha ladainha. Ela ouviu meu mantra uma vez mais.

— Melhor estar viva sendo Amy do que morrer tentando ser "Amy Winehouse". *Foda-se* "Amy Winehouse", é uma personagem, *foda-se* aquela persona!

— T, eu não vou a lugar nenhum.

— A não ser que você pare de beber *neste exato momento*, eu vou embora.

— Ah, foda-se, então.

— Ah, foda-se, *você*.

Eu parti, sabendo que ia vê-la de novo dentro de poucos dias.

Fui para a casa de minha mãe e no dia seguinte ela telefonou, na hora do almoço.

— Você está bem, querido?

Foi quando eu caminhei até um descampado e conversamos e ela me disse todas as coisas que desejava na vida para mim. Acima de tudo, finalmente me apaixonar. Prometeu que ia parar de beber no dia seguinte e eu acreditei nela. Sempre sabia quando acreditar nela.

— T, por favor, venha para casa.

No dia seguinte, eu fui para casa.

* * *

Subi os amplos degraus de pedra de Camden Square, enfiei minha chave na porta e entrei com minha mala. Andrew estava no vestíbulo, ao telefone. Gesticulou para que eu ficasse onde estava e não subisse as escadas.

Eu não estava preocupado. Só estivera fora dois dias. Achei que Amy estava dormindo e tudo seria como sempre foi: eu voltaria, ela deixaria de beber, nós a levaríamos até o carro e para a London Clinic, para uma semana de abstinência, e ela ficaria ótima. Então tudo estava legal. Fui à cozinha e fiz uma xícara de chá para ela. No dia seguinte nós deveríamos ir ao casamento de Nick Shymansky, mas não podíamos mais, porque Amy estaria no hospital, o que era uma pena, já que estávamos tão animados. Ela havia até deixado o seu vestido para o evento separado no sofá da sala de estar ao lado do meu terno, tudo pronto. Também era o aniversário de casamento de minha mãe e Danny, e a lembrança me fez sorrir, um dia épico para todos nós, cinco anos antes.

Uma ambulância apareceu. Andrew me disse para abrir a porta. Deixei entrar o paramédico e Andrew o levou ao quarto de Amy no último andar. Aquilo havia acontecido incontáveis vezes. Comecei organizar na minha cabeça o que levar para o hospital, porque eu sabia como ela era. Assim que começasse a melhorar ia querer seu condicionador de cabelo, provavelmente o de morango. Eu estava calmo e pronto para fazer o costumeiro quando a campainha tocou.

Uma segunda ambulância.

Minha cabeça simplesmente fez... bang. "Alguma coisa não está certa."

Andrew me disse:

— Fique aí embaixo.

Abri a porta para outro paramédico e eu soube. Simplesmente soube. Senti um golpe na boca do estômago. Não era o procedimento padrão. Nem cheguei a olhar para ele. Simplesmente corri, subi correndo tão rápido quanto podia aquelas escadas até minha garota, *corri, corri, corri, corri, corri* escada acima. Não conseguia respirar. Passei por meu quarto e subi até o quarto de Amy, onde Andrew já estava bloqueando a entrada. Ficou parado ali como uma parede de tijolos. Andrew é um tremendo armário. Lutei com ele para entrar naquele quarto, eu o empurrei, soquei, queria matá-lo para que saísse do caminho. Ele suportou tudo aquilo. Não disse nada e não se mexeu.

Eu ainda estava tentando passar por Andrew, quando o primeiro paramédico se aproximou por trás dele. Inclinou-se por sobre o ombro de Andrew e disse uma frase para mim que eu nunca repeti até hoje. Nunca. A frase que acabou com o meu mundo. Pronunciada com tanta calma, tão banal, que me atravessou o osso.

— Lamento, amigo, mas ela já se foi há muito tempo. Nem quente mais está.

Aquilo soou tão frio para mim, a maneira como ele falou.

— O quê? O quê? O *quê?!*

Foi tudo o que consegui dizer. Tive um apagão. Fiquei atordoado. Zonzo. Enjoado. Tonto. Caí no chão.

Levantei-me e desci correndo as escadas. Para longe do que ele tinha acabado de dizer. Para longe do pior pesadelo que assumia vida. Para longe da única coisa que eu jamais pensei que fosse acontecer. A coisa à qual eu não sobreviveria. De modo algum. "Não sou forte o bastante para existir sem ela." Saí correndo da casa e caí nos degraus da frente. Olhei para o céu e eu *sabia*, ela estava *lá*. Eu sentia e aquilo me matava. Minha Amy. Minha garota. Ela não estava no último andar. Ela não estava lá. Tinha partido.

Tinha me deixado.

Não lembro a hora seguinte. Liguei para minha mãe primeiro, aparentemente. A polícia chegou. Eu queria correr para longe, mas não me deixaram sair. Tinha ficado sem cigarros e queria muito fumar, mas um policial disse:

— O senhor não pode sair, é o protocolo.

O mundo chegou: o circo da mídia. Todas as câmeras, todos os jornalistas, todos atrás daquela fita policial do outro lado da rua. Pessoas, centenas e centenas de pessoas, Londres inteira, ao que parecia. Simplesmente olhando. Observando. Era diferente para eles. Não viam Amy como um ser real. Era como a cena no tribunal, com Amy do outro lado do vidro, mas um bilhão de vezes pior. A morte de Amy era drama para eles, entretenimento, fofoca. Alguns teriam sentido. Eu soluçava, estava perdido, e eles me observavam como uma plateia observa um filme.

Nunca pensei que algo pudesse dar tão errado e especialmente não naquele momento. Não quando ela estava melhorando tanto, quando não havia nada errado com sua cabeça, quando tinha voltado à normalidade. As pessoas que observavam aquilo, as pessoas que iam ouvir nos noticiários, pelo mundo inteiro, jamais teriam acreditado. Sei que pensavam que era sempre um declínio inevitável, que ela era apenas outra maluca autodestrutiva. Quando a verdade era que tudo que ela vinha falando por semanas e meses era a respeito da sobriedade e do futuro.

Tive de ir a uma delegacia para recapitular os acontecimentos e eu estava quebrando coisas e chorando. Os policiais foram legais: me deixaram sair para tomar um pouco de ar e eu pude comprar água e cigarros. Fazia duas horas que eu ficara sentado nos degraus da casa e os jornais tinham preparado já uma placa: AMY WINEHOUSE MORTA. Diziam que tinha sido uma overdose de drogas. Filhos da mãe. Havia três anos que ela não consumia nenhuma droga, eles simplesmente escreviam aquilo em que queriam acreditar.

Voltei à delegacia e consolei-me com um único pensamento: eu não estaria por aqui amanhã. Não queria viver sem ela e aquilo me acalmou. Havia uma saída e eu estaria com ela. Eu ia acabar com minha vida. Eu ia me matar. Eu ia ter uma recaída: bebida, drogas, que se foda.

Saí da delegacia e minha mãe me esperava do lado de fora. Não me abraçou prontamente. Disse apenas o seguinte:

— Meu rapaz, me ouça, você precisa se segurar. Procure *ficar bem*, porra. Não quero estar na mesma posição de Mitch amanhã de manhã.

Naquele momento eu pensei: "Porra. Não posso fazer uma coisa dessas, né? Tenho que aguentar."

* * *

Não existem palavras. Você não supera uma coisa dessas. Nunca. É uma cicatriz que você carrega para sempre. Você chora e chora. Recobra o fôlego e começa a uivar e a chorar de novo. Você desmaia de tanto chorar e o alívio daquele nível de exaustão é quase bonito, puro escapismo, deixa de doer. Você acorda e por alguns segundos esqueceu, como se não tivesse acontecido, até que aquilo bate forte e fisicamente lhe tira o fôlego. E você volta a chorar. E assim segue por dias e semanas. Você vomita, você fica tonto, suas pernas fraquejam e você simplesmente reza para que alguém o liquide ou acabe com você para que não pense mais. Mas ninguém faz isso. Você é obrigado a enfrentar a parada.

E minha vida se tornou simplicidade. Lembre-se de se levantar. Lembre-se de comer alguma coisa. Lembre-se de escovar os dentes. O luto é uma coisa fodida. Eu ficava zangado com Amy. Surtei um dia enquanto andava pela rua. Por que você ME DEIXOU? Como vou existir? Como posso aguentar? Era sempre eu e você. Sempre eu e você.

Eu e você.

39

Os últimos meses de vida de Amy estavam tão próximos do fim, mas nunca pareceram assim. Esta foi a coisa mais difícil de assimilar. Mesmo as ocasiões traumáticas, entre as semanas de sobriedade — a recaída na gravação com Tony Bennett, a intervenção, a internação na Priory, a turnê europeia cancelada — eram sempre percebidas apenas como a coisa seguinte que estava acontecendo, que nós atravessaríamos. Eu conhecia a gravidade da situação — minha missão integral todo dia era manter Amy sóbria —, mas nunca poderia ter previsto o modo como sua vida terminaria, nunca. Não *então*. O veredito do legista foi "desventura" causada por elevados níveis de álcool. Parte daquilo era a tensão que seu corpo sofreu com a bulimia, porque destrói o sistema cardiovascular e o corpo dela não era forte o suficiente para suportar. Não encontraram vestígios de drogas ilegais no seu corpo. A coisa que eu mais temia que pudesse acontecer quando as coisas estavam no pior ponto, o motivo pelo qual eu a vigiei toda noite durante anos, *havia acontecido*: ela simplesmente parou de respirar.

Eu sei que mantive Amy viva. Membros da sua família disseram isso para mim: se eu não estivesse do seu lado, ela provavelmente teria morrido muito mais cedo. Naqueles últimos meses, quando comecei a sair de casa como uma tática, senti que a deixei partir. Eu me torturo por isso. Deveria ter suportado *tudo*. Mas se a mantivesse viva, isso também não significaria que prolonguei sua agonia? Não penso assim. Ela realmente só estava poucos passos atrás de mim em matéria de sobriedade, *estava* virando aquela esquina, só precisava de mais tempo e ajuda profissional séria. O tipo de ajuda que eu nunca conseguiria dar a ela. Naqueles últimos meses, ela estava até falando em consultar um terapeuta. Não era mais eu quem falava nisso, era *ela mesma*.

Tudo o que sei é que eu tive este instinto no dia em que conheci Amy, de que eu teria de cuidar dela. Sempre senti isso e sempre tentei, como um jovem frequentemente assombrado não só por seu caos, mas pelo meu próprio caos.

Depois de muitas horas na delegacia, no dia em que Amy morreu, uma amiga de Chantelle, que não estava envolvida na vida de Amy, disse que tinha uma casa vazia no oeste de Hampstead que nós poderíamos usar, para que os amigos pudessem estar juntos. Foi onde ficamos por alguns dias: eu, Chantelle, Naomi e Catriona, que tinha aparecido. Phil Griffin nos levou de carro até lá. Assim que chegamos, eu vomitei. E vomitei. E vomitei. Passamos a noite chorando, ligando e desligando a chaleira e — exceto eu — bebendo. Eu mal conseguia falar. Phil chegou no dia seguinte com roupas novas da JD Sports para todos nós, porque tínhamos chegado lá só com a roupa do corpo. Não admira que Amy o chamasse Papai Phil.

Falei com Nick ao telefone. Ele ainda queria que eu fosse ao casamento. Claro que eu não consegui. Sentia-me a segundos de ser internado em um hospital psiquiátrico. Phil sugeriu uma caminhada e saímos todos juntos. Tomei a frente com largas passadas, todo mundo atrás de mim, todos pensavam que eu pretendia me matar. Parei num lago e alguém se aproximou.

— A família quer vê-lo, estão todos preocupados com você.

Naquela tarde fui à casa de tia Mel. Estava aterrorizado. Com medo de que, se eu me conectasse com o que havia realmente acontecido e aceitasse aquilo, perderia a cabeça. Só estava sóbrio havia três anos. Ainda sofria de ansiedade e depressão e um dos meus maiores medos sempre foi o de acabar num asilo.

Fui levado ao jardim e toda a família de Amy estava lá: todos seus tios, tias, primos, cerca de vinte e cinco pessoas. Eles me cercaram, me abraçaram, um por um. Caí em lágrimas. Solucei, solucei e solucei no meio daquele círculo. Descontrolei-me como nunca antes na vida. Chorava tanto que quase não conseguia *respirar*.

Sentamos todos juntos em móveis de jardim, Riva ao meu lado, Alex, Janis, Mitch, Jane. Riva disse:

— Pode se soltar, pode se soltar.

— Mas... eu devia cuidar dela, é o que eu faço, eu preciso cuidar dela.

Aquelas foram as primeiras palavras que saíram de minha boca, as primeiras palavras articuladas que falei desde que aquilo aconteceu. Um dos momentos mais torturantes de minha vida. Todos me disseram que eu não poderia ter feito mais e que não podia ter sido melhor amigo. Disseram que sempre se sentiam confortados ao saber que eu estava sempre lá, cuidando dela. Mitch chegou até a dizer para mim:

— Tyler, eu sei que você a conhece melhor do que eu, claro que isso é verdade. Sou seu pai, mas você está mais próximo dela do que qualquer outra pessoa. Sinto muitíssimo.

Eu estava absolutamente exausto. Sentia-me tão decepcionado pela vida, pelo caminho que as coisas tinham tomado. Eu colocara tanta energia em algo que não funcionou. Eu *não* a salvei.

No dia seguinte, todo mundo se juntou na casa em que Janis morava. Eu nunca estivera lá antes. Tia Rene, que costumava visitar Hadley Wood, estava lá toda glamorosa, como a avó de Amy, Cynthia. Mitch me pediu para ir com ele apanhar o caixão. Fizemos aquilo rapidamente, sem atenção. Ele me pediu que escolhesse a primeira canção que tocariam no enterro de Amy e eu escolhi nossa canção: "So Far Away", de Carole King.

As pessoas me diziam com insistência:

— Pare de fumar e coma alguma coisa.

Eu devia estar fumando uns 140 cigarros por dia. Eu não podia parar. Nem chegava a usar um isqueiro; assim que um cigarro estava chegando ao fim, eu o usava para acender o seguinte. Kelly apareceu. Fazia muito tempo que todo mundo a conhecia por "Kelly Osbourne", tinha sido boa amiga de Amy, sempre se mantivera em contato. Fomos todos convidados a escrever cartas para serem colocadas no caixão de Amy. Fiquei sentado num canto, escrevendo e soluçando.

O enterro aconteceu três dias depois de sua morte, no cemitério de Edgwarebury. Saímos todos da casa de Janis. Eu estava num carro com Kelly e Chantelle, dirigindo por aquelas ruelas campestres, margeadas por fãs e pela mídia internacional, ocupando quase um quilômetro. O mesmo cenário de Camden Square quando as ambulâncias apareceram: centenas de fotógrafos com equipamento profissional, como na estreia de um filme. Uma vez mais eu vivia um pesadelo pessoal que estava sendo visto pelo mundo como um espetáculo. Não havia nenhuma privacidade. Estavam até empoleirados em escadas encostadas nos muros do cemitério.

Kelly insistiu em segurar minha mão enquanto entrávamos. Juliette e Lauren também foram. Mitch não queria convidá-las porque não pertenciam mais à vida de Amy, mas eu o persuadi: eu sabia que Amy teria gostado que elas estivessem lá.

Era uma cerimônia judaica e eu não conhecia as regras, não sabia onde deveria me posicionar, até que Riva me puxou para a frente com a família. Sentei-me ao lado de Reg, que estava lá no tradicional assento do "marido". Mitch fez o elogio fúnebre, cheio de histórias engraçadas da infância. Havia uma borboleta preta voando por ali e todo mundo dizia em voz alta:

— É Amy, ela está aqui em espírito!

Ela pousou no ombro de Kelly e Mitch fez uma piada:

— Ela sabe onde o dinheiro está.

As pessoas riram. Eu não. Não consegui.

Ele falou demoradamente sobre abrir a fundação. Havia um monte de jornalistas presentes, parecia um evento público e o discurso de Mitch foi publicado na íntegra nos jornais do dia seguinte. Ele fechou a fala com:

— Boa noite, meu anjo, durma em paz. Mamãe e papai te amam muito, para sempre.

Ouvi minha mãe, fileiras atrás, chorando. Então "So Far Away" começou:

Doesn't anybody stay in one place anymore?
It would be so fine to see your face at my door
(*Ninguém fica mais no lugar de sempre?*
Seria tão bom ver seu rosto à minha porta...)

Aquilo me *matou*. Ao sairmos, tínhamos que caminhar até o caixão um por um e colocar a mão sobre ele. Eu não consegui. Beijei o caixão, caminhei até a porta e desabei. Phil e minha mãe tiveram de me levar para fora.

Minha mãe perguntou:

— Você está bem, garoto?

— Não. Não estou bem e não vou estar bem por muito tempo.

Ela olhou para mim, perturbada.

— Devíamos ter feito o que você sempre disse que devíamos fazer. Devíamos ter colocado Amy na van e levado embora.

Mark Ronson estava lá. Estava tão consternado, não havia muito que dizer. Bryan Adams estava lá e olhou para mim como que dizendo "pobre coitado". Ele sabia do caos e da estupidez e da luta. Ele finalmente conheceu minha mãe e disse a ela:

— A senhora não esqueça também o que fez por Amy.

Houve uma cerimônia numa sinagoga. Darcus estava lá. Aproximou-se de mim e disse:

— Cara, soube que você andou mal, ouvi que foi por pouco.

Grimmy estava lá, e simplesmente me deu um abraço. Bebidas foram organizadas. Nem me passou pela cabeça beber. Sabia que se pegasse qualquer coisa, bebida ou drogas, seria o meu fim. As pessoas da gravadora estavam lá, todas aquelas pessoas fazendo e dizendo as coisas bizarras que se diz num velório. Eu me senti diferente e separado de todo mundo ali. Aguentei cinco minutos.

Nos fundos da sinagoga, encontrei uma escadaria de metal, onde me sentei para fumar e ficar sozinho por duas horas. Para algumas pessoas era como um evento do showbiz, para gente da gravadora e conhecidos que não eram próximos a ela. Eu me sentia aleijado. Pessoas vieram a mim e me disseram:

— Nós perdemos nossa amiga, mas é como se você tivesse perdido sua esposa.

Mas não era como se ela fosse minha mulher, ela era *minha vida*. Porque o que é a vida? É amor e o seu propósito. O que você faz todo dia. E eu tinha vivido com ela, muito, cada hora de cada dia, durante anos e anos. E de repente parou. *Tudo parou*. Ela não era parte da minha vida, ela *era* minha vida.

Amy nunca quis que eu fizesse uma tatuagem. Ela me disse que se arrependia por ter feito tantas. Mas, poucas semanas depois que ela se foi, mandei tatuar o nome dela em cima do meu coração: Amy

Jade. Sempre achei a coisa certa a fazer. Ainda a toco quando falo nela. Eu a queria no meu coração para sempre; é a única tatuagem que terei na vida.

No primeiro ano, eu não podia ficar sozinho e não fui deixado sozinho. Tinha um pequeno apartamento em Camden, onde supostamente estava reconstruindo minha vida e saía para caminhar catorze horas ao dia. Meus amigos caminhavam comigo ou me seguiam e um deles sempre ficava para dormir. Eu não dormia. Nas raras horas em que o fazia, eu tinha pesadelos em que tentava fazer Amy parar de beber. Em meus sonhos, eu dizia a ela:

— Não, você tem que parar de beber porque desta vez é diferente, Amy, você morreu desta vez. Você *morreu* desta vez.

Passaram-se meses, talvez um ano, até que voltássemos todos ao cemitério em Edgware para a descoberta da lápide. É bonita, um monólito de mármore preto com letras cor de rosa — porque ela amava rosa e sempre usava sapatilhas cor-de-rosa —, e um monumento a Amy e à avó. A ideia veio principalmente de Mitch e a família adorou. A inscrição diz: "À Memória Amantíssima de Cynthia Levy e de Sua Querida Neta Amy Jade Winehouse." Cynthia já tinha uma lápide ali, onde estão suas cinzas, e as cinzas de Amy foram colocadas ali também. Estão juntas, como deveria ser. O design inclui um livro aberto de mármore preto com nomes em cor-de-rosa de toda sua família e amigos. Eu estava com a cabeça ainda confusa para me envolver nas discussões sobre a ordem dos nomes do lado não familiar, mas para mim a decisão final nem sempre reflete a importância das pessoas na vida de Amy: Reg, os rapazes, eu, Naomi, Jevan, Catriona, Chantelle, Violetta, Raye, Mark, Salaam, Dionne, a banda de Amy, que ela amava.

Mas não é um lugar que eu chegue a frequentar. É apenas uma lápide. Amy não está lá.

***

Uma semana depois do enterro, eu voltei a Camden Square pela primeira vez com Mitch. Subimos até o quarto de Amy e ele pegou o travesseiro superior da cama e disse:

— Você fica com o outro.

Peguei o travesseiro e vi, na sua mesinha de cabeceira, uma composição emoldurada com quatro fotos: duas minhas, uma de Mitch e uma de Cynthia. Eram as únicas fotos visíveis no seu quarto.

Ainda tenho o travesseiro, é bege cremoso de seda. Fica numa bolsa preta de viagem e às vezes eu o tiro de lá e o abraço. Eu guardo outras coisas na bolsa: uma colmeia de Amy, um par de sapatilhas cor-de-rosa, um lenço, cartas e bilhetes que ela escreveu para mim. Algumas coisas carregam o cheiro de Amy e outras coisas cheiram a crack, ainda. É um cheiro que não sai! Mas o travesseiro não cheira mais a nada. Costumava cheirar bem — ela era uma pessoa cheirosa —, cheirava a xampu de morango. Também guardei uma mecha de seus cabelos, e um punhado de coisas que pedi quando o resto da família examinava os pertences de Camden Square e alguém da companhia gravadora fazia um inventário de suas posses. Tenho as suas baquetas. Um colar. Um par de pinças com dois coraçõezinhos na ponta. Adoro as pinças, são a cara dela.

Ao longo da última década, tentei analisar por que Amy tinha os problemas que teve na vida. Parte do motivo, a meu ver, é que certas pessoas são simplesmente programadas daquele jeito. Programadas de um modo diferente. Amy era especial, fora do normal — qualquer que seja a palavra que queiram usar, ela não era uma pessoa comum. Não houve abuso na infância de Amy, nada sinistro, nem na minha, mas é claro que criação e família nos afetam fundamentalmente.

Poucas semanas depois que comecei a escrever este livro, na primavera de 2020, meu pai biológico morreu. Eu passei a vida achando que o divórcio de meus pais não me afetara e, quando ele morreu, me dei conta de que me afetou, *sim*. Profundamente. Eu sentia saudade do meu pai. Telefonava para ele todo santo dia, deixava mensagens na secretária eletrônica. Eu e Amy tínhamos muito em comum, e parte disso era que precisávamos de nossos pais. E nossos pais não estavam lá. Herdei meu talento e inteligência do meu pai; Amy herdou sua paixão pela música, talvez até o talento, do seu pai. Ele tocava para ela discos de Billie Holiday e standards do jazz quando ela ainda era criança.

Em nossa adolescência, ela era como Cinderela no porão com a família do padrasto no andar de cima, e isso influencia uma pessoa. Nós dois sempre nos sentimos diferentes e nos tornamos reclusos.

Não havia ninguém como eu no meu entorno, lendo Shakespeare sozinho numa Canning Town de durões, enquanto os outros garotos estavam na rua roubando carros. Sempre fui mais chegado às mulheres. Cresci com um exército delas na ausência do meu pai, minha mãe me criou sozinha e eu a idolatrava. Acho muito mais fácil construir uma relação saudável com mulheres do que com homens, por causa disso. Assim como Amy, eu não me encaixava — e assim que pudemos sair de casa, nos mandamos.

Certas pessoas simplesmente querem fugir com o circo. Certas pessoas com vinte e poucos anos ficam simplesmente encapetadas por destruição e perigo, pela ânsia de se divertir sem limites. O rock 'n' roll também é isso. Quando Amy se apaixonou e começou a tomar heroína e crack, podiam dizer que era apenas juventude impetuosa. Se não tivesse se tornado famosa, ela poderia seguir aquela mesma estrada, de qualquer maneira, e seria facilmente alguém como Blake. Aos vinte e pouco, você ainda está se descobrindo, ainda é uma criança, não sabe realmente quem é. Mas, aos vinte e sete, ela estava começando a crescer plenamente, a amadurecer e a se afastar de todo aquele caos.

Não havia nenhum lado destrutivo em Amy no final da vida. Ela não possuía aquela ânsia de morrer, aquele não era seu problema de modo algum. Uma ânsia de morrer não é a mesma coisa que alcoolismo, dependência de drogas e carência do que ela realmente necessitava, que era a normalidade.

Para mim, o problema, o maior problema que Amy tinha, de todos eles, era ser famosa. Nem todo indivíduo que se torna famoso terá o fim que ela teve. Mas certo tipo de pessoa, o tipo de pessoa que valoriza a liberdade acima de tudo, embarca no expresso para o desastre, porque a fama aprisiona, inibe a vida comum, rouba a realidade. E se sua autoestima é frágil, o que é o caso de tantas pessoas criativas, vai ter de lidar com a maneira como é visto, julgado e ridicularizado. Amy era tudo isso. E tudo isso é incrivelmente destrutivo.

Eu culpo a fama por sua extrema solidão. Isolou-a das pessoas e da sociedade, impediu-a de ser tratada como todo mundo. Todos a viam como algo mais do que simplesmente Amy. Culpo o sistema que foi montado ao seu redor, que a fez perder o controle da própria vida, a máquina continuando a rodar, quer ela quisesse ou não. Culpo o efeito que a fama exerceu sobre as pessoas que a cercavam, levando-a a não poder confiar em ninguém — seus namorados, seus amigos, mesmo seu pai não podia mais ser normal no seu convívio, não podia mais ser simplesmente seu *pai*. Mas vejo agora, como adulto, que, ainda que Mitch se deixasse deslumbrar pelo mundo de showbiz da filha, ele provavelmente teve a cabeça tão fodida por tudo o que aconteceu com ela quanto o resto de nós. Tenho certeza que ele desejava, assim como eu, que Cynthia ainda estivesse por perto, pelo menos para lhe dar o apoio adequado. Embora ela devesse dar uns bons puxões de orelha nele e em Amy, Cynthia teria muita coisa a dizer sobre tudo. Penso frequentemente sobre o que poderia ter acontecido: a admiração e o respeito que Amy tinha pela avó emprestava a suas palavras um tremendo peso.

Amy era definitivamente alguém que nunca deveria ter sido tão famosa, que se limitaria a uns poucos shows ao ano, em lugares como o Jazz Café em Camden, vivendo uma vida modesta e confortável. Ela teria se tornado mãe, coisa que sempre quisera ser. Seus filhos seriam sua obra-prima final.

Nos últimos anos de vida, não havia muita vida acontecendo. Nada de gente, nada de trabalho, só ficava em casa. É o pior ambiente para quem tem tendência a beber. À medida que seu alcoolismo se intensificava, mais e mais pessoas não conseguiam lidar com ela e sua vida ficou cada vez mais solitária. Era como um confinamento permanente sem nenhuma saída. A única coisa oferecida a ela era ser "Amy Winehouse" de novo. Partir em turnê. Escrever outro álbum. Ninguém deu a Amy a opção de saltar fora.

A experiência humana não deveria ser baseada na adulação. Ninguém deveria ser mais importante do que o próximo. Somos bilhões e todos queremos as mesmas coisas: nos apaixonar, ser amados, trabalhar, ter um propósito, viver no mundo real ao lado de todos os demais. Amor e admiração vindos de pessoas que não o conhecem não são substitutos para isso. São uma ilusão, uma projeção do que pensam que você é ou do que necessitam que você seja. Tudo isso é uma bobagem absoluta.

Amy era apenas uma pessoa com alguns problemas, como todos nós. Mas o que aconteceu com ela não era inevitável. Cerrei os dentes muitas vezes quando ouvi pessoas dizerem que era: "Ah, ela é claro que ela ia morrer, era uma viciada em crack, uma encrencada, uma perdedora." Ouvi isso em pubs e tinha de ser contido para não brigar com algum estranho, pensando "Você não a conhecia". Uma das coisas mais difíceis para mim quando ela morreu era ter a impressão de que até pessoas que a *conheciam* achavam aquilo inevitável: Nick, Juliette, Lauren. O olhar em seus rostos dizia tudo: *Vamos lá, Tyler, seu pobre coitado, diga à gente se você não achava que ia acontecer?* Mas eles não viam o que eu via. Ela não era uma aloprada que nunca tentou sair do buraco. Ela *tentou*.

Mas, nos últimos meses, ela muitas vezes me dizia que estava cansada. Quando eu lhe fazia perguntas sobre a vida, quando ela havia bebido um pouco, quando ela não era A Outra Amy, ela seria sincera comigo.

— Eu simplesmente não quero esta vida, Tyler. Você gostaria de ser famoso, sério? Eu *odeio* isso. Estou de *saco cheio* disso. E estou cansada.

Ela usava muito aquela palavra, ao longo das últimas recaídas:
— Estou cansada, estou *cansada*.

Como se estivesse cansada da *vida*. Aos 27 anos de idade.

Olho para trás às vezes, para minha casinha popular no Leste de Londres e minha mãe me dando uma nota de cinco libras para ir à escola Sylvia Young todo dia. Para quando conheci Amy. Você nunca sabe, não é? O que um encontro casual pode fazer. A vida à qual ele pode levar. Isso me mata. Só estávamos na mesma turma porque não sabíamos dançar. A vida é complicada e nada é para sempre. À medida que envelhece, você começa a ver as coisas de maneiras diferentes. Tudo que atravessa é apenas uma memória e uma jornada. Jesus Cristo, a porrada de coisas que ela me ensinou. As lições que aprendi. As emoções que senti por causa dela. Era uma força. Um pequeno tornado, uma tempestade. Ao me deixar, ela realmente me transformou em homem. Eu precisei crescer. Foi um presente dela para mim. Ela continua me presenteando, me ensinando. Que o que realmente importa é a beleza na simplicidade da vida.

Sinto saudade dela. Sinto muita saudade dela. Eu a amo. Ela é minha garota, será sempre minha garota. E, apesar de toda a loucura e de todo o trauma que me fez passar, eu a amo até os ossos. Amo, e pronto. E sou agradecido, sou *tão agradecido* por ter conhecido aquela maluquinha. Porque ninguém a conheceu como eu.

Sou o garoto mais sortudo do mundo.

CRÉDITOS DAS IMAGENS

1: *Acima* © Sylvia Young; *no meio e abaixo* © Nick Shymansky. 2: © Nick Shymansky. 3: *Acima* © Nick Shymansky; *abaixo* Ian Dickson/Redferns via Getty Images. 4: *Acima, à esquerda* © Nick Shymansky; *acima, à direita* David Butler/Shutterstock; *abaixo, à esquerda* Tim Whitby/WireImage via Getty Images. 5: Ian Dickinson/Redferns via Getty Images; *abaixo, à direita* Jo Hale/Getty Images. 6: © Harvey Brown. 7: *Principal* Alan Davidson/Shutterstock; *menor, à esquerda* © Tyler James; *menor, à direita* GTCRFOTO/Alamy Stock Photo. 8: *Acima, à esquerda* WENN/Alamy Stock Photo; *abaixo, à esquerda* Fiona Hanson/Alamy Stock Photo; *à direita* WENN/Alamy Stock Photo. 9: Peter Macdiarmid/Getty Images for NARAS. 10: *Acima* Will/GC Images via Getty Images; *abaixo, à esquerda* Shutterstock; *abaixo, à direita* WENN/Alamy Stock Photo. 11: Jo Hale/Getty Images. 12: *Principal* EDB Image Archive/Alamy Stock Photo; *menor, à esquerda* WENN/Alamy Stock Photo; *menor, à direita* EDB Image Archive/Alamy Stock Photo. 13: *Acima* Jeremy Selwyn/Evening Standard/Shutterstock; *abaixo* EDB Image Archive/Alamy Stock Photo. 14: Anonymous/AP/Shutterstock. 15: *Acima* Danny Martindale/WireImage via Getty Images; *abaixo* Steve Parsons/Alamy Stock Photo. 16: *Acima, à esquerda* © Harvey Brown; *abaixo, à esquerda* © Nick Shymansky; *à direita* © Tyler James.

AGRADECIMENTOS

Este livro não teria acontecido sem as seguintes pessoas. Foi uma jornada e tanto. Meu muito obrigado a Ingrid Connell, da Pan Macmillan, por acreditar em mim e me dar uma oportunidade de contar minha história de Amy. Kevin Pocklington, da The North Literary Agency, por ser sempre sincero comigo e me apoiar ao longo do processo. Chloe Roberts: não posso medir agradecimentos a você por entender desde o início o quanto era importante para mim, espiritual e emocionalmente, fazer esse desabafo. Às vezes existem coisas que a gente simplesmente tem de fazer, e nada disso teria acontecido sem você. Nick Shymansky pelas lembranças e por ser um grande amigo. Que posso dizer? Você é o cara. Sarita Borge por desencadear todo o processo. Shane O'Neill por cuidar de mim e de Amy e por saber do que eu precisava para escrever este livro. Eu não conseguiria escrevê-lo sozinho e você encontrou minha parceira, Sylvia Patterson. Shareena Harnett por seu trabalho duro e sua dedicação nos bastidores. Você é a maior solucionadora de problemas de todos os tempos. Richie e Mary McTigue e os fardos de feno na fazenda onde me deitei, pensando, pensando, escrevendo e pensando um pouco mais. Até que as vacas chegaram. Sylvia Patterson, essa lenda absoluta. Você sabe que eu não tenho nenhum filtro e sem você eu estaria escrevendo este livro eternamente. Tivemos uma experiência emocional incrível e intensa juntos. Você fez este livro sangrar para fora de mim, eu me abri para você de um jeito que nunca fiz antes e você encontrou realismo e compaixão nas palavras. Existe um laço entre nós agora: eu, você e Amy.

DIREÇÃO EDITORIAL
Daniele Cajueiro

EDITORA RESPONSÁVEL
Ana Carla Sousa

PRODUÇÃO EDITORIAL
Adriana Torres
Mariana Bard
Laiane Flores

REVISÃO DE TRADUÇÃO
Carolina Leocádio
Sofia Soter

REVISÃO
Renata Gomes

PROJETO GRÁFICO DE MIOLO
Anderson Junqueira

DIAGRAMAÇÃO
Larissa Fernandez Carvalho

Este livro foi impresso em 2021
para a Agir.